le guide

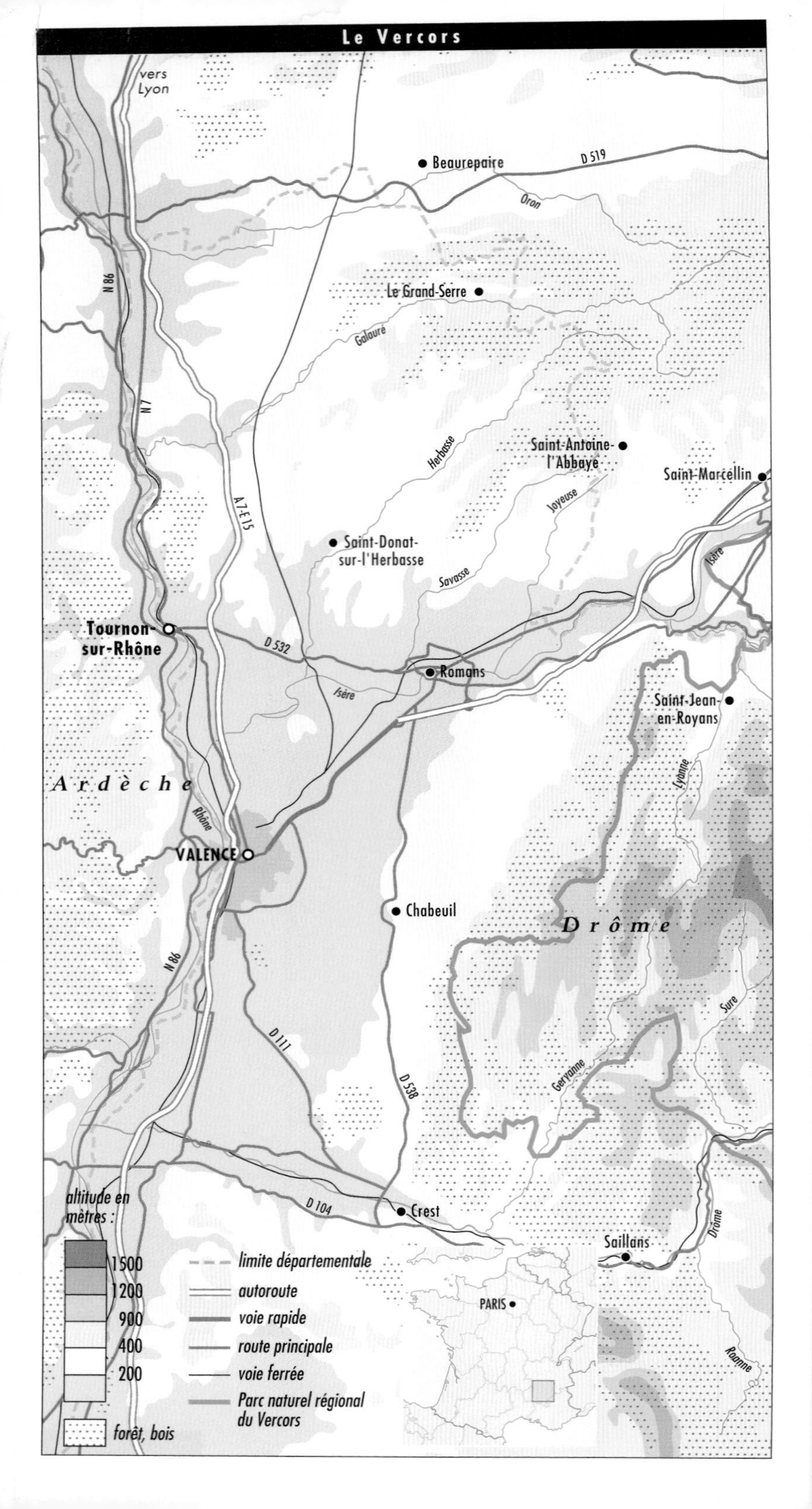

Le Vercors
vers Lyon
Beaurepaire
D 519
Oron
N 86
Le Grand-Serre
Galaure
N 7
Herbasse
Saint-Antoine-l'Abbaye
Saint-Marcellin
A7-E15
Joyeuse
Saint-Donat-sur-l'Herbasse
Savasse
Isère
Tournon-sur-Rhône
D 532
Romans
Isère
Saint-Jean-en-Royans
Ardèche
Lyonne
Rhône
VALENCE
Chabeuil
Drôme
N 86
Sure
D 111
D 538
Gervanne
D 104
Crest
Drôme
Saillans
altitude en mètres :
1500
1200
900
400
200
forêt, bois
limite départementale
autoroute
voie rapide
route principale
voie ferrée
Parc naturel régional du Vercors
PARIS
Roanne

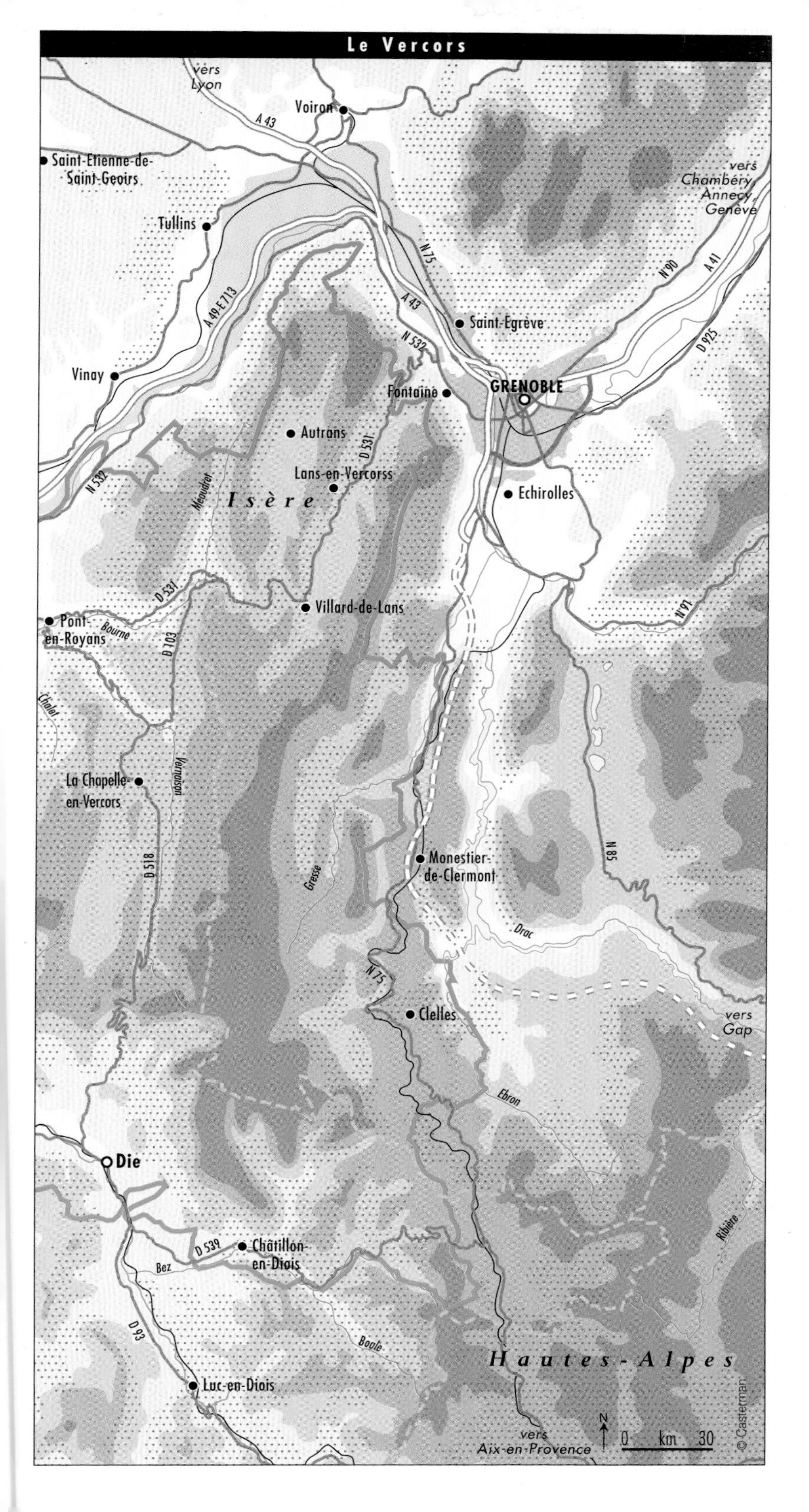
Le Vercors
vers Lyon
Voiron
A 43
Saint-Etienne-de-Saint-Geoirs
vers Chambéry, Annecy, Genève
Tullins
N 75
N°90
A 41
A 49-E 713
A 43
Saint-Egrève
N 532
D 925
Vinay
Fontaine
GRENOBLE
Autrans
D 531
N 532
Méaudret
Lans-en-Vercorss
Isère
Echirolles
D 531
Villard-de-Lans
N°91
Pont-en-Royans
Bourne
D 103
Chalat
Vernaison
La Chapelle-en-Vercors
D 518
Monestier-de-Clermont
N 85
Gresse
Drac
N 75
Clelles
vers Gap
Ebron
Die
Ribière
D 539
Châtillon-en-Diois
Bez
D 93
Boule
Hautes-Alpes
Luc-en-Diois
N
vers Aix-en-Provence
0 km 30
© Casterman

L'auteur

Michel Destombes
Journaliste, auteur de différents guides aux
éditions Casterman : *Somme* (1994), *Côte Picarde* (1995),
Mont-Saint-Michel (1995), *Côte d'Opale* (1996).

Avec la collaboration de **Martine Riboux**.

Collaborateurs

Elisabeth Gautier : correction.
Bruno Veillet et Gil Borel : relecture.
Etudes et cartographie (Lille) : cartes et plans.
Marie Vanesse : maquette.

Remerciements

Les offices de tourisme, les syndicats d'initiative et les mairies
des communes du massif du Vercors.
Les comités départementaux du Tourisme de la Drôme (Valence)
et de l'Isère (Grenoble).
Le Parc naturel régional du Vercors (Lans-en-Vercors).

Les gorges de la Bourne depuis le belvédère de Saint-Julien (Vercors central).

Editions Casterman/Département Le Guide,
28, rue des Sœurs-Noires, 7500 Tournai (Belgique).
ISBN 2-203-61512-5

S O M M

Croix à La Bâtie (Trièves).

A I R E

Les hauts plateaux.

Rédaction des textes

L'ensemble des textes, à l'exception du texte sur la clairette (p. 76) et du carnet d'adresses (p. 178-184) a été rédigé par l'auteur, Michel Destombes.

Crédits photographiques

Sauf mention contraire, les photographies ont été réalisées par Michel Destombes.

Agence Diaf : couverture, p.14.

Agence Scope : p.160.

Laurent Benoit : p. 125 (bas).

Thierry Charlaix : p.128.

René Delon : p. 94, 125 (bas).

Cave coopérative de Die : p. 38, 60, 52 (bas), 59 (haut), 65, 66 (haut), 68, 72 (bas), 120 (bas).

Musée international de la Chaussure : 73, 110.

Musée du Villard : p. 43, 72 (haut), 177.

Parc naturel régional du Vercors : p. 78 (gauche), 120 (haut), 121.

Droits réservés : p. 53, 80, 81, 146 (bas).

V. CARNET D'ADRESSES

Couverture : vers les hauts plateaux.
P. 1 : l'ours sur la place de Villard-de-Lans.

Jacques Roux

"Derrière les blessures de l'Histoire, une nature souveraine"

Ancien instituteur, maire de Vassieux-en-Vercors de 1962 à 1995, Jacques Roux sait trouver des mots simples pour parler du Vercors. Dans la population actuelle du village, presque tous sont passés dans sa classe. Il connaît le pays, il connaît les êtres qui l'habitent. Il n'est pourtant pas né à Vassieux, mais à Saint-Vallier, dans la vallée du Rhône. Avec son épouse, tous deux juste sortis de l'école normale d'instituteurs, ils arrivent à Vassieux en 1946. Ils y font toute leur carrière d'enseignants et leurs premiers élèves sont aujourd'hui grands-mères ou grands-pères.

Jacques Roux se souvient avec émotion de cette arrivée dans des conditions que l'histoire récente et tragique a rendues très difficiles : "Le village était anéanti, écrasé... Toutes les dames étaient en noir et les enfants très, très choqués. Je me souviens qu'ils ne savaient plus jouer dans la cour, ils n'en avaient même pas envie. Ils étaient encore totalement sous le coup des événements de juillet 1944... Mon épouse et moi devions nous occuper de soixante-dix enfants et nous avons enseigné pendant cinq années dans des baraquements. Nous avons eu une vraie école le 1er janvier 1951... Mais voir des enfants qui ne jouent pas, c'était terrible. Ils ont cependant repris peu à peu goût à la vie ; au bout de deux années environ les choses sont devenues plus normales, si l'on peut dire..."

Le travail de la mémoire s'était fait dans les petits cœurs, la vie était redevenue la plus forte après les heures noires de 1944... Quelques chiffres suffisent, toutefois, à donner la dimension du désastre et du choc psychologique qui s'ensuivit : 73 victimes civiles sur 370 habitants, le cinquième de la population. On peut parler à bon droit de "sacrifice" de cette population de Vassieux dans son aide à la Résistance, mais les choses auraient pu être pires encore. Le 13 juillet 1944, Vassieux fut lourdement bombardé. Les habitants s'étaient pour la plupart enfuis dans les hameaux des environs, sur le plateau. Après un parachutage des Alliés le 14 juillet, les Allemands revinrent le même jour pour bombarder à nouveau le village, ce qui fait qu'il y avait relativement peu de monde lorsque les sinistres planeurs des troupes de choc SS atterrirent le 21 juillet suivant. Il y eut un bref combat contre les résistants qui se trouvaient là, puis ce fut le massacre que l'on sait. Après un pillage systématique, le village fut mis en cendres. "Ce fut une époque très difficile, se souvient Jacques Roux, c'était tellement triste. Il nous a fallu assumer un nouveau départ, assumer la renaissance d'un village qui avait été littéralement écrasé... D'une certaine façon, je garde la sensation d'avoir repris, moi qui venais de l'extérieur, le village à zéro, et de l'avoir aidé, autant que j'ai pu, à repartir..."

Les cérémonies du Cinquantenaire, en 1994, ont réveillé à Vassieux, comme dans tout le Vercors, bien des souvenirs sur les "événements" comme on dit pudiquement ici. Plus de cinquante ans après, les plaies ne sont pas toutes refermées. Et puis les avis ont été très partagés, il faut le reconnaître, au moment où l'on a construit le mémorial de la Résistance sur la route du col de Lachau : "Le mémorial repose avant tout sur le symbole, estime Jacques Roux. On le saisit ou non, mais il y a tous ces témoignages enregistrés qui disent avec les mots de gens simples la brutalité des événements... Ce que l'on fait autour de la petite Arlette Blanc est évidemment très théâtral, mais il y a dans son témoignage toute l'horreur de la guerre. Ce témoignage avait été recueilli, il faut le dire, par un homme extraordinaire, l'abbé Fernand Gagnol. Le curé de Vassieux a ainsi sauvé, en avril 1944, douze jeunes gens que la milice avait décidé de fusiller. En chaire, il n'avait pas hésité à fustiger les miliciens présents dans son église en disant : « Les terroristes, c'est vous ! » Comment ceux-ci ont pu laisser l'abbé tranquille après ça, c'est un mystère..."

Désormais, il y a donc le mémorial de la Résistance au-dessus de la plaine de Vassieux, et il y a le jardin de la Mémoire à Vassieux même, juste derrière l'église : "Je voulais absolument, poursuit Jacques Roux, un jardin de la Mémoire pour rappeler le sacrifice de la population civile de Vassieux. Ce monument, si on peut l'appeler ainsi, est l'œuvre d'Emmanuel Vannier : soixante-treize lames de verre dressées sur une simple pelouse rappellent chaque victime du 21 juillet 1944, et cela dans l'ancien cimetière de Vassieux car c'est là que se trouvent les racines du village, comme le montrent aussi les vieilles pierres tombales qui ont été disposées le long des murs d'enceinte..."

Cinquante années après, la mémoire est vive encore. Mais il y a la vie. Et le Vercors, pour Jacques Roux, c'est encore et toujours un appel à la vie : "La première sensation que j'ai éprouvée en arrivant ici, c'est la liberté... Un paysage immense, grandiose... Il y a peu de contraintes ici, tout est encore très sauvage. Songez que la forêt représente la moitié du territoire, et c'est un lieu tellement plein de vie. Vous savez, contrairement à ce que l'on pourrait penser, les gens du pays vont souvent s'y promener. Il y a les chevreuils, les biches, les cerfs à guetter, il y a les cueillettes que l'on pratique régulièrement : les myrtilles, les fraises, les framboises, ou encore les champignons... La forêt est un capital de première importance pour tout le Vercors, une source d'emplois et aussi de revenus pour les communes. Quant au plateau lui-même, il est toujours entretenu avec soin par les agriculteurs. L'homme n'a pas dénaturé ce plateau tout en l'ayant beaucoup travaillé, et cela n'a pas de prix... La population n'a pas attendu qu'on invente le mot d'écologie pour entretenir la nature et le paysage. La forêt, en particulier, est très respectée..."

Evidemment, concède l'ancien maire de Vassieux qui fut aussi conseiller général de la Drôme, au nord du Vercors on n'a pas pu éviter de "casser" un peu, car la proximité de Grenoble et de son agglomération de plus de cinq cent mille habitants ne permettait pas vraiment de faire autre chose. Mais pour le reste : "Tout est net, et je le pense, très naturel". Mais cette netteté, ce naturel, sont le fruit d'un équilibre subtil entre l'homme et la nature. Or, sur le plateau du Vercors comme ailleurs, la part de l'agriculture diminue régulièrement au sein de la population active. A Vassieux, il y avait cinquante-deux exploitations en 1946. Il n'en restait plus qu'une vingtaine en 1993 et l'ancien maire se montre pessimiste pour les années qui viennent. Or qui entretient cette précieuse nature, ce rare paysage, si ce n'est l'agriculteur et l'éleveur ? Dans un pays comme celui-là, il est clair que le machinisme, tout en ayant sensiblement libéré les agriculteurs et, en particulier, les femmes, ne peut prendre autant de place que dans les vastes plaines du Bassin parisien, par exemple. Entretenir ce pays demande énormément de travail, souvent manuel. Quel avenir alors ? Le tourisme ?

"Le tourisme ? C'est une piste évidemment, répond Jacques Roux, car notre nature est si belle ! Les gens des villes en auront toujours plus besoin. Il faut que nos agriculteurs diversifient leurs activités tout en gardant leur métier de base de façon à sauvegarder ce que nous avons de plus précieux : le paysage. Il faut absolument, par exemple, que les bêtes continuent de pâturer... Mais il faudrait aussi que nos agriculteurs s'ouvrent davantage à l'accueil. Je crois tout à fait au développement des gîtes ruraux, des chambres et tables d'hôtes. Je

crois aussi au développement des loisirs de nature, des loisirs sportifs... Il faudrait enfin que nos commerçants sachent mieux accueillir le visiteur et lui offrir des produits de qualité « terroir ». Ils devront moderniser leurs installations pour, là encore, mieux accueillir. Le tourisme de nature est, pour le Vercors, une porte de sortie au plan économique, on ne peut en douter, mais en misant sur des produits « naturels ». Faire de bonnes tommes de chèvres, c'est essentiel ici. Il faudrait en conséquence développer une politique de labels, d'appellations d'origine contrôlée. La pluri-activité va aussi s'imposer car c'est le moyen pour que chacun ait d'indispensables compléments de revenus. On peut être bûcheron et, en même temps, se spécialiser dans l'accompagnement en montagne pour le ski, en hiver, ou dans la spéléologie ou encore la grande randonnée...".

Optimisme ou pessimisme, Jacques Roux ne répond pas vraiment, mais sans doute n'est-il pas trop tard. On peut encore "sauver les meubles". Et cela est vrai aussi bien au nord du Vercors, vers les Quatre-Montagnes, que vers le sud. "L'économie de Vassieux a toujours été tournée vers le Diois, précise-t-il. Les gens d'ici ont gardé cette empreinte du sud, de la pré-Provence en quelque sorte. On y est très accueillant. Evidemment, ce n'est plus comme avant... La télévision est arrivée ici comme ailleurs et il n'y a plus les veillées d'antan, ces longues soirées d'hiver où l'on tapait le carton. Le bénévolat est en recul, comme partout ailleurs aussi, tout comme le manque d'engagement d'une manière générale. Mais il reste cette qualité et cette capacité d'accueil. Ce sont des atouts précieux qu'il faut veiller à cultiver... Et puis, ajoute l'ancien maire de Vassieux, nous avons ici une qualité de vie incomparable ! Il faut tout faire pour la sauvegarder et il faut que les plus jeunes en prennent pleinement conscience !"

Jacques Roux garde constamment à l'esprit l'idée que vivre dans le Vercors est une chance, et même un privilège. De souche paysanne comme beaucoup de Français, il aime son jardin, il aime la forêt et la chasse, et là, le Vercors est un vrai petit paradis... "Il y a ici une certaine solitude, c'est vrai, mais nous y sommes tellement bien.

Avec mon épouse, nous avons fait bâtir une maison et nous avons aussi acheté notre place au cimetière comme on le fait dans le pays... Malgré les possibilités de promotion, j'ai toujours voulu rester... Mon inspecteur de l'Education nationale m'avait dit un jour, à ce propos : « La patrie, c'est là où on est bien... » J'y souscris encore et toujours".

Portrait du Vercors

Au cours des siècles, le massif du Vercors s'est forgé une identité dont les marques sont toujours visibles lorsqu'on parcourt le plateau ou les piémonts (Diois, Royans, Trièves, vallées de l'Isère et de la Drôme).

Cette identité géologique, historique, économique et culturelle est retracée dans son évolution et ses perspectives à travers une synthèse complétée par une chronologie commentée et agrémentée d'encadrés sur des personnalités ou des aspects originaux.

Les hauts plateaux du Vercors.

Une forteresse

Lorsque vous venez de la vallée du Rhône, au niveau de Tain-l'Hermitage puis en approchant de Romans, c'est une simple ligne sur le ciel. Le sentiment que l'on en a est celui d'une masse d'une certaine hauteur, l'impression d'une chose compliquée aussi. Mais c'est loin encore. Les amoureux de montagne en éprouvent une émotion secrète, ainsi en est-il des liens entre l'homme et la montagne : ils sont complexes et ils vont souvent du calme serein à l'exaltation...

En approchant, on prend peu à peu conscience de cette formidable masse de roche, de ces hautes parois abruptes, et l'on se met à comprendre ce qui, de tout temps, a fait comparer le Vercors à une forteresse. C'est vrai à l'ouest, une fois que l'on a pénétré dans le Royans, laissant sur la droite une avancée plus

Les gorges de la Bourne.

modeste du massif. De gris, de blanc et d'ocre, le calcaire dresse ses murailles contre le ciel en vertigineuses falaises au-dessus de Saint-Laurent-en-Royans. Majestueux, le gigantesque sillon de Combe-Laval s'enfonce au cœur même du plateau. Plus au nord, on retrouve les mêmes falaises altières au-delà des Petits-Goulets, tandis que plus au nord encore, impérieuses, s'ouvrent dans la roche les gorges de la Bourne au débouché desquelles la cité de Pont-en-Royans s'est installée à coup d'acrobaties architecturales.

A l'est, bien plus hautes encore, les falaises dessinent des dents aiguës qui dominent la région complexe du Trièves. Lorsqu'on monte doucement depuis Grenoble, laissant bientôt sur le côté la vallée du Drac puis, au pied du Vercors, quelques reliefs accidentés, le Trièves paraît en effet s'ouvrir tout à coup en une plaine lorsqu'on approche du col de la Croix-Haute. En été, il sera difficile de se rendre compte que l'on est ici entre 700 et 900 m d'altitude. Vers le sud, bientôt, le mont Aiguille figure quelque vaisseau hors du temps ayant jeté l'ancre en avant de la barrière acérée et regardant vers le Trièves... Tout aussi complexes paraissent le Diois et la vallée de la Drôme dominés par les imposantes falaises du Glandasse, pointe sud s'aventurant, triomphale et royale, au sein d'un pays de collines qui est déjà un peu de Provence, vivant paradoxe de cette France qui ne choisit ni le nord ni le sud...

Par opposition, l'abord du Vercors semble presque sage dans son côté nord et vers les Quatre-Montagnes, au-dessus de la vallée de l'Isère, cependant qu'il faut monter de sévères pentes pour quitter les faubourgs de Grenoble et grimper jusqu'à Villard-de-Lans par Sassenage, la vallée et les gorges du Furon, ou encore par les raidillons de la route qui joint Grenoble à Saint-Nizier-du-Moucherotte puis, au-delà, Lans-en-Vercors.

Le cirque d'Archiane (Diois) : les aiguilles de Bénévise.

Abrupt et âpre, le Vercors – qui ne fut conquis par les routes qu'au milieu du XIXe siècle et seulement grâce à des exploits humains et techniques étonnants – a gagné une image à l'évidence "romantique", un romantisme que l'on serait tenté de retrouver dans l'aventure tragique de la Résistance, les combattants allant jusqu'à proclamer la République sur le plateau alors que la guerre n'est pas même terminée. On peut se demander si ces combattants n'ont pas été influencés par l'idée de forteresse imprenable attachée au Vercors. On sait, hélas, ce qu'il en advint. Si ce n'est romantique, l'image, à tout le moins, est très littéraire : l'écrivain Jean Bruller ne prit-il pas en ces temps difficiles de l'occupation et de la Résistance le pseudonyme de Vercors ?

Radios et télévisions nous le disent, nous le montrent : il n'est pas une année sans quelque tremblement de terre, sans éruption volcanique, inondation ou autre cataclysme... Cette terre est chose vivante. Elle reste la proie de forces titanesques que la science, certes, nous aide à comprendre rationnellement mais qui, quoiqu'on fasse, nous laissent songeurs tant la puissance des phénomènes nous dépasse infiniment, nous si petits face à notre planète, elle-même point perdu dans l'univers... Les falaises du Vercors nous paraissent ainsi, à l'échelle du temps qui est le nôtre, tellement solides, tellement immuables... Or, il n'en est rien. Des forces gigantesques les travaillent encore tandis qu'inlassablement l'érosion continue son travail de sape, de scie, de rabot...

Le Vercors des origines

L'histoire du Vercors commence il y a bien longtemps, il y a cent cinquante millions d'années environ, durant l'ère secondaire. Les Alpes n'étaient pas encore nées et, à leur emplacement, se trouvaient des mers plus ou moins profondes. Tout au long de cette immense période se constituèrent des dépôts de sédiments issus de l'érosion mais aussi et surtout, dans les mers

La vallée de l'Isère depuis le col de Tourniol.

peu profondes, de la vie même : plancton, coraux, algues, coquillages, animaux divers, invertébrés ou non. Ainsi, au fond de ces mers se forma comme un énorme "millefeuille" dans lequel, sur plusieurs milliers de mètres, alternaient des roches d'origine sédimentaire : calcaires plus ou moins durs, marnes plus ou moins tendres... Les calcaires durs correspondent aux mers peu profondes où la vie était très développée ; on trouve d'ailleurs dans les roches qui en sont issues de nombreux fossiles marins. Les marnes correspondent quant à elles aux mers profondes.

Cette période d'accumulation de matériaux dura quatre-vingt-cinq millions d'années environ, jusqu'à l'ère tertiaire où eurent lieu de gigantesques bouleversements dans l'écorce terrestre. Les Alpes émergèrent peu à peu, ce qui eut pour effet de faire partir les mers et d'en soulever le fond. Les masses de roches sédimentaires furent alors relevées et soumises à d'énormes forces tectoniques. L'ensemble s'éleva de plus de mille mètres. Les couches du millefeuille se mirent à glisser les unes sur les autres : certaines se plissèrent, comme on peut le constater à Sassenage ou encore près de Pont-en-Royans où l'on voit les plis nettement enroulés des diverses couches de roches ; d'autres encore se dressèrent à la verticale et laissèrent, une fois débarrassées des rochers tendres par l'érosion, des aiguilles souvent impressionnantes, comme à Saint-Nizier-du-Moucherotte ou encore au-dessus du col de Rousset…

Ces événements géologiques considérables expliquent naturellement que l'est du massif du Vercors, la ligne de crêtes qui regarde vers les Alpes, soit la plus haute. Ils expliquent aussi ce long pli de direction nord-sud, remarquable synclinal qui

Les hauts plateaux.

va du col de Roméyère au nord au col de Rousset au sud, et que l'on peut facilement observer ; d'autres plis existent qui lui sont parallèles et possèdent la même origine géologique : synclinaux de Lans-en-Vercors, d'Autrans, de Rencurel. Evidemment, sur le terrain les choses sont plus complexes à analyser… Pour tenter de comprendre ces phénomènes, on pourrait comparer la croûte terrestre à celle d'un pain frais. Si l'on joue de l'élasticité de la mie, on fait se briser la croûte en surface… Le calcaire dur constitutif des plateaux du Vercors – il est appelé calcaire urgonien et son origine est le corail d'une mer chaude – a donc vu ses couches, d'une épaisseur de deux à quatre cents mètres, brisées et entrecoupées de failles. C'est comme cela que naquirent des réseaux de grottes, l'eau s'infiltrant dans les fissures ainsi créées. C'est aussi pourquoi furent creusées aux endroits propices et sous l'effet de l'érosion, d'impressionnantes gorges. En effet, les phénomènes tectoniques furent accompagnés au quaternaire, période marquée à son début par un grand refroidissement, par l'énorme travail des glaciers et par l'érosion des torrents d'eau froide issus de leurs langues.

Le travail de l'eau

Ce qui allait devenir la vallée de l'Isère se trouvait alors sous un de ces immenses glaciers épais de deux à trois mille mètres, là où s'étend aujourd'hui Grenoble ! Ce glacier creusera la vallée et lui donnera la forme caractéristique en U des vallées glaciaires. Il s'étendait alors jusqu'à hauteur de Lans-en-Vercors comme le prouvent les cailloux d'origine granitique qu'on y trouve, tandis que sur les hauts plateaux du Vercors d'autres glaciers, plus modestes, sous le Grand-Veymont ou sur le plateau de Lente, alimentaient par leurs langues des torrents qui vont creuser les gorges de la Bourne, les goulets de la vallée de la Vernaison ou encore Combe-Laval. Le val de Lans paraît même avoir été occupé, entre deux glaciations par un lac et des marécages dont les recherches actuelles n'ont pas encore permis de déterminer la profondeur. On imagine mal aujourd'hui la puissance de tels phénomènes d'érosion. Les torrents d'eau froide étaient capables de dissoudre de grosses quantités de calcaire, accentuant ainsi le creusement des grottes et des gorges, tandis que leurs galets engendraient sous la pression des eaux une force abrasive tout à fait considérable. Ces forces appliquées à la roche calcaire ont créé ces paysages exceptionnels et, en particulier, ces admirables falaises dont l'érosion par l'eau infiltrée et le gel assure la verticalité tout en alimentant des éboulis à leur pied.

Cascade à Omblèze (pays de Quint).

Dans le Vercors, cette érosion prend également d'autres formes, comme les “lapiaz” que l'on trouve ici et là en forêt de Lente, par exemple, ou en très grande quantité dans le secteur du “Purgatoire” sur les hauts plateaux. Ce sont des fissures creusées peu à peu par l'eau qui dissout le calcaire, jusqu'à former de petits ravins. L'érosion, ce sont les scialets qui s'ouvrent sur d'importants réseaux souterrains ou encore les dolines qui se présentent sous forme d'entonnoir et dont le fond est souvent plat et constitué d'argile. On en trouve de beaux exemples en forêt de Lente, notamment en bordure de la route du col de Carri, ou encore sur la plaine de Vassieux. Des pluies très abondantes ou une brutale fonte des neiges au printemps peuvent les remplir d'eau, une eau qui va dissoudre du calcaire avant de rejoindre les réseaux souterrains et accentuer encore cette forme d'érosion propre au karst. Au réseau aérien, ponctué souvent de dolines ou de scialets, correspond le plus souvent une rivière souterraine plus ou moins profonde qui trouve son chemin à travers les multiples fissures du calcaire. Ce sont, la plupart du temps, des réseaux très complexes que les spéléologues sont loin d'avoir explorés dans leur ensemble. Ainsi, par exemple, l'eau de la grotte du Brudour, en forêt de Lente, ressort-elle au pied des falaises de Combe-Laval, devenant alors le Cholet. Des colorations ont permis aux scienti-

La falaise est du Vercors surplombant le Trièves.

fiques de mieux préciser ces parcours souterrains mais il reste beaucoup à faire. On ne trouve donc pratiquement pas de cours d'eau sur le plateau et pas du tout sur le haut plateau. Si de tels cours d'eau existent, comme la haute Bourne sur la plaine de Lans-en-Vercors, ou encore le Méaudret ou la Doulouche, c'est toujours au-dessus de couches rocheuses imperméables comme le sont ici les molasses.

L'érosion souterraine est donc particulièrement active dans le Vercors. Certains gouffres y sont des dédales extraordinaires, comme le célèbre gouffre Berger à Engins qui a été exploré jusqu'à -1141 m de profondeur ou comme le "Trou qui souffle" à Méaudre dont le réseau exploré s'étend sur plus de 30 km. Ces grottes forment un genre d'énorme système de canalisations, l'eau s'échappant des parois du karst pour rejoindre les torrents à la faveur des couches imperméables rencontrées. Il existe également des résurgences situées plus haut et par lesquelles l'eau s'échappe une fois que le système est rempli et lorsque le débit inférieur se révèle insuffisant. C'est le cas, par exemple, à la grotte de la Luire en cas de pluies très importantes ou de fonte des neiges brutale. Ces résurgences peuvent parfois atteindre des débits considérables. Il faut dire que, regardant vers l'ouest, le Vercors est un massif particulièrement arrosé. Ces réseaux souterrains sont très vivants mais, à travers les millénaires, ils descendent, laissant plus haut dans le karst des grottes parfois d'une grande beauté ; la calcite dissoute par l'eau forme alors à la faveur des infiltrations des stalactites de diverses formes – blanches et translucides ou bien colorées selon les oxydes présents dans les sols traversés –, des stalagmites, des gours et toutes sortes de draperies qui forment un monde fascinant.

Une leçon de géologie

L'érosion provoquée par les eaux et le froid a donc laissé des traces très perceptibles dans le paysage du Vercors. Il en va de même pour l'érosion glaciaire. En effet, en fondant les glaciers ont souvent laissé des reliefs particuliers et reconnaissables, car visiblement différents du paysage d'ensemble : ce sont des restes de moraines glaciaires. On peut en voir quelques exemples marquants dans le val qui joint Saint-Agnan-en-Vercors au hameau de Rousset ; le hameau de La Britière, par exemple, se trouve construit sur la moraine même, abandonnée jadis par les glaces.

L'unité des plateaux est donc assurée par le calcaire dur dit urgonien qui vient couvrir des couches plus fragiles et plus tendres en les protégeant. Ce n'est pas le cas alentour de ces plateaux. Au nord, les glaciers ont joué le rôle que l'on sait, taillant la profonde vallée occupée aujourd'hui par l'Isère, alors qu'au sud dans le Diois et à l'est dans le Trièves, l'érosion a sculpté un pays de collines dans les marnes et le marno-calcaire nettement plus tendres, comme en témoignent certaines ravines creusées par les pluies. Il subsiste toutefois dans ces deux pays des crêtes de calcaire dit tithonique, dur lui aussi et qui représente une des couches dont nous parlions à propos du millefeuille. C'est le cas sur la rive droite de la Drôme dans le Diois : on franchit cette barrière naturelle grâce à des “cluses” creusées par l'érosion. C'est aussi le cas près de Die pour rejoindre l'abbaye de Valcroissant ou en direction de Romeyer ou encore sur la route qui mène à Chamaloc et au col du Rousset (D 518).

Il en est de même dans le Trièves, dans la direction nord-sud cette fois, des cluses ouvrant là encore un accès, comme à Chichilianne à partir de Clelles, à Château-Bernard lorsqu'on part de Saint-Guillaume ou à Gresse-en-Vercors lorsqu'on vient de Saint-Michel-des-Portes. Le mont Aiguille, près de Chichilianne, appartient quant à lui à la structure générale des plateaux. Son sommet est de calcaire urgonien comme le montrent les falaises qui le protègent. Il est le témoin de l'avancée vers l'est des plateaux du Vercors central, un témoin que l'érosion des falaises a peu à peu isolé. Mais il reste difficile d'analyser ces paysages de collines car l'érosion y a également construit des sortes de terrasses à partir de galets, de sables, d'argiles, et la nature s'y est bien sûr installée depuis longtemps.

A l'ouest, le Royans correspond à une sorte de golfe entre la montagne de Musan, sur l'extrême pointe de laquelle, au nord, s'est établi Saint-Nazaire-en-Royans, et les falaises du plateau à l'est. Cette dépression dépourvue de calcaire urgonien a vu l'érosion creuser un remarquable ensemble de collines complété par des terrasses alluviales issues du travail des tor-

L'hiver dans la forêt de Lente.

rents, comme la Bourne, la Vernaison ou le Cholet. Le climat plus humide du Royans a, par la suite, contribué au développement de paysages particulièrement verdoyants et agréables.

Au nord-ouest, dans la région de Romans, la vallée de l'Isère est creusée dans l'immense lit qui était celui de la rivière en ces temps lointains de l'ère quaternaire. Les alluvions – et en particulier les galets – se sont accumulées en de très épaisses couches. La ville même de Romans est bâtie sur une de ces terrasses alluviales, l'Isère, devenue plus modeste à la faveur d'un nouveau changement climatique ayant creusé son nouveau lit dans l'ancien...

Le Vercors reste un lieu passionnant quant à la géologie, un terrain d'étude exceptionnel. La diversité des sols qui composent le massif induit une diversité tout aussi remarquable de la nature, et d'autant plus que le massif se trouve à une charnière climatique. Il suffit de franchir le tunnel du col de Rousset pour s'en convaincre, ou encore de passer le col de Bacchus entre Léoncel et Plan-de-Baix. D'un côté ce sont les sombres forêts riches de leur humidité avec leurs hêtres, leurs sapins et hauts épicéas, de l'autre c'est une sorte de pré-Provence avec des pins et des chênes. Le contraste est saisissant.

Sur le plateau, à la forêt de Lente, on relève en moyenne annuelle 149 cm de hauteur de pluie, tout comme à Autrans, ce qui est considérable, et 131 cm à Villard-de-Lans. On en relève 109 cm à Saint-Agnan, juste avant les hauts plateaux où l'on dépasse les 150... On voit ici, nettement, l'influence de l'altitude aussi bien que celle de la continentalité, les plateaux du Vercors jouant un rôle de barrière pour les pluies venant du secteur ouest et pour celles venant du secteur sud. En revanche, dans le Diois, on relève en moyenne entre 85 et 92 cm de hauteur de pluie, ce qu'explique parfaitement l'influence méditerranéenne ; ce sont sensiblement les mêmes chiffres que dans la vallée du Rhône, mais le mistral en moins. Petit cas à part : la vallée de la Gervanne où la moyenne annuelle s'établit à 79 cm. Malgré de telles hauteurs de précipitations, les plateaux et plus encore les hauts plateaux ne sont pas à l'abri de la sécheresse en été car le karst peut être considéré comme un énorme gruyère et, sitôt tombée, l'eau disparaît dans les réseaux souterrains.

A l'est, le Trièves reste toutefois plus arrosé qu'à l'ouest, avec des hauteurs moyennes, à Chichilianne par exemple, de 117 cm, ou encore de 124 à Gresse-en-Vercors et 107 vers Lus-la-Croix-Haute. Il est clair que les reliefs jouent fortement sur la pluviosité. Tout en retenant l'importance de la perméabilité des sols et celle de l'altitude, il faut voir dans le Vercors un véritable carrefour entre influences continentales, océaniques et méditerranéennes.

Cette fonction de carrefour climatique se retrouve de la même façon au plan humain. Il y a là comme une frontière et pourtant, dans le Vercors comme ailleurs, la montagne, loin d'être infranchissable, est plutôt devenue un lieu de rencontre, et même un lien, comme si la difficulté ne faisait qu'amplifier le désir des humains de communiquer avec leurs voisins. Cette volonté de voir et d'escalader paraît bien inhérente à la nature humaine. Soif d'absolu, besoin de se surpasser, curiosité dévorante ? Le mont Aiguille, malgré ses allures de château fort imprenable, a été gravi pour la première fois, semble-t-il, au XVIe siècle... Les montagnes ne sont nullement des barrières, l'histoire des invasions en Diois ou en Dauphiné suffit à le montrer. Au sens strict, une montagne est faite pour être gravie, tout dépend ensuite des intentions de celui qui escalade...

Une présence humaine lointaine

Très tôt dans la préhistoire, l'homme s'installa dans la région ; on parle même de 1 800 000 ans avant J.-C. en se référant à la découverte de cailloux près de Saint-Vallier, qui auraient été utilisés par l'homme. Une certitude : il était bien présent dans la région 200 000 ans avant J.-C. La période est encore aux glaciers et notre homme est un homo erectus qui sait utiliser le feu et tailler grossièrement des outils de pierre à partir des galets qu'il trouve en abondance dans cette vallée de l'Isère qui n'a pas encore la forme qu'on lui connaît aujourd'hui. C'est un chasseur. Vient ensuite l'homme de Néanderthal (75 000 ans av. J.-C.) puis l'homme de Cro-Magnon, appelé aussi homo sapiens, notre parent direct, qui taille le silex avec un art totalement maîtrisé, travaille le bois, l'os ou la corne. Il fabrique des arcs et des flèches et a découvert l'art, comme l'attestent par exemple des os gravés

Die : les collections gallo-romaines (musée municipal).

découverts dans la grotte de Thaïs à Saint-Nazaire-en-Royans, pièces rares que l'on peut voir au musée de Valence.

Cette très ancienne présence humaine se retrouve aussi sur les plateaux du Vercors. On peut penser toutefois que les hommes n'y vivaient pas en permanence. Ils y montaient à la belle saison pour la chasse et la cueillette mais aussi pour exploiter les gisements de silex. On retrouve, en effet, trace de cette industrie dans le val de Lans avec la découverte d'éclats datés d'environ 100 000 ans avant J.-C. Cependant, les traces sont beaucoup plus nombreuses au paléolithique final comme le prouvent les résultats de fouilles à Saint-Nazaire-en-Royans, notamment de silex taillés 10 000 ans avant J.-C. D'autres découvertes ont été faites dans le Royans : des haches et marteaux datés de

2000 ans avant J.-C. environ, une hache polie dans la grotte de Choranche ou encore un vase néolithique daté d'environ 3000 ans avant J.-C. à Saint-Jean-en-Royans. Il en est de même pour l'âge du bronze avec des découvertes à Villard-de-Lans, la Roche-de-Ferrières, Chatelus...

Le site de Vassieux-en-Vercors est tout à fait exceptionnel car il a échappé au pillage. Il permet d'établir que 4000 ans avant J.-C. le silex était devenu une véritable industrie et qu'on en faisait commerce. La spécialité de Vassieux était les grandes et longues lames de silex, tout comme au Grand-Pressigny en Indre-et-Loire. La technique utilisée étant strictement la même, on peut penser que ces hommes avaient une origine commune. Leurs outils et leurs armes furent exportés, semble-t-il, jusqu'en Suisse, en Allemagne, en Belgique... A Vassieux, l'art de tailler le silex avait atteint des sommets, mais le bronze puis le fer supplanteront peu à peu cette technique. En même temps qu'il développait cet art l'homme devenait sédentaire et s'installait, il y a 5000 ans environ, dans le Diois, le Royans, la vallée de la Bourne.

Et puis les Celtes envahirent le sud de la Gaule. Il y eut notamment les Allobroges vers l'Isère et les Voconces plus au sud. Autour du Vercors s'installèrent les "Vertacomacorii", nom qui aurait, selon certains, donné par contraction le mot de "Vercors". On retrouvera trace de ce peuple dans le pays de Quint au sud, comme dans le Royans à l'ouest et même sur le plateau vers ce qui deviendra La Chapelle-en-Vercors. Puis les Romains bouleversèrent profondément l'ordre celte et gaulois. Ils battirent les Allobroges en 121 avant J.-C. près de Châteauneuf-sur-Isère et soumirent peu à peu tous les peuples de la nébuleuse celte. En 118 avant J.-C., ils créèrent la province de "Narbonnaisi" qui reprenait notamment ce qui est devenu aujourd'hui le département de la Drôme. Les Romains implantèrent des colonies, comme à Die (Colonia Dea Augusta) ou encore à Chabeuil et Luc (en Diois), ainsi que dans le Royans. Les Romains ne s'installèrent pas sur les plateaux du Vercors mais ils surent en revanche ouvrir des carrières de pierre, comme celles de Quérie au sud, pour alimenter vers le Diois leurs imposants chantiers de construction. Die et le Diois restent riches de nombreux vestiges. La ville semble aussi avoir joué un rôle important dans la christianisation en devenant siège épiscopal dès le IIIe siècle.

Mais la Paix romaine fut bientôt balayée, à partir du IVe siècle, par les invasions barbares : Vandales, Burgondes, Francs... Plus tard, au VIIe siècle, il y eut encore les Sarrazins qui, après leur défaite à Poitiers, sévirent dans le Diois en s'en retournant vers leurs terres. Les plateaux du Vercors ne semblent toutefois pas avoir été touchés par ces heures noires. En revanche, tout le Royans puis le Diois et le Trièves eurent beaucoup à en souffrir. La région appartint au royaume des Burgondes, puis à celui des Francs. Au XIe siècle, elle passa sous la domination du Saint-Empire romain germanique, état malheureusement faible à ses confins. Aussi éprouva-t-on vite le besoin de se protéger. S'élevèrent alors tours et châteaux forts, tandis que s'organisaient les paroisses et que naissaient des abbayes importantes comme celles de Léoncel, Bouvante et Ecouges dans le Vercors, de Sainte-Croix ou Valcroissant dans le Diois. Les évêques de Die sont aussi des seigneurs : la majeure partie du Diois leur appartenait mais aussi tout le secteur de La Chapelle-en-Vercors. Au nord, les terres étaient sous le contrôle du dauphin et des comtes de Sassenage ; le Trièves passa quant à lui sous la domination des dauphins au XIe siècle. Sur le plateau, encore aujourd'hui, on peut trouver les bornes marquées du lys qui délimitaient les terres du dauphin de

La christianisation dans le Diois : sculpture du portail de la mairie à côté de l'église de Glandage.

celles des évêques de Die. Quant au Royans, il était partagé entre plusieurs seigneurs. Cet état de fait ne pouvait qu'entraîner de multiples guerres féodales. Ce fut le cas dans le Royans aux XIIIe et XIVe siècles, et en 1410 à Corrençon lors d'une bataille opposant les troupes de l'évêque de Die à celles du comte de Sassenage, bataille perdue par l'évêque. Le Diois non plus n'échappa pas à ces conflits entre évêque de Die, comte de Valence ou comte de Die… Côté dauphinois, ce fut au XIVe siècle qu'Humbert II, dépourvu de descendance et dont la famille avait avec patience unifié le comté, vendit ses états au fils aîné du roi de France, lequel prit alors le titre de "dauphin". Le traité fut signé à Romans le 14 mars 1349.

Mais la région eut encore beaucoup à souffrir durant ce XIVe siècle, d'une part de la peste noire, d'autre part des suites de la guerre de Cent Ans. La fin du siècle vit enfin les choses s'améliorer grâce, en particulier, au dauphin Louis, futur Louis XI, fils de Charles VII avec qui il était d'ailleurs brouillé. C'est lui qui donna enfin une unité politique au Dauphiné, unité qui ouvrit une ère de prospérité. C'est ainsi que naquit à Romans, par exemple, l'industrie du drap. La population augmenta et on note encore aujourd'hui les traces architecturales de cette période plutôt faste : nombreuses maisons de ville et de bourg, châteaux également qui renonçaient à leur allure de forteresses pour devenir résidences...

Les guerres de Religion

Mais tout cela bascula dans l'horreur à partir de 1562 avec les guerres de Religion. Des bandes d'origine protestante et placées sous la direction du baron des Adrets vinrent ainsi ravager le Royans, puis Romans et ses environs. Elles détruisirent

Abbaye de Valcroissant (Diois).

de nombreux trésors artistiques dans les églises, à Saint-Barnard de Romans mais aussi dans le Royans où il n'y eu bientôt plus une seule église debout. Des dizaines de catholiques furent passés au fil de l'épée. Ces derniers le rendirent bien aux protestants, il est vrai : ainsi à Romans, en 1572, ils les assassinèrent par dizaines dans les jours qui suivirent le terrifiant massacre de la Saint-Barthélémy. Ces années noires furent aussi marquées par une révolte de paysans qui finirent par se faire massacrer en 1580 par les nobles, mieux armés, près de Moirans... Et en 1586, la peste revint...

Côté Diois, il faut relever l'année 1426 qui marque l'annexion de la contrée au Dauphiné en même temps que le Valentinois. Louis XI s'attacha par la suite à réduire l'influence des évêques de Die pour s'assurer tout le pouvoir. En 1498, le comté de Valentinois et Diois devint duché avec à sa tête César Borgia, fils du pape Alexandre VI... Les guerres d'Italie, au début du XVIe siècle, amorcèrent une sombre période pour le Diois et la vallée de la Drôme qui servaient de lieu de passage aux diverses troupes engagées. Les portes de la ville de Die furent toutes murées sauf deux... Mais ce fut surtout la victoire de la Réforme dans le Diois et, dans une moindre mesure, dans le Trièves, qui eut les conséquences les plus lourdes. En 1562, le gouverneur de Die, seigneur de Glandage et catholique, fut chassé et la guerre sévit jusqu'en 1598. La cathédrale fut saccagée par les hugunenots en 1568, ainsi que les églises des environs... Die passa tour à tour sous la coupe des protestants et sous celle des catholiques. Seul l'édit de Nantes, promulgué par Henri IV en 1598, parvint à mettre fin aux hostilités. Cependant, le Diois restait acquis très majoritairement à la Réforme avec de fortes communautés à Die bien sûr, mais aussi à Châtillon, Chamaloc, Romeyer... Le Royans et le Trièves le demeurèrent dans une moindre mesure avec, toutefois, un temple à Pont-en-Royans, des communautés à Sainte-Eulalie, Saint-Agnan, La Chapelle et Chatelus ou encore à Chichilianne, Mens et Saint-Martin-de-Clelles pour le Trièves. De nombreux temples furent construits au début du XVIIe siècle. Catholiques et protestants coexistaient. Il fut même créé, en 1604 à Die, une académie protestante et un collège pour former des pasteurs. Ils fonctionnèrent jusqu'en 1688. Les catholiques ne laissèrent toutefois pas les choses évoluer sans réagir et, en 1608, les Jésuites ouvrirent à leur tour un collège à Die. Les ordres réguliers revinrent : Dominicains puis Franciscains, Ursulines... Mais à partir du milieu du siècle débutèrent les "dragonnades" de sinistre mémoire : des temples furent détruits en même temps qu'on imposait lourdement la population pour reconstruire la cathédrale de Die !

La révocation de l'édit de Nantes, en 1685, contraignit à l'exil vers la Suisse et l'Allemagne de nombreux protestants du Vercors... La chasse fut terrible, des dizaines d'entre eux furent enfermés à la tour de Crest, d'autres pendus... Cette rigueur se poursuivit même après la mort de Louis XIV en 1715 et jusque dans les années 1780. Les enfants de parents protestants étaient même enlevés à leur famille pour recevoir une éducation dans les collèges catholiques. C'est Louis XVI qui signa, en 1787, un édit rétablissant les libertés des protestants, leur culte étant alors "toléré". La Révolution de 1789 mit fin à ces querelles et entraîna, en définitive, peu d'excès. Elle fut plutôt bien accueillie mais la chasse aux réfractaires se poursuivit jusqu'à la fin du siècle. Il est à noter que les états du Dauphiné, réunis en août 1788 sur ordre du roi à Romans, préfiguraient déjà la Révolution ; dès cette année-là, les grands textes élaborés à Romans contenaient toutes les idées qui furent débattues à Versailles en 1789 et aboutirent à l'abolition de la monarchie absolue.

Le premier Empire ruina quant à lui le pays en lançant la conscription et valut au Diois d'être occupé durant deux mois par les Autrichien, en 1815. Par la suite, la région sera plutôt hostile au second Empire. A partir de cette période, l'histoire du Vercors et des régions voisines ne se distingue plus guère de l'histoire de la France, la guerre de 14-18 et la saignée que l'on sait accentuant le déclin de régions de montagne déjà durement touchées par l'exode rural.

La Guerre

Le destin du Vercors s'identifie à celui de la France jusqu'aux jours terribles de 1940 à 1944. La région reste en zone libre jusqu'à l'invasion complète de novembre 1942. Dans le Vercors, comme ailleurs en cette année 1942, la Résistance est minoritaire mais bientôt, au cours de cette même année, diverses petites forces parviennent à s'unir, donnant naissance à un maquis qui se développe surtout après la mise en place du STO (Service du travail obligatoire). Le maquis prend réellement forme à Bouvante au début de 1943, puis il progresse sur tout le plateau. On y dénombre environ trois cents hommes au printemps de 1943, tandis que Pierre Dalloz parvient à faire accepter aux états-majors de la Résistance l'idée du "Plan montagnard", une forteresse d'où, le moment venu, résistants et parachutistes pourraient déferler sur l'ennemi. Mais on sait qu'Anglais et Américains voyaient les choses de façon sensiblement différente... Le maquis se développe malgré tout, les premiers parachutages d'armes et de matériels ont lieu en novembre 1943. La milice et les troupes d'occupation italiennes vont réprimer cette résistance. En septembre 1943, le régime fasciste italien s'effondre, la Gestapo remplace les soldats transalpins stationnant dans le Dauphiné. En janvier 1944, les Allemands attaquent le Vercors, les Grands-Goulets d'abord, le 22, et le hameau des Barraques qui est incendié ; le maquis de Malleval est détruit le 29, Saint-Julien est attaqué le 18 mars. Le Vercors compte alors environ cinq cents maquisards. Ce nombre passe à neuf cents dans les

Vassieux-en-Vercors : le mémorial du Vercors.

jours qui suivent le débarquement en Normandie du 6 juin 1944. Sur le plateau, les responsables des maquis estiment imminent le débarquement en Provence. En juillet 1944, on compte quatre mille combattants sur le plateau. Les Allemands réagissent, conscients d'une possible menace dans leur dos. Ils attaquent Saint-Nizier le 13 juin mais sont contraints de se replier. Ils reviennent le 15 et forcent le passage ; le 16, ils occupent Lans-en-Vercors. Le 24 juin, ils attaquent cette fois les Ecouges mais sont repoussés. Le 29 juin, Saint-Jean, Saint-Nazaire, Saint-Laurent et Pont-en-Royans sont bombardés. Le 3 juillet à Saint-Martin, la République française est officiellement restaurée sur tout le Vercors et on y fête même le 14 juillet ! A Vassieux, les Alliés effectuent un parachutage important tandis que les Allemands bombardent le village quelques heures plus tard. Ils décident alors une vaste opération contre les maquisards, opération qui semble

Pont-en-Royans : les maisons suspendues au-dessus de la Bourne.

avoir mobilisé dix à quinze mille hommes. L'attaque a lieu le 21 juillet, après que le Vercors ait été encerclé. Deux mille hommes passent par Saint-Nizier, assaillent alors Villard puis Autrans. Les Allemands attaquent également à l'est les différents pas donnant accès aux hauts plateaux. Trop peu nombreux, les résistants ne peuvent faire face. En même temps, des planeurs de SS atterrissent à Vassieux. Les habitants restés au village sont massacrés, les maisons incendiées. Le lendemain, Die est occupée tandis que des combats intenses se poursuivent à Valchevrière pour le contrôle de la route reliant le nord au sud du massif. Le 27 juillet, c'en est fini. Les maquisards sont contraints de fuir dans les forêts. On dénombre six cent trente-neuf résistants tués au combat (on estime que les Allemands ont perdu cent cinquante hommes environ dans cette bataille). Les maquisards reprennent leur activité en août, après le débarquement en Provence du 15, et participent à la libération de Grenoble le 22 août, puis à celle de Lyon les 2 et 3 septembre. Ces actes guerriers ont marqué lourdement et durablement le Vercors, plus de six cents maisons ont été détruites, et deux cents habitants tués sur les huit mille que comptait à l'époque le plateau.

L'aménagement du massif

Histoire des événements, histoire des hommes, au-delà des drames, il y a aussi la vie de tous les jours. De par leur isolement, les plateaux ne commencèrent à être peuplés qu'à partir du Moyen Age, à la suite de l'installation de Chartreux et de Cisterciens : abbayes de Léoncel et de Val-Sainte-Marie-de-Bouvante au XIIe siècle, aux Ecouges, à Sainte-Croix-en-Quint, à Valcroissant. Il y eut même, dès le VIIe siècle, un couvent près du val de Combeau fondé par Meltride et détruit par les Sarrasins au VIIIe siècle. Les prieurés furent également nombreux, dépendant des abbayes déjà citées et d'autres situées parfois loin à l'extérieur du Vercors. Par ailleurs, certaines paroisses avaient été confiées à des moines ou à des chanoines. Tous ces religieux eurent une influence sur le développement de l'élevage et de l'agriculture, l'exploitation se faisant à partir de "granges" réparties sur le plateau, sortes d'exploitations autonomes où travaillaient les frères convers mais aussi, quand cela était nécessaire, des salariés. Au XIVe siècle, cette économie évolua, Chartreux et Cisterciens louant plus volontiers leurs terres, notamment les pâturages d'été sur les hauts plateaux, ce qui permit par la suite la pratique de la transhumance. Mais peu à peu, les abbayes perdirent leur pouvoir temporel au profit des seigneurs, la vie monastique régressant alors jusqu'à la période moderne. Ainsi, il n'y avait plus un seul moine à Valcroissant au milieu du XVIIe siècle et quelques-uns seulement à Léoncel. Le système de la commende ainsi que l'absence systématique des abbés accélérèrent le processus, et la Révolution de 1789 y mit un terme. On ne peut toutefois nier l'influence des prieurés et monastères sur l'exploitation qui fut faite des ressources agricoles et forestières du plateau. Ces dépendances envers des abbayes situées au pourtour du Vercors ou même dans des régions plus lointaines, la domination au sud des évêques de Die, au nord des dauphins... tout cela, avec la difficile géographie des lieux qui favorisait isolement et replis, expliquait l'absence d'unité des plateaux.

On le remarque encore dans l'habitat ancien, très différencié d'un secteur à l'autre, et aussi dans les parlers locaux qui se distinguent au nord et au sud, la limite linguistique passant vers Saint-Romans, Rencurel et le Guà. Au nord, les parlers sont plus proches de la langue d'oïl, formant ce que l'on appelle le franco-provençal, et au sud de la langue d'oc.

Sur les plateaux, en ces temps anciens, la vie était rude et l'on était pauvre, parfois misérable. C'est l'économie de montagne qui se pratiquait car, une bonne partie de l'année, les villages étaient coupés du reste du pays. Le principal travail y consistait à engranger des réserves pour l'hiver et à économiser de quoi payer impôts et redevances. Tous les transports se faisaient à dos de mulets par des chemins souvent très dangereux, sur de fragiles passerelles que les crues des torrents emportaient fréquemment et qui permettaient malgré tout de franchir les gorges. D'une part il fallait vivre en autarcie, mais d'autre part on devait faire face au paiement des droits et donc exporter hors des plateaux ce qu'on pouvait, c'est-à-dire du bois ou du charbon de bois, combustibles alors très recherchés pour la métallurgie. Le bétail représentait un élément fondamental de cette économie car il apportait l'engrais. C'était lui encore qui représentait la force de

L'église cistercienne de Léoncel.

trait dans le travail des champs où l'on utilisait le bœuf ou la vache ; une race spécifique est née ainsi, adaptée à la fois à la montagne du Vercors et au travail, c'est la race de Villard, appelée encore "villarde". Mais aux XVIIe et XVIIIe siècles, le gros bétail restait rare à cause des droits qu'imposaient les seigneurs propriétaires. Les cultures produisaient peu et dépendaient principalement de l'altitude. La vigne était présente partout où le climat le permettait, ailleurs c'était le noyer fournissant principalement de l'huile. Dans les champs on cultivait le seigle, l'orge, l'avoine ou encore l'épeautre, sorte de blé très rustique.

Deux dangers guettaient ces paysans : le froid tardif ou précoce à cause de l'altitude et la sécheresse due à la nature des terrains le plus souvent perméables. En ce qui concerne les légumes, on faisait pousser ici choux, haricots et raves puis, plus tard au cours du XVIIIe siècle, la pomme de terre. On cultivait aussi le chanvre sur les meilleures terres pour des raisons pratiques. Mais c'était la question du fourrage qui préoccupait le plus le paysan, car il faisait souvent défaut. Ce fut l'objet de nombreuses contestations, les animaux allant paître dans les sous-bois malgré l'interdiction et compromettant gravement le renouveau de la forêt. Moutons élevés pour la laine et chèvres paissaient en altitude sur les hauts plateaux, ce qui entraînait aussi parfois des problèmes, les seigneurs se voyant reprocher trop de tolérance en matière de transhumance... L'hiver, le paysan devenait souvent un tisserand qui utilisait le fil de laine obtenu de ses moutons. Une très modeste industrie va ainsi naître au XVIIIe siècle : une manufacture de tissage s'installa à Sainte-Croix, une fabrique de chapeaux à Châtillon, de petites papeteries dans le Royans...

L'exploitation de la lavande dans le Diois.

La Révolution de 1789 apporta cependant des changements importants en imposant, en premier lieu, deux entités nouvelles se partageant les plateaux : les départements de l'Isère au nord et à l'est, avec Grenoble pour chef-lieu, et de la Drôme au sud et à l'ouest, avec Valence pour chef-lieu. Le Royans se voyait ainsi divisé, toute la zone de Pont-en-Royans passant côté Isère après bien des tiraillements, semble-t-il. La Révolution fut également importante à cause de la confiscation des domaines des religieux et des nobles et de leur nouvelle répartition. Les communes se virent en effet confier la plupart des forêts, l'Etat gardant pour lui les domaines des Chartreux ou des évêques de Die. Naquirent ainsi les forêts domaniales du Vercors. Mais, communales ou non, ces forêts furent dès lors gérées par les Eaux et Forêts et ce fut là l'origine de maints conflits. En effet, les habitants, très pauvres sur les plateaux, vivaient pour une bonne part des ressources de la forêt ; ils étaient souvent autorisés par les religieux ou par le seigneur à faire pâturer leurs animaux, fabriquer du charbon de bois, pratiquer l'essartage pour leurs cultures ou produire des bois de construction ou de chauffage... Tout cela n'allait d'ailleurs pas sans quelques excès qui abîmèrent sérieusement la forêt du Vercors. L'autorité des Eaux et Forêts dut patienter longtemps avant d'être acceptée. Il y eut même agression contre des gardes et révolte en 1848 à Méaudre et Autrans. Les soldats y montèrent et il y eut cinq tués...

La création des routes

Ainsi peut-on dire que le mode de vie sur les plateaux ne varia guère du Moyen Age au milieu du XIXe siècle : on utilisait jusque là des chemins muletiers dont l'origine était sou-

Le col du Rousset.

vent gallo-romaine et on vivait très pauvrement. On consommait bien peu de pain blanc là-haut, mais plutôt un mélange d'avoine, de pommes de terre, d'orge, de seigle et de farine de gland... Pour le reste des laitages, des œufs, un peu de porc salé, quelques légumes suffisaient... La révolution économique data de l'ouverture des routes dans le massif, la première étant celle de Sassenage en 1827, puis celle des Goulets en 1854. Les autres axes furent tracés plus tard et le réseau ne fut achevé qu'à la veille de la guerre de 14-18. C'est ce même réseau qui a été de nos jours élargi et complété en quelques points.

A l'ouverture des routes correspondirent aussi des mutations importantes dans l'agriculture, ainsi qu'un premier exode rural (on note par exemple que le Haut-Diois perdit le quart de sa population entre 1851 et 1901). Bientôt, le phylloxéra entraîna l'abandon de la vigne en altitude. On planta alors des noyers, tant pour l'huile que pour le bois d'ébénisterie, que ce soit dans le Royans ou dans le Diois où les paysans se mirent aussi à la culture de la lavande. Des programmes d'irrigation permirent enfin d'obtenir des fourrages abondants, ce qui permit le développement de l'élevage, en particulier celui du mouton, et facilita le maintien d'une industrie de la laine. Dans le Diois, le vin se maintint puis se développa avec la célèbre "clairette" très appréciée dès le XIXe siècle où se développa également de façon considérable l'élevage du ver à soie. On planta des milliers de mûriers. S'ensuivit l'ouverture de filatures puis de moulinages, le fil étant expédié à Lyon pour y être tissé. Des dizaines de fabriques existèrent de la sorte. Ce fut au milieu du XIXe siècle l'activité dominante du Diois, puis vint progressivement le déclin provoqué par une maladie du ver à soie et, surtout, par la concurrence étrangère.

La vigne dans le Diois.

Les débuts de l'industrialisation

Dans le Royans, l'industrie se développa aussi de façon importante, aux XVIIe et XVIIIe siècles, avec des soieries mais aussi des fabriques de drap, des moulins à papier et des fonderies utilisant le charbon de bois. Un haut-fourneau fut créé en 1673 à Bouvante par les Chartreux du Val-Sainte-Marie, puis un autre à Saint-Laurent. On vit ensuite, après la disparition de la métallurgie victime de l'industrialisation massive, la création de fabriques de meubles et d'ustensiles en bois qui font encore la renommée du Royans.

A Romans, c'est l'industrie du cuir qui donna une grande expansion à la ville et à sa voisine, Bourg-de-Péage. La ville devint une capitale de la chaussure au XXe siècle. Dès le Moyen Age, Romans s'était fait une modeste spécialité dans le travail du cuir : tannage puis fabrication de chaussures et harnachements... C'est la seconde moitié du XIXe siècle qui sera la période de l'intense industrialisation de cet artisanat, la voie ferrée nouvellement ouverte permettant d'amener à Romans des matières premières venant de loin. L'activité se développa de façon si importante qu'on a pu parler de véritable "âge d'or" de la chaussure et du cuir durant la Première Guerre mondiale. Mais les tanneries connurent de grosses difficultés après la Deuxième Guerre mondiale, et il n'en subsiste aujourd'hui plus que deux qui travaillent dans le haut de gamme, la concurrence internationale étant particulièrement sévère. Il en va de même pour la chaussure, son industrie solidaire. Celle-ci occupait pourtant mille huit cents salariés en 1868 et on dénombra jusqu'à cent quarante-six entreprises en 1920 occupant des milliers d'employés. Le déclin commença sérieusement dans les années '50. A cette époque pourtant,

La culture du noyer dans le Royans.

on comptait encore environ quatre mille employés. A ce jour, le secteur n'est pas négligeable, mais là aussi dans le créneau du haut de gamme avec, entre autres, les célèbres maisons Charles Jourdan et Manoukian. L'activité n'emploie plus guère que mille cinq cents à mille huit cents personnes, car la tendance générale est encore à la baisse du fait de la concurrence des pays à main-d'œuvre bon marché.

Mais sur les montagnes, en cette fin du XIXe siècle, on s'aperçut que le déboisement avait été trop intense et que de graves dangers d'inondation menaçaient. Aussi les Eaux et Forêts entreprirent-elles d'immenses reboisements malgré, encore une fois, bien des oppositions locales. Ce sera là le point de départ des admirables forêts et futaies qui font aujourd'hui l'orgueil du

Vercors. Mais quelle place y a-t-il aujourd'hui pour ce massif à part ? Il est clair que l'économie moderne a frappé de plein fouet l'économie de montagne qui était encore celle du Vercors avant la dernière Guerre mondiale et même tout de suite après. Agriculture et élevage ont été touchés directement par l'explosion des rendements obtenus ailleurs en France. Pour des raisons de terrain, la mécanisation sur les plateaux n'a jamais pu être développée autant qu'en plaine, cependant qu'elle supprimait quand même de nombreux emplois. Le nombre d'exploitations a alors beaucoup baissé. Des terres, et en particulier des prairies (que l'on appelle ici pelouses), ont été laissées à l'abandon ou à la reconquête progressive de la forêt. Cette agriculture, malgré un agrandissement sensible des exploitations, n'est que bien difficilement rentable selon les critères économiques de notre époque... L'exode rural s'est donc poursuivi régulièrement depuis la Dernière Guerre mondiale.

Dans les villages, les résidences secondaires sont de plus en plus nombreuses. Cest vrai sur le plateau, c'est vrai aussi dans le Haut-Diois. Eygluy-Escoulin, par exemple, compte quarante et une résidences secondaires pour dix-neuf résidences principales ; Plan-de-Baix, quarante et une résidences secondaires pour cinquante-deux principales. Dans certains cas, on n'est pas loin du seuil de désertification par rapport au nombre d'habitants par kilomètre-carré.

La pression de la nature est donc de plus en plus forte sur ces terres autrefois intensément travaillées. Or, le paysage dépend étroitement du travail de l'homme, de l'agriculture... Elevage intensif, élevage extensif, mode d'exploitation des forêts... Les paysages du Vercors, tels qu'on les connaît aujourd'hui, sont donc menacés et dans ce contexte nouveau l'agriculteur, plus encore en montagne qu'ailleurs, reste un “jardinier de la nature”.

Le Parc : un modèle de développement concerté

C'est d'une série de constats de ce type qu'est née la démarche de “parc naturel régional”, une démarche qui est sensiblement différente de celle de “parc national”. En effet, bien plus que de protéger des espaces vierges, le parc naturel régional entend d'une part protéger la nature, les paysages, la faune, la flore, d'autre part avoir une démarche économique visant à conforter et maintenir les populations résidant dans le périmètre d'un parc donné. Et, dans le Vercors, protéger c'est d'abord résister à la pression urbaine, résister aussi à des formes de tourisme agressives pour le paysage et prévenir les développements anarchiques. Car il faut bien voir qu'en dépit de ses allures de forteresse inexpugnable, le Vercors est un lieu éminemment fragile, et en premier lieu parce que c'est un karst, un massif calcaire truffé de grottes et sensible à la moindre pollution. Il n'y a rien ici, en effet, pour amortir d'éventuels dégâts écologiques. Il fallait donc répondre à ces nécessités tout en prenant en compte les besoins des agglomérations voisines en matière d'air pur, d'espace, de sites, de beauté, de nature, et en respectant aussi la volonté de certains de "vivre au pays"...

C'est en 1967 que naît l'idée même de parc, et le Vercors figurera tout de suite sur la liste d'attente. Son parc naturel régional a été créé par décret dès 1970. L'association Vercors-Nature poursuit alors un travail intense, puis le tout est mis en place en 1974 avec un centre administratif installé à Lans-en-Vercors. Aujourd'hui, le Parc regroupe plus de soixante communes des plateaux et des pourtours ainsi que trois "villes-portes" : Grenoble, Romans et Valence. Au plan administratif, il est orga-

La réserve des Hauts-Plateaux surplombant le Trièves.

nisé en syndicat mixte. A ce titre, il gère la plus grande réserve naturelle de France, environ 1661 ha placés sous la garde de quatre fonctionnaires. On doit à cet organisme l'observation rigoureuse et scientifique de toute la réserve. C'est ainsi qu'est mis au point un plan de gestion de la faune qui aboutit, par exemple, en 1989, à la réintroduction du bouquetin sur les plateaux, la marmotte ayant été réacclimatée quelques années auparavant. En 1996, c'est au tour du vautour fauve d'être réintroduit. D'autres études sont en cours ou en projet, notamment la réintroduction des lagopèdes. Le Parc est par ailleurs pour beaucoup dans le maintien de la transhumance et ses gardes ont les contacts les plus étroits avec les bergers qui montent en été sur les hauts plateaux. Ils leur apportent le sel pour les animaux et prennent soin des points d'eau et des bergeries. En envoyant les troupeaux pâturer sur les alpages, on maintient le paysage ouvert typique qui est celui des hauts plateaux du Vercors, comme les étendues immenses et si particulières qui montent, par exemple, vers le Grand-Veymont.

Au plan économique, le Parc naturel régional entend également soutenir l'emploi : il se veut à l'écoute des idées nouvelles et apporte son aide à ceux qui désirent s'implanter, mais toujours dans le respect du cahier des charges, car la philosophie générale dont il se veut le garant est celle de la qualité.

Bien sûr, tout cela n'est pas simple à penser. Au plan immobilier, par exemple : on a si peu construit que le marché est devenu très cher, alors que peuvent faire ceux qui ont des idées, ceux qui ont des projets ? Ce sont de vrais lieux de vie qu'il conviendrait de créer et non de simples dortoirs. L'équilibre reste

Villard-de-Lans (Quatre-Montagnes) : "la station touristique" du massif du Vercors.
La Maison du Villard : le musée des Quatre-Montagnes.

difficile à trouver entre le nécessaire respect de la nature et des traditions, entre la défense de la nature et le développement touristique. Car il faut aussi trouver des formes adaptées au tourisme. Le Vercors est un paradis pour le randonneur, qu'il soit à pied ou à cheval, à ski ou même à VTT... C'est aussi un lieu idéal pour la pratique des sports extrêmes comme le parapente, l'escalade, la spéléologie, le canyoning... Là encore, l'équilibre est à rechercher. La population de souche doit s'ouvrir si elle veut vivre au pays, s'adapter aux formes simples, modernes et vraies de l'accueil à la ferme, que ce soit en gîte rural ou en chambre d'hôtes, accueillir une population nouvelle, assez jeune, faite le plus souvent de sportifs, moniteurs de ski et d'escalade, spéléologues, guides... Ce n'est pas si facile.

Sur le Vercors, la société évolue très vite mais la nature, elle, reste la même, une nature toujours aussi brutale sur les hauteurs. Il est encore très dur de vivre ici à longueur d'année, où l'été est souvent admirable mais bien court. Le choix se pose entre un Vercors-lieu de vie à part entière ou un Vercors-lieu de rendez-vous pour exploits sportifs, entre une réserve de nature ou un lieu, certes rude, mais humain, où le citadin nerveusement épuisé peut trouver la plénitude d'un certain silence, goûter les denses odeurs de la forêt, prendre contact avec cette roche vertigineuse qui le fait tout à coup si petit face à la montagne, si petit face au ciel... C'est peut-être ce que vinrent chercher ici, dès avant le Moyen Age, à Combeau, à Léoncel ou ailleurs, tant d'hommes et de femmes en quête d'absolu.

La race bovine de Villard-de-Lans au début du siècle.

Trente sites et lieux étoilés à ne pas manquer au cours de votre séjour dans le Vercors

(Classement et présentation par ordre alphabétique.)

- **Chapelle-en-Vercors (La) ❶** : la grotte de la Draye-Blanche (p. 136).
- **Châtillon-en-Diois ❷** : la vieille ville (p. 138).
- **Chatte ❸** : le jardin ferroviaire (p. 108).
- **Chichilianne ❹** : le site du mont Aiguille (p. 139).
- **Choranche ❺** : la grotte (p. 44, 118 et 122).
- **Col du Rousset ❻** : le panorama sur le Diois (p. 84).
- **Combe-Laval ❼** : la route creusée dans la montagne et le panorama (p. 58).
- **Crest ❽** : le donjon (p. 141).
- **Die ❾** : la vieille ville, la cathédrale Notre-Dame, le musée d'Art et d'Histoire et la mosaïque de la chapelle Saint-Nicolas (p. 142); la cave coopérative de la Clairette de Die (p. 54 et 142), le jardin des Découvertes (p. 142).
- **Font-d'Urle ❿** : le site naturel (p. 135).
- **Grands Goulets (Les) ⓫** : la route creusée dans la montagne (p. 58).
- **Grenoble ⓬** : le Musée dauphinois et ses collections sur les modes de vie et les traditions dans les Alpes, dont celles du Vercors (p. 68).
- **Lans-en-Vercors ⓭** : le centre pédagogique d'initiation à l'environnement du Parc naturel régional du Vercors (p. 150 et 70), le musée des Automates (p. 150).
- **Léoncel ⓮** : l'église abbatiale (p. 111 et 151).
- **Luc-en-Diois ⓯** : le site naturel du Claps (p. 152).
- **Omblèze ⓰** : les gorges et les cascades (p. 155).
- **Plan-de-Baix ⓱** : le mont Velan (p. 156).
- **Pont-en-Royans ⓲** : les maisons suspendues au-dessus de la Bourne (p.158).
- **Réserve naturelle des Hauts-Plateaux ⓳** (p. 46 et 115).
- **Romans-sur-Isère ⓴** : la collégiale Saint-Barnard, le jacquemart, le musée international de la Chaussure (p. 159).
- **Saint-Agnan-en-Vercors ㉑** : la grotte de la Luire (p. 163).
- **Saint-Antoine l'Abbaye ㉒** : l'abbatiale, le musée départemental Jean-Vinay (p. 164).
- **Saint-Jean-en-Royans ㉓** : la chapelle orthodoxe et l'atelier d'icônes (p. 166).
- **Saint-Marcellin ㉔** : le musée du Fromage (p. 168).
- **Saint-Michel-les-Portes ㉕** : le village traditionnel avec les fermes dauphinoises (p. 170).
- **Saint-Nizier-du-Moucherotte ㉖** : le panorama sur la vallée de l'Isère et sur Grenoble (p. 171)
- **Sône ㉗** : la promenade en bateau sur l'Isère au pied du Vercors (p. 109).
- **Treschenu-Creyers ㉘** : le cirque d'Archiane (p. 171).
- **Vassieux-en-Vercors ㉙** : le musée de la préhistoire en Vercors (p. 118 et 172), le mémorial de la Résistance et la salle du Souvenir au cimetière (p. 66).
- **Villard-de-Lans ㉚** : la Maison du Villard et ses collections d'objets, d'outils et de documents sur la vie d'autrefois dans le Vercors (p.173), le domaine skiable (p. 173).

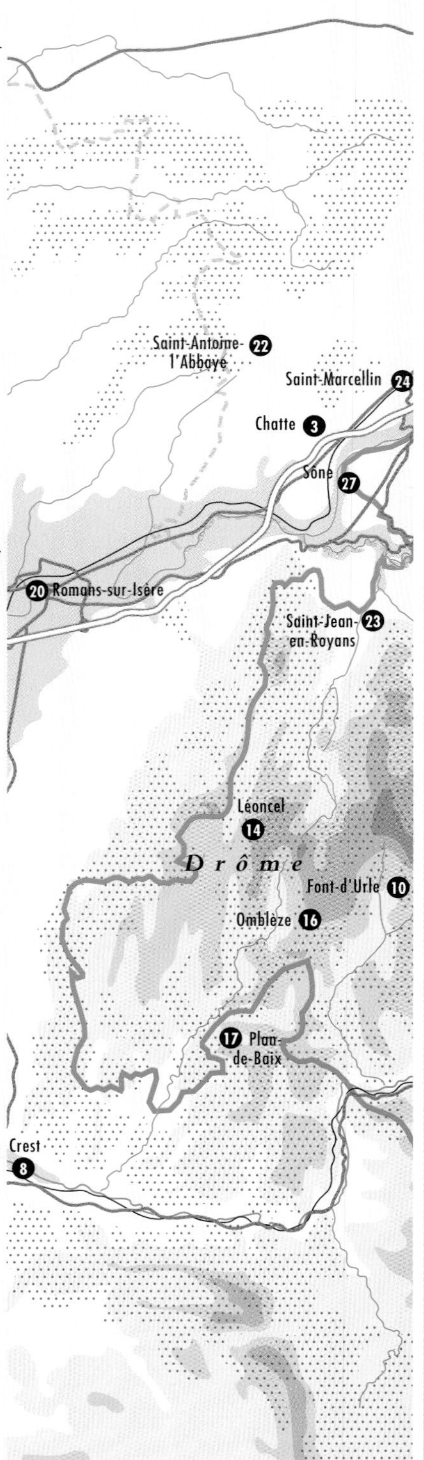

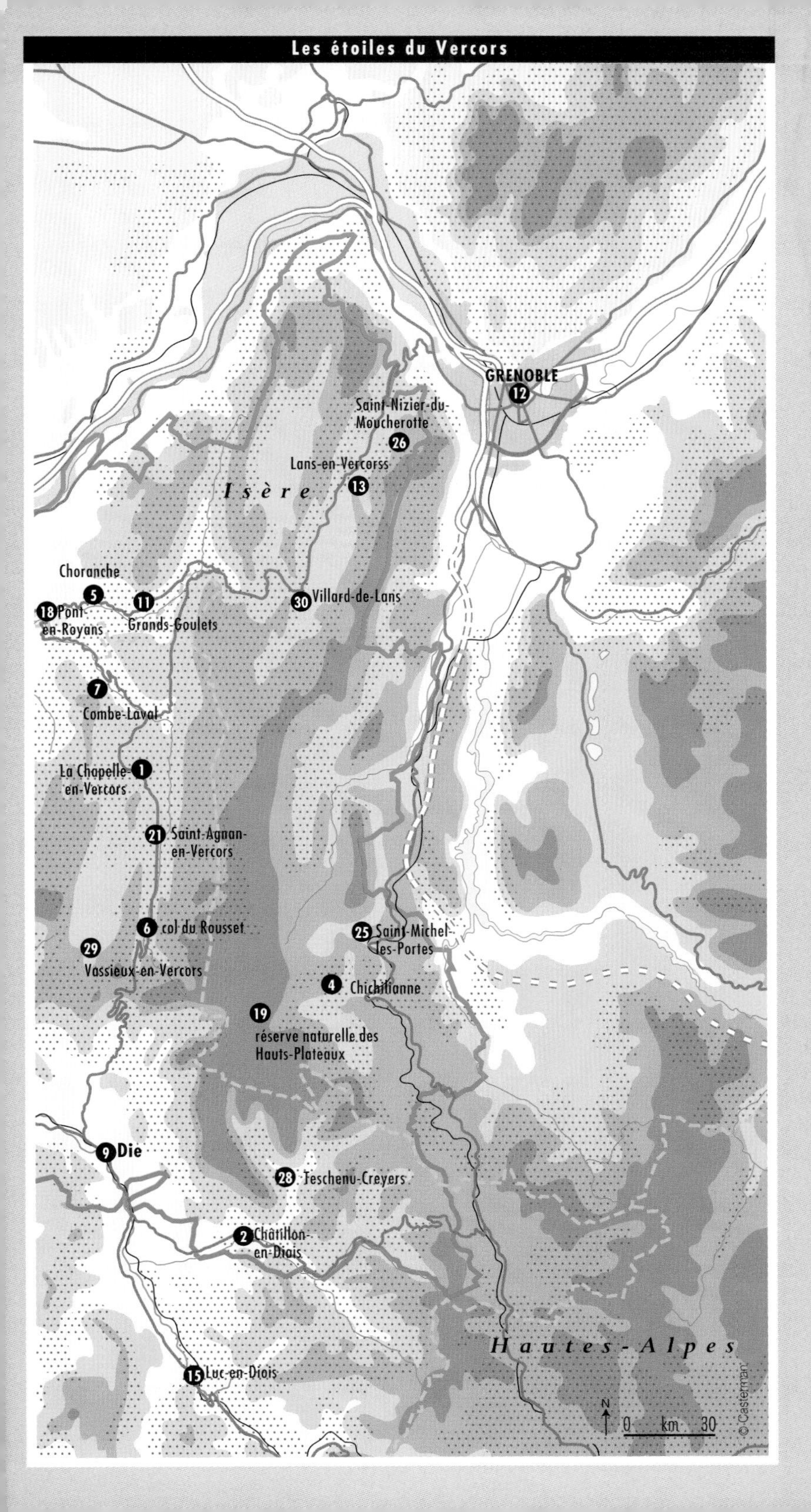
Les étoiles du Vercors
GRENOBLE
12
Saint-Nizier-du-Moucherotte
26
Lans-en-Vercorss
13
Isère
Choranche
5
11
18
Pont-en-Royans
Grands-Goulets
30
Villard-de-Lans
7
Combe-Laval
La Chapelle-en-Vercors
1
21
Saint-Agnan-en-Vercors
6
col du Rousset
29
Vassieux-en-Vercors
25
Saint-Michel-les-Portes
4
Chichilianne
19
réserve naturelle des Hauts-Plateaux
9
Die
28
Teschenu-Creyers
2
Châtillon-en-Diois
Hautes-Alpes
15
Luc-en-Diois
N
0 km 30
© Casterman

Selon les géographes, le Vercors fait partie des massifs préalpins du Nord, mais il en est le plus méridional et le plus étendu – environ 1000 km^2. Il se donne des allures de forteresse au nord comme au sud, mais plus encore à l'est où ses sommets dominent de 800 à 1000 m environ la vallée de la Gresse et, au-delà l'espèce de plaine qui va jusqu'au Drac, appelée Trièves. La forteresse est elle-même marquée par un long pli nord-sud qui va du col de Roméyère à celui du Rousset, pli brisé à peu près en son milieu par les gorges de la Bourne et la vallée de la Vernaison. Autant de gorges autrefois infranchissables, les seules relations entre nord et sud se faisant alors bien plus haut dans le massif, par le plateau d'Herbouilly qui subissait de très longs hivers.

Une mosaïque de pays

Cette unité, évidente au plan géologique, ne se retrouve pas au plan humain, mais il faut parler aussi des climats car le Vercors est situé de ce point de vue à une véritable charnière : le Diois est presque provençal; l'ouest, malgré des tendances déjà continentales, subit encore la forte influence des courants d'ouest qui parviennent à franchir le Massif central (la simple observation des hauteurs de pluie suffit à s'en convaincre). A l'est, le Trièves jouit d'un climat beaucoup plus continental, donc plus sec, également plus neigeux l'hiver, et il en va de même pour les Quatre-Montagnes où la neige tient souvent tard au printemps.

Il y a aussi l'Histoire avec, au sud, les évêques de Die et, au nord, les dauphins. De même façon, le Vercors est traversé par une limite linguistique forte entre langue provençale au sud et langue franco-provençale au nord et à l'est. La limite passe approximativement par Chabeuil à l'ouest et Saint-Agnan sur le plateau. Le fait historique est avéré par le constat qu'au XIXe siècle – la chose fut étudiée attentivement par l'abbé Fillet, un des premiers historiens du Vercors – seuls les habitants de Saint-Julien, Saint-Martin, La Chapelle et Saint-Agnan se reconnaissaient du Vercors. Vassieux, dans l'esprit des habitants de l'époque, n'en faisait pas partie, cette paroisse regardant bien davantage vers Die et le Diois. Une étude économique succincte suffirait d'ailleurs à confirmer la chose : les hommes préhistoriques qui venaient à la belle saison débiter lames et haches de silex dans les environs de Vassieux, montaient eux aussi, très probablement, du Diois où ils devaient prendre leurs quartiers d'hiver. Les Romains venaient quant à eux de Die par le pas de Chabrinel pour aller chercher aux carrières de la Queyrie, sur le plateau, la pierre de bonne qualité nécessaire à leurs constructions. Il y avait certes une voie romaine reliant Die à Grenoble, mais elle passait à l'est par le col de Menée et Chichilianne… Beaucoup plus récemment, en 1790, la Révolution française a encore compliqué les choses en imposant le découpage du massif entre deux départements : l'Isère au nord et

La culture de la lavande dans le pays de Quint (Diois).

Les gorges de la Bourne, qui relient les Quatre-Montagnes au Royans.

à l'est et la Drôme au sud et à l'ouest (même le Royans se trouve ainsi divisé, la basse Vernaison et la Bourne servant de frontière entre les deux nouvelles entités).

Histoire, géologie, climat ont ainsi déterminé à travers les siècles ce que l'on pourrait appeler une mosaïque de micro-régions disposées pratiquement d'un val à l'autre, sachant que l'appellation Vercors donnée à l'ensemble du massif ne date que des lendemains de la dernière Guerre mondiale durant laquelle les différents maquis se sont précisément regroupés sous le nom de Vercors. Ainsi Lans, situé au cœur des Quatre-Montagnes, devient-il en Vercors, de même que Gresse dans le Trièves. L'histoire a donc rejoint la géologie. Toutefois, les multiples nuances humaines ou climatiques subsistent, que le visiteur se fera un plaisir de découvrir et de sentir.

Trièves, Diois, Royans

Au nord du massif, c'est la large vallée d'origine glacière de l'Isère. Elle scinde distinctement le Vercors du massif de Chartreuse puis, en suivant son cours vers le sud-ouest, elle sépare le massif de la région des collines (Romans et ses alentours). A l'est, on trouve une région individualisée formée par la vallée de la Gresse qui descend vers le Drac en direction de Grenoble, d'abord en suivant un cours parallèle aux immenses falaises des hauts plateaux jusqu'à la hauteur de Saint-Guillaume, puis par une sorte de plateau en allant vers l'est et la vallée du Drac. L'ensemble forme le Trièves qui est, à l'évidence, une région dauphinoise. Il n'est que de voir l'habitat traditionnel pour s'en convaincre : ce sont des villages bien regroupés, de grandes maisons aux toitures généreuses et à quatre pentes, les deux plus petites agrémentant les pignons. Ces toits sont recouverts, le plus souvent, de tuiles plates en forme d'écailles. Ils ont été adoptés au XIXe siècle et remplacent les toitures primitives en chaume dont on peut voir un exemplaire intéressant au hameau de La Bâtie-de-Gresse.

Au sud, le Diois s'ouvre au clair ciel méditerranéen : le climat et la végétation signent cette tendance presque provençale, accentuée par la présence importante de la vigne et les maisons traditionnelles avec toits à double et faible pente de tuiles romaines. Leurs formes sont souvent compliquées par la juxtaposition au bâtiment central de multiples appentis ou dépendances, avec également des perrons protégés par une toiture s'avançant largement. Les murs en sont le plus souvent de pierre calcaire ou de galets.

A l'ouest, on retrouve à l'évidence cette influence méridionale, avec toutes les nuances qui mènent insensiblement jusqu'au Lyonnais. Le Royans reste, en revanche, une petite région originale. Elle est particulièrement verdoyante grâce aux

Le Vercors central vers Saint-Martin.

pluies, grâce aussi aux multiples rivières et ruisseaux qui sourdent du massif. C'est un paysage presque luxuriant. L'architecture traditionnelle y a d'ailleurs forgé à travers les âges sa personnalité, avec des maisons et des fermes à étages de forme massive et, très souvent, un toit à quatre faibles pentes de dimensions sensiblement égales recouvertes de tuiles romaines.

Coulmes, Quatre-Montagnes

Sur les hauteurs, la diversité n'est pas moins grande avec, au nord-ouest, le massif des Coulmes qui se trouve nettement séparé des Quatre-Montagnes par une série de hauteurs, et la vallée de la Doulouche qui descend du col de Roméyère vers Rencurel. Il est coupé au sud par les gorges de la Bourne. De 800 à 900 m d'altitude vers Presles, le massif monte jusqu'à 1475 m au Bec-de-Neurre. Il est creusé par divers combes et vallons, comme celui des Ecouges ou encore les gorges du Nan, le cirque de Malleval. C'est le royaume des feuillus : érables, chênes, noisetiers, alisiers... le tout se mélangeant aux buis et à quelques sapins et épicéas. L'automne y est somptueux. Ce massif des Coulmes n'est presque plus habité depuis le début du XXe siècle.

Les Quatre-Montagnes, elles, sont marquées par deux sillons, celui de la vallée du Méaudret et celui de la vallée de la haute Bourne et du Furon, les deux cours d'eau prenant des directions totalement opposées sensiblement à la hauteur de Lans-en-Vercors. Les traditions architecturales ont laissé ici des fermes d'aspect massif, parfaitement bien adaptées aux hivers neigeux et rigoureux, parfois venteux, qui sévissent en ces lieux. Tout est regroupé sous le même toit, les fenêtres de l'habitation donnant bien sûr plein sud. La caractéristique la plus frappante est les pignons à “sauts de moineaux”, sortes de marches recouvertes de pierres plates que l'on appelle des lauzes et qui protègent le cœur des murs de pierre de la pluie et de la fonte de la neige. Si les murs de pignons sont plus hauts que la toiture proprement dite, c'est qu'autrefois la couverture était en chaume qu'il fallait protéger des assauts du vent. Or, une toiture débordant des pignons aurait immanquablement été emportée.

Tout le val de Lans est dominé par des forêts, elles-mêmes surplombées par des alpages qui montent vers les crêtes dont le Moucherotte constitue le sommet, avec ses 1901 m d'altitude. Vers Corrençon, au-delà de Villard 2000, le paysage s'élargit en une sorte de plaine au-dessus de laquelle règne la Grande-Moucherolle avec ses 2284 m d'altitude. Montant toujours plus au sud, on parvient sur les hauts plateaux dont les paysages dénudés, forts de nombreux lapiaz, s'élèvent peu à peu au-dessus des forêts pour parvenir aux crêtes sur lesquelles règne, vaste bombement d'alpages et d'éboulis mélangés, le Grand-Veymont, plus haut sommet du Vercors avec ses 2341 m d'altitude. Toujours plus au sud, les hauts plateaux se poursuivent par une sorte de presqu'île s'avançant résolument sur le Diois : le Glandasse.

Vercors central

En allant vers l'ouest, on trouve la dépression centrale du Vercors, très remarquable, et que l'on peut contempler dans son entier par temps clair depuis les hauteurs situées au-dessus du village de Rousset par exemple, jusqu'au col de Roméyère au nord. Ce Vercors central dispose d'une incontestable unité de paysages en dépit de la rupture brutale imposée par les gorges de la Bourne qui le coupent d'est en ouest. Un peu à l'ouest de cet axe – où coule du sud vers le nord et avant de se jeter dans les Grands-Goulets, la Vernaison – La Chapelle-en-Vercors s'est installée dans une plaine assez vaste à environ 900 m d'altitude. La Vernaison coule au pied de Saint-Agnan à environ 800 m et à peine à 700 aux Barraques-en-Vercors. L'unité du paysage se confirme à travers l'architecture des maisons, vastes corps de ferme à grand toit de tuiles, les pignons des bâtiments les plus anciens encore protégés, parfois, par des lauzes. Ces maisons dans leur ensemble rappellent plus le midi que le nord, et cela s'explique par la modernisation apportée par l'abandon de la couverture de chaume dans un souci de modernisation. En Vercors central on a opté pour la tuile, façon Diois ou Royans. A cette occasion, les toitures sont également rehaussées et leurs pentes adoucies. Des génoises sont montées en bordure de toiture, ce qui a modifié profondément l'aspect général de ces fermes qui, au départ, ressemblaient trait pour trait à celles des Quatre-Montagnes.

Vers le sud-ouest s'ouvre, à plus de 1000 m d'altitude, une autre petite entité : la plaine de Vassieux, d'allure plutôt austère et toute enserrée entre deux massifs forestiers, notamment celui de Lente à l'ouest qui se prolonge au sud-ouest par celui d'Ambel. Ces hauteurs aboutissent à Font-d'Urle dont les falaises dominent tout le pays de Quint dans le Diois. Cette même forêt de Lente remonte au nord jusqu'au col de la Machine et à la montagne de l'Echarasson, se poursuivant du côté droit de Combe-Laval par la forêt domaniale de Sapine-Côte-Belle. A l'ouest, ces massifs forestiers à la remarquable unité s'arrêtent au pied des pentes souvent raides au-dessus du Royans et de Bouvante, tandis que le col de la Bataille passe sur un étroit banc de rochers séparant le Royans au nord du cirque d'Omblèze au sud. Descendant vers Léoncel, on retrouvera alors – en filant vers Saint-Jean-en-Royans par la jolie route qui suit le ruisseau de Léoncel également appelé la Lyonne – tout ce qui fait le charme de la forêt du Vercors et aux verts si riches qui sont le signe de son incroyable force vitale. A contrario, en descendant vers le sud à partir de Léoncel par le col de Bacchus, on parvient vers Plan-de-Baix. Cette partie du Vercors d'allure nettement méditerranéenne annonce le Diois : fermes isolées à toits peu pentus de tuiles romaines, forêts de pins beaucoup plus légères, prairies plus sèches où le roc apparaît souvent. C'est ensuite la descente dans le pays de Gervanne, autre partie très typée du Diois. Enfin, à l'ouest, le massif s'arrête de façon abrupte, juste au-dessus de la plaine de Valence.

A lire

Blache (J.), *Les Massifs de la Grande-Chartreuse et du Vercors*, éd. Didier et Richard, 1931.

Pignon à "sauts de moineau" dans les Quatre-Montagnes.

L'aventure du Vercors commence il y a 150 millions d'années. Là où sont aujourd'hui les plateaux du Vercors, il y avait une mer chaude relativement peu encaissée et, alentour, d'autres plus profondes. Pendant des millions d'années vont se déposer des sédiments : planctons, algues, coquillages... ainsi que des détritus de roches issus de l'érosion de cette lointaine époque... Dans la mer chaude se développe aussi un immense massif de corail. Tout cela représentera plusieurs milliers de mètres de sédiments en couches diverses, déposées pendant 85 millions d'années durant l'ère secondaire.

L'émergence des Alpes

L'ère tertiaire est alors le théâtre d'énormes bouleversements. Le massif des Alpes émerge, qui va soulever toutes ces roches sédimentaires de plus de 1000 m au total, tandis que les mers se retirent. En se soulevant, les diverses couches glissent les unes sur les autres tout en se plissant dans le sens nord-sud, sauf à l'ouest du Diois où le soulèvement pyrénéen entraîne la formation de plis de sens est-ouest qui ont multiplié dômes et cuvettes par un jeu d'interférences. Ainsi, le Vercors appartient aux Préalpes du nord tandis que le Diois fait partie des Préalpes du sud. Logiquement, les parties les plus hautes des plateaux du Vercors se trouvent à l'est, regardant vers les Alpes. Les couches ont été malmenées par de gigantesques forces tectoniques dont on retrouve trace dans le paysage avec des enroulements de roches comme à Sassenage ou à Pont-en-Royans, ou des aiguilles lorsque les couches ont été mises à la verticale et que l'érosion a par la suite débarrassé la partie la plus dure des roches tendres. Des failles se sont également formées sous l'effet des mêmes forces, notamment vers la Balme-de-Rencurel dans le sens est-ouest.

Parmi les diverses couches, il faut noter le tithonique – qui fut déposé au milieu de l'ère secondaire (fin du jurassique) – et l'urgonien, né du corail et correspondant à des dépôts de la fin de l'ère tertiaire (crétacé). Ces deux roches sont des calcaires durs. L'urgonien recouvre les plateaux du Vercors, du Glandasse aux Quatre-Montagnes; sa dureté implique une résistance

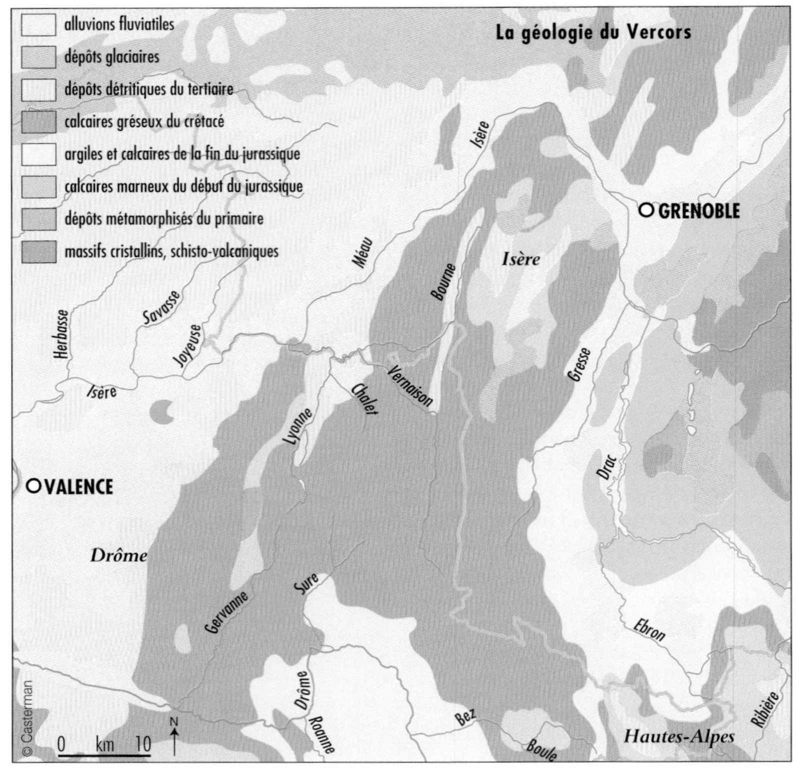

beaucoup plus grande aux phénomènes d'érosion, qu'elle soit glaciaire ou non. Ce même urgonien forme les falaises propres au massif tandis qu'autour, dans le Royans, le Trièves et le Diois, les couches sédimentaires tendres, comme les marnes et autres calcaires, sont travaillées beaucoup plus facilement par l'érosion, ce qui explique la présence d'un paysage de collines. L'érosion des torrents et rivières a également laissé des plateformes de galets ou de sable qu'on peut découvrir dans le paysage, vers Châtillon-en-Diois par exemple, ou dans le Royans. On peut imaginer facilement ce travail de la nature dans le Diois où l'on trouve de nombreuses ravines.

Dans le Diois et le Trièves, la couche de roche tithonique, épaisse de quelques dizaines de mètres, a laissé des crêtes importantes sur la rive droite de la Drôme, crêtes qui ont été découpées par l'érosion, créant ainsi ce que les géologues appellent des cluses, gorges souvent étroites qui coupent transversalement une barre de roche. Le même phénomène peut s'observer dans le Trièves, mais dans le sens nord-sud cette fois. Notons que, plus ancien, ce même calcaire tithonique se retrouve parmi les couches sédimentaires qui s'étendent sous l'urgonien des plateaux.

Aujourd'hui

Le relief du Vercors, tel qu'il se présente aujourd'hui, est aussi issu de l'érosion glaciaire qui se manifesta à plusieurs reprises lors de l'ère quaternaire. C'est, en effet, un énorme glacier qui a creusé au nord la vallée occupée par l'Isère, là où a pris place la ville de Grenoble. Il y avait peut-être là 1500 à 2000 m de glace. Une partie du glacier s'appuyait sur le Vercors jusqu'à Lans-en-Vercors ce qui explique qu'on retrouve des blocs de granit du côté de Lans, alors qu'il s'agit d'un plateau calcaire; il y avait aussi un lac glaciaire entre Villard et Lans. D'autres glaciers, plus modestes, se trouvaient sur les plateaux, hauts plateaux vers l'est ou plateau de Lente plus vers l'ouest. Les langues de ces glaciers descendaient en direction du Royans, en suivant la pente est-ouest dessinée par le soulèvement des Alpes. Ces langues et les torrents qui en sont issus sont à l'origine des gorges de la Bourne, des Goulets de la Vernaison et de Combe-Laval. En fondant, les glaciers ont laissé sur place comme témoins de leur passage des moraines, amas de roches et de cailloux parfois très importants, et qui forment aujourd'hui des hauteurs inattendues au creux des vallées.

Le travail de l'eau

Les falaises imposantes s'expliquent par la structure même de l'urgonien et par l'épaisseur de sa couche. C'est aussi l'origine des grottes si nombreuses dans le Vercors. L'eau, en effet, a la propriété de dissoudre la calcite (il s'agit de carbonate de calcium naturel) qui compose l'essentiel de cette roche calcaire. Ainsi, progressivement, l'eau agrandit les crevasses elles-mêmes produites par des mouvements tectoniques qui ont déterminé de grandes failles, descendant toujours plus profond dans l'épaisseur de la couche jusqu'à rencontrer une autre couche, imperméable cette fois. A ce stade se termine le trajet souterrain de l'eau qui sort alors par ce que l'on nomme une résurgence. Le Vercors est donc un "karst", du nom du plateau calcaire de Slovénie. Ce faisant, l'eau laisse dans les étages supérieurs des réseaux susceptibles d'alimenter, en cas de crues, d'autres résurgences situées plus haut. Elle laisse aussi, parfois, d'admirables grottes dans des réseaux devenus fossiles, où elle continue de s'infiltrer en se chargeant de calcite pour, une fois parvenue dans une cavité, tomber au goutte à goutte. C'est la calcite déposée en haut qui forme les stalactites et en bas, en s'écrasant, les stalagmites.

A lire

"La Géologie du Vercors", in *Courrier du Parc*, 1981.

"Le Passé géologique du Vercors", in *Courrier du Parc*, 1972.

Géologie et géomorphologie du Vercors. Présentation des grands traits du relief par milieux, CPIE-Vercors, 1995.

Vercors : histoire du relief. Carte géomorphologique commentée, CPIE-Vercors, 1995.

Cascade à Omblèze.

Le Vercors est situé à un véritable carrefour climatique qui en fait un lieu tout à fait exceptionnel en ce qui concerne la flore et la faune. La mise en réserve de plus de 18 000 ha a bénéficié à l'une comme à l'autre.

Le bord occidental des plateaux et le Royans, tout en bénéficiant déjà d'un climat un peu continental, n'en sont pas moins abondamment arrosés par l'ouest, tandis qu'a contrario le Trièves, situé au pied des falaises à l'est, voit cette même influence continentale accrue. Le Diois, au sud, subit nettement quant à lui l'influence méditerranéenne tandis qu'au nord, vers Villard-de-Lans, les plateaux ont un climat presque alpin avec une neige beaucoup plus tenace. Ces grandes données sont déclinées sur le terrain en une multitude de nuances que l'on retrouve très logiquement dans la flore et, a fortiori, dans la faune, tout cela selon la latitude, la longitude et l'altitude : de 200 m environ dans le Royans à 2341 m au Grand-Veymont, de la lavande à l'edelweiss !

Les arbres

On trouve beaucoup de feuillus jusqu'à l'altitude de 900 m environ avec, côté Royans, des chênes et des essences diversifiées : charmes, frênes, acacias, saules, aulnes, peupliers, ainsi que, abondamment plantés à une certaine époque, des noyers et dans une moindre mesure, depuis l'abandon du ver à soie, des mûriers. Ils bénéficient de l'arrosage généreux de ce flanc ouest du massif. Mais dès que l'on monte sur la montagne calcaire, le sol devient plus sec. On trouve ainsi au pied des falaises une abondance de buis dont l'odeur est une des caractéristiques fortes de ce côté du Vercors. Plus haut, on rencontre le somptueux épicéa qui peut avoir jusqu'à 50 m de hauteur, le sapin et le pin sylvestre. Le plateau présente, vers 1000 m d'altitude, un mélange de hêtres, de pins et de sapins, et les proportions varient en fonction de l'altitude et du climat. De ce fait, on trouve plus de sapins au sud et d'épicéas au nord. Ainsi le Trièves, moins humide et beaucoup plus en altitude, paraît aussi plus austère que le Royans, tandis que le Diois proclame son appartenance à la zone méditerranéenne grâce à ses pins sylvestres, ses chênes pubescents, ses peupliers d'Italie, ses mûriers, ses genévriers, ses vignes… Au-dessus des forêts, en allant vers les hauts plateaux, on découvre une végétation alpine. L'épicéa se fait progressivement plus rare à mesure que l'on monte, puis disparaît et seul subsistent – car adaptés au climat très rude de ces hauteurs – les pins à crochets, qui constituent la plus vaste forêt du genre des Alpes occidentales.

La flore

Compte tenu de tous ces micro-climats et des différentes natures de sol, elle se révèle incroyablement riche :

- tulipes sauvages, asters, daphnés, véroniques des Alpes, anémones, renoncules, narcisses, orchidées, edelweiss, lis martagon… dans les pelouses des hauts plateaux;

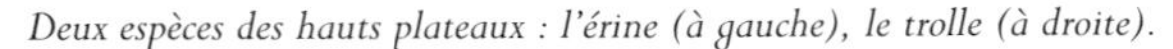

Deux espèces des hauts plateaux : l'érine (à gauche), le trolle (à droite).

- épervières, sabots de Vénus, gentianes, campanules, ancolies, valérianes, géraniums, bruyères, stellaires blanches, framboises, fraises, myrtilles et beaucoup d'autres plantes à moyenne altitude ou plus bas;

- thym, lavande, genêts cendrés, catananches, aphyllantes de Montpellier... dans le Diois.

Le Vercors est vraiment source de joie pour l'amateur botaniste, sachant bien entendu que de nombreuses espèces sont protégées.

La faune

On retrouve la même richesse avec autant de nuances selon le climat et l'altitude : mulots, hérissons, campagnols, loirs, souris, lapins de garenne, lièvres, renards, blaireaux, belettes, sangliers, putois, chevreuils... autour des plateaux et, parfois l'hiver, lorsqu'ils sont enneigés, mouflons, bouquetins, cerfs... Plus haut, on trouve le loir, la musaraigne (nombreuses espèces), le campagnol roussâtre, l'écureuil, la martre, le renard, ainsi que le chevreuil, le cerf... Plus haut encore séjournent la marmotte, le chamois, le lièvre variable, l'hermine... Dans le Diois on trouve aussi le castor. Certaines de ces espèces ont été réintroduites il y a une vingtaine d'années et elles ont prospéré. C'est le cas du cerf et du chevreuil qui avaient totalement disparu au XIXe siècle du fait de la chasse, ainsi que de la marmotte.

Les oiseaux

Ils ne manquent pas dans le Vercors, même s'ils sont parfois discrets. Les vertigineuses falaises sont le refuge de l'aigle royal et du tichodrome, merveilleux oiseau rouge et noir que les habitants appellent "papillon des rochers", tandis que les bords de la Drôme où vit la truite fario accueillent le héron cendré. Dans le Diois, on trouvera le hibou petit duc, différentes espèces de fauvettes et dans le massif le merle à plastron, le bec croisé, le martin-pêcheur, le faucon pèlerin... plus haut, le traquet motteux, la perdrix bartavelle, le pipit des arbres, le chardonneret, le pipit rousseline et des espèces comme la gélinotte ou le tétras-lyre (emblème du Parc). Plus haut encore, récemment réintroduit, le vautour fauve... L'ornithologue a, lui aussi, toutes les raisons de venir dans le Vercors.

N'oublions pas les reptiles et amphibiens qui sont nombreux dans le Diois : des orvets, six espèces différentes de couleuvres, la vipère aspic. On y découvre aussi le lézard vert et, plus haut, le lézard vivipare, le crapaud alyte et la salamandre tachetée. Quant aux insectes, leur richesse est foisonnante car elle est en lien direct avec la flore qui les accueille. Il faut noter dans le Diois, indice supplémentaire de l'influence méditerranéenne, la présence de la cigale et du petit scorpion noir.

Renseignements

- Centre permanent d'initiation à l'environnement
Maison du Parc
38250 Lans-en-Vercors.
Tél. : 76.94.38.26.

- Muséum d'histoire naturelle
1, rue Dolomieu
38000 Grenoble.
Tél. : 76.44.05.35.

Ouverture : tous les jours, sauf le mardi, de 9 h 30 à 12 h et de 13 h 30 à 17 h 30.

A la découverte de la nature du Vercors

- Châtillon-en-Diois (26140)
Spectacle audiovisuel, maquette en relief et diaporama sur la réserve des Hauts-Plateaux du Vercors. Tél. : 75.21.10.07.

Village botanique
Visite sur rendez-vous
Tél. : 75.21.14.44.

- Corrençon-en-Vercors (38250)
Office de tourisme
Tél. : 76.95.81.75.
Spectacle audiovisuel sur la réserve des Hauts-Plateaux : tous les jours, sauf le dimanche et le lundi, de 9 h à 12 h 30 et de 14 h à 19 h.

- Die (26150)
Le jardin des Découvertes
Tél. : 75.22.17.90.
Un millier de plantes dans une serre.
Ouverture : du 1er mai au 30 septembre, de 10 h à 12 h et de 14 h à 19 h (en juillet-août, de 10 h à 22 h).

- Col du Rousset
Office de tourisme du Vercors-Sud
Tél. : 75.48.22.54.
Spectacle audiovisuel sur la réserve des Hauts-Plateaux.

A lire

"Fleurs et forêts du Vercors", in *Courrier du Parc*, 1980.

"Mammifères du Vercors", in *Courrier du Parc*, 1981.

Chamois.

Le massif du Vercors est boisé à plus de 60 %. C'est un des taux les plus élevés de France, le département des Landes l'étant à 63 % et la France à 24 % en moyenne. Certaines parties du plateau, comme le canton de La Chapelle atteignent même un boisement de 68 % ! Cette forêt appartient pour 30 % environ à un petit millier de propriétaires particuliers (bois de feuillus à basse ou moyenne altitude surtout, montagne de Musan...). Le reste appartient à l'Etat pour une petite moitié et aux communes pour le reste qui l'ont placé sous la garde de l'Office national des forêts (ONF). D'ailleurs, cet Office peut également aider des particuliers regroupés en sociétés civiles ou en associations syndicales à gérer leurs bois.

Avant la Révolution

La grande forêt du Vercors était, avant la Révolution de 1789, propriété indivise des évêques de Die et des seigneurs; dans le Trièves, elle appartenait aux seigneurs locaux. Les abbayes en possédaient également une bonne part : celle de Lente appartenait aux Chartreux de l'abbaye du Val Saint-Marie, à celle d'Ambel à l'abbaye de Léoncel et il en était de même des forêts situées vers le col de la Bataille ou sur la montagne de Musan...

Tous ces biens furent nationalisés en 1790, ce qui n'alla pas sans difficulté car les habitants du Vercors avaient souvent obtenu de longue date, auprès des seigneurs ou des abbés, des droits de "bucherage" ou de "paquerage", usages d'autant plus importants qu'ils permettaient à des populations particulièrement pauvres de survivre. Cependant, à la Révolution, cette forêt était en très mauvais état, victime de nombreux abus. L'anarchie de la période révolutionnaire aggrava d'ailleurs cette situation. Il y eut, au début du XIXe siècle, une multitude de procès, et ce n'est qu'à partir de 1830 que l'autorité de l'Office national des forêts commença d'être admise, encore que quelques mouvements de mauvaise humeur aient marqué les décennies suivantes, ainsi qu'une véritable révolte du côté d'Autrans et de Méaudre en 1848, qui se solda par la venue de la troupe et la mort de cinq personnes. Il faut dire qu'il y avait eu, à la faveur de la Révolution en cours à Paris, tentative de partage des biens communaux... C'est que l'utilisation de la forêt par le paysan n'avait rien à voir avec celle du forestier, leurs intérêts divergeaient très sensiblement. Là où le paysan recherchait de quoi se chauffer, bâtir sa maison, la meubler et construire des clôtures ou de l'outillage, le forestier s'intéressait aux plus beaux arbres et les surveillait avec un soin jaloux jusqu'à ce qu'ils atteignent la taille optimum qui lui permettrait d'en d'obtenir le meilleur prix...

Il convient d'ajouter que la forêt produisait aussi le charbon de bois indispensable à la métallurgie, ce qui n'était pas, là encore, très conciliable avec une exploitation pure-

La descente du bois dans les Grands-Goulets au début du siècle.

La forêt de Lente.

ment forestière des massifs boisés du Vercors. Longtemps donc, la forêt du Vercors fut mal exploitée. Avant 1850, il n'existait d'ailleurs aucune voie commode permettant d'exporter les immenses troncs d'épicéa qui étaient alors très recherchés pour la construction navale. Les Chartreux avaient toutefois installé une machine au sommet de Combe-Laval – d'où le nom actuel du col de la Machine qui mène de Saint-Jean-en-Royans à Lente par Combe-Laval – de façon à descendre ces troncs que l'on acheminait ensuite par flottage sur le Cholet jusqu'à la Bourne... L'ouverture des routes dans la seconde moitié du XIXe siècle a grandement favorisé l'exploitation de ces forêts et en a aussi facilité l'entretien.

La forêt du Vercors est spontanée et, comme toute forêt de montagne, elle compte plusieurs étages selon l'altitude et le climat qui y est attaché. Ainsi le hêtre préfère l'humidité et la fraîcheur et on ne le rencontre que rarement en dessous de 400 à 500 mètres d'altitude, et plus haut encore en allant vers le sud. A la base de la montagne, on trouve le plus souvent le chêne pubescent et également le charme. Vient ensuite en montant une forêt mixte de chênes et de hêtres, jusqu'à 800 ou 900 m d'altitude. Toujours plus haut, on trouve encore des hêtres au-delà de 1000 m, tandis que sur les versants nord ou nord-ouest apparaît le sapin. Des épicéas se dressent ici ou là, ils ont été introduits par les forestiers en raison de leur valeur marchande. Le sapin domine entre 1000 et 1300 m d'altitude, là où pluie et brouillard sont fréquents. Sur les hauts plateaux, le hêtre se fait plus rare et l'épicéa le remplace. Au-delà de 1600 m d'altitude, il n'y a plus que quelques groupes d'épicéas là où le terrain s'y prête. Après, sur le roc, s'accroche le pin à crochets.

Une forêt de montagne

La forêt du Vercors est aujourd'hui accessible grâce à des centaines de kilomètres de routes et de pistes qui en permettent une exploitation rationnelle. Le hêtre est essentiellement destiné au bois de chauffe alors que, jusqu'aux premières années du XXe siècle, il servait tout autant de matière première pour la fabrication de charbon de bois dont les charbonniers jouèrent un rôle important dans le façonnage du paysage (notamment dans les Coulmes). On retrouve encore la trace de ce type particulier d'exploitation forestière à de nombreux endroits (au-dessus de Saint-Martin et Saint-Julien par exemple) : cabanes de pierres sèches, murets de soutènement... Sapins et épicéas sont, quant à eux, souvent utilisés comme bois de charpente. Selon les forêts, les pourcentages des trois essences principales divergent. Par exemple, dans les secteurs de Bouvante et de Lente, le sapin représente 52 % du bois produit, le hêtre

Le bois de l'Allier.

40 % et l'épicéa 8 %. Dans le secteur de La Chapelle, on produit environ 16 000 m^3 de sapin et 5 000 m^3 d'épicéa. Il faut noter aussi que 12 % environ des produits des ventes domaniales sont investis dans des travaux d'entretien et de reboisement.

Un nouveau danger guette toutefois cette forêt, et c'est le tourisme – "Passé un certain seuil, le tourisme devient l'ennemi de la forêt", constate un forestier –, sans compter certains projets d'agrandissements des domaines skiables...

Mais on ne peut parler de cette forêt du Vercors sans évoquer la catastrophe des 7 et 8 novembre 1982 : l'équivalent d'un cyclone a détruit en France, en une nuit, quelque 11 millions de mètres^3 de bois, dont un million en Rhône-Alpes (dans la Drôme : 195 000 m^3 et dans l'Isère : 170 000 m^3). Dans le Vercors, ces chablis (masses d'arbres déracinés et brisés), représentaient 64 000 m^3 de sapins et d'épicéas qui furent vendus au rabais avant qu'on ne puisse reprendre l'exploitation normale de la forêt et reconstituer les parcelles détruites.

Le travail du bois

Autrefois, l'économie issue de la forêt se trouvait directement liée à l'activité paysanne, qu'il s'agisse d'élevage ou d'agriculture. On a pratiqué l'essartage de longues années durant un peu partout et même, jusqu'au début du XXe siècle, dans le massif très isolé des Coulmes où quelques familles s'étaient implantées, suite au surpeuplement des campagnes du pied de la montagne. Ces familles vivaient d'une façon qu'on a bien de la peine à imaginer aujourd'hui. Les brûlis servaient d'engrais à quelques maigres récoltes de légumineuses et de céréales, tandis que quelques chèvres allaient pâturer dans les sous-bois. L'eau était recueillie dans des citernes et, l'hiver, les hommes fabriquaient des cuillères de bois et d'autres ustensiles dans du buis, de l'érable, du hêtre, de l'alisier... Ce fut l'application de plus en plus stricte du règlement forestier qui mit fin à ces modes de vie, contraignant les habitants à l'exil. Toutefois, le commerce du charbon de bois perdura dans les Coulmes jusque dans les années '60 : chaque année, d'avril à octobre, des saisonniers italiens y venaient pour l'occasion.

Mais la forêt suscita très tôt une industrie dans les régions alentours et, en premier lieu, dans le Royans où les rivières abondantes fournissaient l'énergie nécessaire aux scieries qui débitaient du bois de charpente à Saint-Jean ou Pont-en-Royans, ou encore chez les chartreux de Bouvante. Le bois travaillé et les grumes étaient montés ensuite en radeau et acheminés jusqu'à la Méditerranée par voie d'eau. L'activité de scierie existe toujours dans le Royans mais naturellement avec des moyens très modernes; la région produit de belles quantités de bois de charpente. Il en est de même dans le Trièves où subsistent quelques scieries de taille modeste.

Les habitants de la montagne avaient également mis au point des artisanats très sophistiqués leur permettant de réaliser de nombreux outils : pelles, fourches ou encore couverts, louches et ustensiles divers. Le buis, bois dur s'il en est, servit dès le Moyen Age à la confection de peignes à carder qui étaient exportés fort loin. Le bois suscita dans le Royans, et jusqu'aux rives de l'Isère, vers la Sône, une importante industrie métallurgique avec des forges et des fonderies. Les minerais venaient notamment de la montagne de Musan ou étaient importés via le port de Saint-Nazaire-en-Royans.

Les produits du bois

Abondance du bois, abondance de l'énergie des torrents, mais aussi savoir-faire local, le Royans vit s'installer à partir de 1850 une industrie très spécifique de tournerie-tablerie. Les premières maisons furent lancées par des Jurassiens venus avec la technique des pipiers de Saint-Claude. L'essor en fut très important et on y travaillait le hêtre, le buis, le cerisier... Chaque année des quantités d'articles étaient produits : couverts à salade, cuillères, boites, boules, bouchons, anneaux, aiguilles... La crise de 1929 porta un coup très dur à cette industrie tandis qu'après-guerre le plastique prenait d'énormes parts de ce marché particulier. Il subsiste aujourd'hui quelques artisans qui fabriquent des articles originaux et souvent de grande beauté : on peut parler d'articles de luxe. D'autres artisans se sont reconvertis dans la fabrication de meubles et les industries du bois emploient encore environ quatre cents personnes dans le Royans, les diverses essences travaillées étant souvent importées.

Dans le Diois, la forêt est assez différente étant donné l'influence méditerranéenne. Autrefois, on utilisait le tan du chêne pour travailler les peaux tandis que le frêne servait de fourrage, le hêtre de bois de chauffage et que le pin mugho, caractéristique du Glandasse, donnait la poix, très recherchée dans les temps passés comme base pour des colles. Le noyer était aussi une spécialité dioise, non seulement pour les noix dont on tirait l'huile, mais aussi et surtout pour l'ébénisterie. Ce fut aux XVIIIe et XIXe siècles une industrie majeure : buffets, vaisseliers, tables, armoires... Il ne subsiste malheureusement peu de chose de cette tradition.

Renseignements

- Office national des forêts
-9, quai Créqui
38000 Grenoble.
Tél. : 76.86.39.76.
-16, rue de la Pérouse
26000 Valence.
Tél. : 75.82.15.50.

Manifestation

- Fête de la forêt à Vassieux-en-Vercors (mi-juin).
Tél. : 75.48.27.40 (office de tourisme).

A lire

Entre pins et noyers, le bois dans le Diois, Parc naturel régional du Vercors, 1984.

Pins à crochets sur les hauts plateaux.

Le Vercors, côté sud, est très marqué par l'élevage ovin. Le Diois agricole y trouve d'ailleurs sa seconde activité vitale après la vigne. La tradition est ancienne et chaque ferme avait, autrefois, son petit troupeau. A la fin du siècle dernier, la pression en pâturage fut trop forte et, jointe à un déboisement tout aussi excessif, provoqua la mise à nu de nombreuses terres en pente devenues dès lors très sensibles à l'érosion des pluies. Il y eut quelques désastres qui incitèrent les autorités à prendre des mesures aussi lourdes qu'impopulaires pour y remédier : interdiction de pâturer et reboisement notamment. Aujourd'hui, le cheptel totalise environ 25 000 brebis pour un total de 250 fermes dont une cinquantaine spécialisées dans le seul élevage ovin. Là comme ailleurs, la chute des cours de la viande est compensée en partie par des aides venues de la Communauté européenne. Les ovins du Diois fournissent des agneaux dits de "cent jours" qui portent le label "agneaux des Pré-alpes".

A cet élevage purement ovin, il convient d'ajouter celui des chèvres dont le lait est soit envoyé à la coopérative de Crest pour la fabrication de fromages – le fameux Picodon –, soit utilisé dans la ferme pour des fabrications artisanales traditionnelles.

Le passage des moutons à Die.

La transhumance aujourd'hui

Les moutons du Diois montent également chaque été dans les alpages pour "l'estive"; ils y rejoignent des troupeaux venus de Provence, car la transhumance est ici très ancienne. Pour la plupart, les brebis viennent de la Crau ou de Camargue; c'est alors le mois de juin, vers la Saint-Jean, et déjà les pâturages provençaux sont secs... Autrefois, le voyage se faisait entièrement à pied. Il prenait une quinzaine de jours environ sous la direction des bergers. Aujourd'hui, des camions amènent les brebis jusqu'au pied des chemins montant sur le Glandasse et les hauts plateaux du Vercors, les deux accès les plus utilisés étant le pas de Chabrinel et le vallon de Combeau.

Le modernisme n'empêche nullement la tradition et les brebis portent les mêmes "sonnailles" qu'autrefois. Celles qui ont

Pâturage au pied du mont Aiguille (début du siècle).

déjà fait le voyage reconnaissent d'ailleurs fort bien les lieux. Le métier de berger non plus n'a pas changé, il consiste toujours en une impressionnante solitude, une belle complicité avec les chiens... Sous le soleil ou sous la terrible menace de l'orage de montagne, sous le vent et la pluie, quand ce n'est pas sous une neige précoce, ce sont toujours des soins constants à prodiguer au troupeau. Ainsi, durant tout l'été, les brebis qui sont grosses vont mener à terme leur gestation. Elles iront mettre bas de retour dans la Crau ou en Camargue, souvent vers la mi-octobre, une fois que les premières neiges seront tombées sur les hauteurs du Vercors... C'est une tradition qui donne assurément de beaux agneaux et permet dans le même temps de préserver l'aspect dénudé des hauts plateaux, avec toutes les plantes qui se rattachent à ce type de pelouse alpine. Autrefois, il y avait une vingtaine de bergeries. On n'en compte plus qu'une dizaine réparties aussi bien sur le Glandasse que sur les autres hauts plateaux.

Depuis quelques années, la transhumance fait l'objet d'une fête à Die et dans la Drôme durant la dernière semaine de juin. C'est là l'occasion de réjouissances variées tout autant que de rencontres, de découvertes centrées autour de la tradition.

Bergers au début du siècle dans le Diois.

Renseignements

• Association Drailles
9, rue Saint-Vincent
26150 Die.
Tél. : 75.22.00.05.

Manifestations

• Fête de la transhumance (fin juin)
Foire aux béliers (août)
26150 Die.
Tél. : 75.22.00.05.

• Fête de l'alpage (août)
38250 Gresse-en-Vercors.
Tél. : 76.34.33.30.

• Foire des bergers à Font-d'Urle (dernier dimanche d'août)
26190 Saint-Jean-en-Royans
Tél. : 75.47.54.44.

A lire

Mauron (Marie), *La Transhumance, du pays d'Arles aux grandes Alpes*, éd. Amiot-Dumon, 1951.

Les alpages au col de Grimone (Haut-Diois).

Autrefois, la vigne était cultivée dans le massif partout où climat et altitude le permettaient, jusqu'à 900 m semble-t-il vers Jonchères, côté Diois. C'était une production à usage local et régional et le vin était exporté aux alentours, jusque Grenoble ou Lyon. Le phylloxéra sévit ici, comme partout ailleurs en France, dans les années 1865, et le redoutable puceron suceur de racines eut raison de ces vignes d'altitude. La production se concentra dès lors uniquement au sud du Vercors, dans le Diois et sur quelques coteaux regardant vers le Rhône.

Le vin des Romains

Tout porte à croire que l'on cultive la vigne ici depuis l'occupation romaine, peut-être même avant. En tout cas, Pline l'Ancien parle du vin du peuple des Voconces. L'archéologie a permis de mettre au jour bien des témoignages de cette tradition : sculptures diverses, tombes gallo-romaines… Au Moyen Age, la tradition reprend vigueur sous l'influence des monastères et des évêques de Die. Les vignes étaient alors très dispersées, occupant au total jusqu'à 6000 ha. Après les années 1870 et le phylloxéra, la production se spécialisa en "clairette" grâce au développement d'une méthode traditionnelle dont l'origine remonte très loin dans le temps. La première appellation d'origine contrôlée date de 1910.

Les moûts utilisés pour ce faire sont le fruit d'un mélange de deux cépages qui sont pour 80 à 90 % le muscat à petits grains et pour le reste le clairette, cépage très ancien qui s'est parfaitement adapté dans le Diois.

La clairette de Die, un des produits phares du vignoble diois.

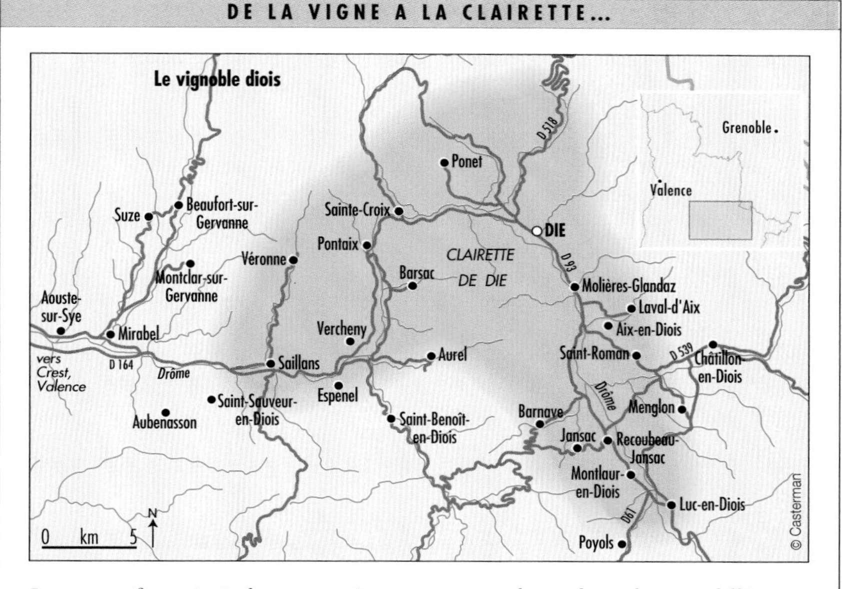

Sucre et parfum principal sont amenés par le muscat tandis que le clairette apporte sa finesse. Autrefois, on passait le vin dans de grandes poches de tissu faisant office de filtre. Il s'agissait de bloquer la fermentation en retenant les levures. Le jus, alors à peine fermenté, ne titre que 3 ou 4° d'alcool. La fermentation se fait après la prise de mousse et de façon très lente dans la bouteille elle-même. Cette dernière fermentation a lieu en salle refroidie et peut durer de 4 à 12 mois. Il n'y a pas d'adjonction de liqueur au tirage et le vin est naturellement effervescent grâce au muscat qui en est à la base. La "clairette" issue de cette méthode originale est totalement naturelle, très légère et ne dépasse pas les 8° d'alcool, tout le sucre apporté par le muscat n'ayant pas été fermenté mais offrant au contraire sa douceur. Aujourd'hui, cette méthode traditionnelle est mieux contrôlée grâce à des filtres modernes et à l'utilisation du froid pour stopper rapidement la fermentation à un moment très précis. Actuellement, la production tourne autour de 8 millions de bouteilles par an qui sont exportées dans toute la France et l'Europe, notamment vers la Suisse et la Belgique.

La vigne autour de Die

La vigne représente encore aujourd'hui pour le Diois une part très importante de son activité agricole. Les vignobles spécialisés vont de Crest à Châtillon-en-Diois. Toutefois, vers Châtillon, d'autres cépages permettent de produire des vins différents : blancs, rouges ou rosés. Les appellations "clairette de Die" et "crémant de Die" représentent environ 1300 ha répartis dans toute la vallée de la Drôme sur 32 communes, de Crest aux confins de Luc-en-Diois, ainsi que dans la vallée du Bez, en montant vers Châtillon : 35 % du vignoble est planté en clairette, le reste en muscat.

Le Diois produit également un crémant de Die de plus en plus apprécié. C'est un vin brut qui est obtenu par la méthode champenoise et uniquement à partir du cépage "clairette". En l'an 2000, l'appellation "clairette de Die brut" aura disparu pour prendre, conformément aux règlements européens, le titre de "crémant", comme tous les vins utilisant la méthode champenoise. Ce "crémant de Die" est un produit en pleine expansion avec une production en progression d'environ 500 000 bouteilles chaque année, suivant en cela l'évolution des goûts du public vers le "brut". Il existe encore une appellation "coteaux de Die", vin sec que l'on qualifie ici de "tranquille" par opposition aux crémants et clairettes qui sont pétillants. Ce vin est plutôt réservé à la consommation locale.

La coopérative de Die a été créée en 1951 et elle regroupe environ 450 vignerons qui réalisent les trois quarts de la production totale, le reste étant récolté et vinifié par une cinquantaine de producteurs indépendants. La cave-coopérative peut se visiter et on y découvre une intéressante exposition qui retrace l'historique de la vigne, du vin et de la clairette dans le Diois. On peut, bien entendu, goûter sur place… et se fournir.

Le vignoble de Châtillon

Châtillon-en-Diois représente pour sa part, avec ses 550 m d'altitude, un des vignobles les plus hauts de France. Il est morcelé en de multiples petites parcelles peu accessibles à la mécanisation et qui se trouvent pour la plupart au pied des falaises du Glandasse, regardant au sud. On remarque les nombreuses petites maisons de pierres sèches souvent sises au cœur de ces parcelles. On les appelle ici des "cabanons". Ils servaient autrefois de remise à outils. Une citerne alimentée par le toit permettait en outre de disposer d'eau, pour les opérations de sulfatage par exemple. Il servait plus encore, peut-être, comme l'indique un ancien vigneron, à protéger le cheval des piqûres d'insectes durant l'été, piqûres qui peuvent rendre folle la meilleure des bêtes. Les terres, comme dans tout le Diois, sont argilo-calcaires, peu riches et souvent sèches, mais comme dit notre vigneron : "Une bonne vigne ne donne du bon vin que

Le vignoble diois au pied du Glandasse.

Vignes avec cabanon à Châtillon-en-Diois.

si elle a souffert... la vigne vit pour son fruit, pour sa reproduction donc, ainsi va la vie..."

Châtillon rouge et châtillon rosé ne sont produits que sur le seul territoire communal, soit une cinquantaine d'hectares plantés essentiellement en gamay noir à jus blanc, tout comme le beaujolais donc, mais on y trouve aussi du syrah et du pinot noir. On produit ici chaque année autour de 300 000 bouteilles de rouge et 30 000 de rosé. Vin délimité de qualité supérieure à partir de 1955, le châtillon a reçu son appellation d'origine contrôlée en 1975. Le châtillon blanc est produit quant à lui dans des vignobles répartis sur le territoire de 13 communes du Haut-Diois, et qui sont plantés en aligoté et en chardonnay. La vendange s'y fait tard et le rendement n'est pas très élevé (autour de 50 hl à l'ha), ce qui est un gage de qualité.

Rouges comme blancs sont vinifiés de façon traditionnelle à basse température. Le vin est prêt en trois mois environ, certaines cuvées étant toutefois vieillies en fûts, notamment les vins issus du cépage chardonnay. Ce sont des vins fruités qu'il convient de consommer dans l'année qui suit la récolte. Le blanc accompagne poissons et crustacés, le rouge charcuteries et grillades, et aussi l'excellent fromage de chèvre du Diois.

Renseignements

- Cave coopérative
  Route de la Clairette
  26150 Die.
  Tél. : 75.22.02.22.
- Union des Producteurs de vins fins du Diois
  Cave coopérative
  Route de la Clairette
  26150 Die.
  Tél. : 75.22.30.00.
- Domaine de Maupas
  26140 Châtillon-en-Diois.
  Tél. : 75.21.18.81.
- Le Caveau
  26140 Châtillon-en-Diois.
  Tél. : 75.21.18.77.
- Syndicat des AOC de Die
  (Clairette de Die, coteaux de Die, crémant de Die)
  Le Sentier Vinicole
  BP 4
  26340 Vercheny.

A lire

Vins, vignes, vignerons du Diois, Parc naturel régional du Vercors, 1983.

La construction des routes de montagne a représenté une véritable aventure dans le Vercors et la nature de la roche calcaire y est sans doute pour beaucoup. Mais ces routes sont encore là, précieux moyens de communication certes, mais tout autant témoins de l'acharnement et de l'audace des hommes du XIXe siècle.

Autrefois

Jusqu'au XIXe siècle en effet, le Vercors était desservi par des chemins muletiers très pentus souvent tracés par un usage largement millénaire puis aménagés à travers les siècles en direction des "pas", ces ouvertures discrètes qui fendent ici ou là les immenses murs des falaises à la faveur de failles ou de vallons. La construction de chemins et de routes suppose, dans un tel pays, de se soumettre à la logique brutale de l'érosion en zone karstique. Il suffit de parcourir ces routes pour se convaincre de l'ampleur de la tâche que nos ancêtres avaient prise à bras le corps avec des moyens techniques infiniment moindres que ceux dont nous disposons aujourd'hui...

Chemin muletier au col du Rousset.

La pente est raide au pas de l'Allier ou encore au col du Rousset, les chemins muletiers y sont restés parfaitement tracés, souvent dans le roc même. Vertigineux, ils restent de splendides témoignages de la volonté des hommes en même temps qu'ils offrent des points de vue exceptionnels et des émotions en proportion du vertige qu'ils procurent. C'est pourtant par de tels chemins que passait l'essentiel de l'économie du plateau du Vercors central où l'on comptait, au début du XIXe siècle, environ 5000 habitants. Une centaine de mulets en moyenne descendaient chaque jour du plateau par le pas de l'Allier, les gorges de la Bourne ou la montagne de l'Arp, pour se rendre à Pont-en-Royans. C'était dangereux et on dénombrait beaucoup d'accidents sur ces chemins incertains. Il y avait aussi les loups... Sur les mulets, on chargeait du bois ou du charbon de bois, spécialité du plateau, tandis que les grumes et le bois non façonné étaient confiés au courant des rivières. Dès 1830, le constat était fait de l'isolement du Vercors et de la nécessité qu'il y avait à agir.

L'ouverture des routes

Sortir le Vercors de l'isolement a été, au XIXe siècle, une tâche immense et très périlleuse. De nombreux accidents ont marqué l'avancée de chantiers pour le moins audacieux. Les percées étaient attaquées à partir des extrémités et des passerelles étaient construites de façon à contourner les parties de roche en à-pic choisies pour le percement de tunnels ou d'encorbellements. Dans certains cas, il fallait attaquer la paroi directement. L'ouvrier était alors suspendu à une corde au-dessus du vide. Il perçait un trou de mine qu'il faisait exploser après s'en être éloigné... et ainsi de suite jusqu'à ce que le trou pratiqué soit assez grand pour lui-même puis d'autres ouvriers.

La première véritable route donnant accès à ces hauteurs est celle de Sassenage à Villard-de-Lans, sur le plateau des Quatre-Montagnes qui ne s'appelait pas encore Vercors, via les gorges du Furon. Elle date de 1827. Vint ensuite la route de Pont-en-Royans à Die. En 1834, il fut décidé de faire passer cet axe par Rousset et Saint-Agnan et de percer par les Goulets un chemin vicinal accessible aux voitures. Deux projets s'affrontèrent, l'un suivant la Vernaison avec percement des Petits-Goulets, l'autre consistant à rester à flanc de montagne pour descendre ensuite sur Chatelus par le col de Messilier. Le débat fut rude mais, finalement, le projet par les Petits-Goulets l'emporta. Toutefois cela ne se fit pas sans peine, les ingénieurs ayant à l'évidence sous-estimé les difficultés des chantiers. Adjugés en 1843 pour les Grands-Goulets, les travaux de percement furent achevés en 1851 et la route ouverte en 1854, avec sa liaison vers La Chapelle-en-Vercors. Ce n'est qu'en août 1866 que le tunnel du Rousset fut ouvert, permettant un lien direct entre Pont-en-Royans et Die. Les coûts réels avaient largement dépassé les prévisions et les communes concernées furent contraintes à de gros sacrifices.

La vallée de la Bourne

Un projet de route passant par la vallée de la Bourne naquit en 1842 à la demande de la commune de Rencurel. Il s'agissait de joindre Pont-en-Royans à Villard-de-Lans mais aussi d'ouvrir des prolongements vers La Chapelle-en-Vercors et la route des Goulets, elle aussi en projet à l'époque. Toutefois, ce programme ne put être effectivement lancé que treize années plus tard faute de moyens financiers. La décision fut prise en 1855, les communes concernées s'engageant pour moitié. Il est à noter que l'on avait fait appel, pour compléter les financements, à des souscriptions volontaires. Les travaux débutèrent en 1861. En 1867, l'entreprise Serratrice, chargée du chantier, avança même l'argent qui permit d'aller au bout des travaux. La route de Villard-de-Lans à Pont-en-Royans fut ouverte en novembre 1872 et la route joignant la Balme-de-Rencurel à La Chapelle-en-Vercors en 1880.

Combe-Laval et l'Echarasson

Ces routes furent envisagées afin de mieux desservir l'immense forêt de Lente, le chemin des Chartreux utilisé jusque-là s'avérant aussi insuffisant que dégradé au début du XIXe siècle. Le projet de route passant par l'Echarasson fut approuvé en 1853, le projet de l'actuelle route de Combe-Laval naissant en 1861. La première partie, commune aux deux projets, fut achevée en 1868. La route du col de l'Echarasson fut inaugurée en 1871. Pour des raisons financières, mais aussi de facilité technique, ce tracé avait été retenu malgré le handicap de pentes sévères et la présence de neige durant souvent plus de six mois sur les hauteurs. Cette solution s'avéra vite insatisfaisante, la pente empêchant l'acheminement correct des bois de la forêt de Lente. En 1893 fut alors entreprise la construction de cette route de Combe-Laval qui reste probable-

Les Barraques-en-Vercors : chemin de terre bordé de lauzes au début du siècle.

La route des Grands-Goulets lors de sa construction.

Le circuit du Vercors (1920).

ment l'une des plus étonnantes de tout le Vercors. Elle fut ouverte en 1898, n'étant alors qu'une route forestière, et ne devint route touristique qu'à partir de 1936. Il faut en effet relever que, dès le début du XXe siècle, le tourisme naissant inscrivit ces routes dans ses programmes. En 1902, on trouve déjà un hôtel des Grands-Goulets aux Barraques-en-Vercors...

Le réseau routier se développa de façon importante jusqu'au début du XXe siècle,

La route dans les gorges de la Bourne.

jusqu'à totaliser 650 km environ. Différents accès furent aménagés à partir du pied du massif, puis complétés progressivement sur le plateau. Ainsi en fut-il la route de Peyrus à Léoncel par le col de Limouches en 1855, qui fut prolongée par la route de la forêt de Léoncel en 1870 et de la route de Barbières à Léoncel par le col de Tourniol en 1896. La route du Pionnier fut achevée quant à elle en 1866, permettant la jonction du plateau et du Royans par Saint-Martin-le-Colonel et Bouvante. L'axe de Plan-de-Baix à Saint-Jean-en-Royans se termina en 1874, tandis qu'au nord étaient ouvertes les routes de Grenoble à Saint-Nizier-du-Moucherotte, de Montaud en 1876 et d'Autrans-Méaudre en 1883. L'acrobatique route des Ecouges, reliant Saint-Gervais à Rencurel par le col de Romeyère fut achevée cette même année 1883 et la fin du XIXe siècle vit s'ouvrir d'autres routes encore, comme celles du plateau de Presles en 1885, de Malleval en 1894, de Lans à Autrans en 1896 (la route dite de la forêt du Vercors en 1897). Enfin, la route de la forêt de Lente qui joint Rousset à Lente via Vassieux-en-Vercors par les cols de Saint-Alexis et Lachau, ne fut achevée qu'en 1912.

La fin du XIXe siècle fut aussi mise à profit, au sud du massif, pour ouvrir de vraies routes permettant de relier le Diois au

La route de Presles.

Trièves par le col de Menée en direction de Chichilianne. Il s'agissait, en fait, d'aménager l'ancienne voie romaine en direction de Lus-la-Croix-Haute via le village de Glandage, les gorges des Gats et le col de Grimone, sachant qu'il n'y a aucun accès routier aux hauts plateaux du Vercors à partir du Trièves; la petite route du vallon de Combeau qui part de la route du col de Menée s'arrête, en effet, avant d'y parvenir.

Le chemin de fer

L'aventure ferroviaire ne toucha le plateau qu'au nord avec l'ouverture, en 1920, de la ligne de tramways entre Grenoble et Villard-de-Lans. Cette ligne suivait le plus souvent la route montant de Grenoble par Saint-Nizier-du-Moucherotte. Elle fut fermée après la Seconde Guerre mondiale, victime de la concurrence routière et de problèmes politiques locaux. On remarque toutefois que le rail entoure le massif dans son ensemble avec les lignes de Valence à Grenoble via Romans, de Valence à Veynes via Die et de Grenoble vers Gap à l'est. Il y eut également une voie d'intérêt local dans le Diois entre Châtillon et Pont-de-Quart sur la ligne de Valence à Veynes (ouverture en 1903) et une autre dans le Royans qui permettait de joindre Romans et Bourg-de-Péage à Sainte-Eulalie-en-Royans (ouverture en 1901) puis à Pont-en-Royans (ouverture en 1904).

A lire

Un siècle de routes en Vercors, "le roman des routes du Vercors", Parc naturel régional du Vercors, 1995.

Le tourisme naquit dans le Vercors, comme ailleurs en France, au XIXe siècle. Les débuts furent, il est vrai plutôt modestes. Dans le Trièves, dès 1850, la bonne société venait prendre les eaux à Mens. Les eaux minérales gazeuses d'Oriol étaient réputées dès le XVIIe siècle. On les recommandait pour soigner l'estomac aussi bien que les reins. La ligne de chemin de fer des Alpes, ouverte en 1878, accentua le phénomène du tourisme naissant.

Air pur et ski

Au nord, dans les Quatre-Montagnes, on ne tarda pas non plus à s'éveiller à la nouvelle dimension économique offerte par le tourisme : ainsi, dès 1909, fut créé dans le canton de Villard-de-Lans un syndicat d'initiative. L'air pur et le climat furent vantés jusqu'à faire de Villard, dans les années 1930, une station climatique accueillant les déficients des poumons, les enfants atteints par l'asthme et les convalescents. Lans-en-Vercors obtint ce même label de station climatique et l'on y vit s'édifier maisons d'enfants et hôtels, sa spécialité étant la cure dite de moyenne montagne.

C'est aussi dans ce Vercors-Nord que naquirent, pour le massif, les sports de neige. Dès les années 1900, on pratiquait le ski dans les environs de Villard comme moyen de déplacement l'hiver, certes, mais aussi pour le plaisir et la compétition : ski de descente, luge et saut... A partir de 1920, la ligne de tramways de Grenoble à Villard, via Saint-Nizier et Lans facilita grandement ces prémices touristiques tant l'hiver que l'été.

L'ouverture des routes

Côté Vercors central, le tourisme prit son essor à la faveur de la construction des routes acrobatiques des Goulets ou des gorges de la Bourne. Ces ouvrages avaient à l'évidence fasciné l'imagination des contemporains et on vint très vite voir de plus près le spectacle des imposantes falaises de calcaire, conjugué à l'audace des constructeurs de routes. Les visiteurs partaient du Royans en voitures à chevaux. Dès la fin du XIXe siècle furent construits des hôtels au hameau des Barraques, juste au débouché des Grands-Goulets. Par la suite, une voie ferrée d'intérêt local relia Romans à Pont-en-Royans et Sainte-Eulalie, facilitant les relations. Ce n'est que dans les années '30 que se développa un tourisme de villégiature, à La Chapelle-en-Vercors notamment, et que débuta la pratique du ski sportif et de loisir vers le col du Rousset.

Le tourisme rural

Tandis qu'au nord le tourisme constituait déjà une part non négligeable de l'activité économique des Quatre-Montagnes, il fallut attendre la fin de la deuxième Guerre mondiale pour voir se développer la même activité au centre et au sud, en particulier en ce qui concerne les sports d'hiver. C'est d'ailleurs aussi au nord que naquit une forme nouvelle d'accueil : les enfants à la ferme puis les gîtes ruraux et chambres d'hôtes. En Vercors central, le tourisme fut longtemps dédaigné et certains secteurs accusent encore du retard, notamment vers Léoncel et Plan-de-Baix. Mais là comme ailleurs, les gîtes ruraux se développent bien, attirant des touristes amoureux de nature et de randonnée et aussi, l'hiver, des sportifs

Les Barraques-en-Vercors : l'hôtel des Grands-Goulets (1902).

Tourisme sportif dans la vallée de la Drôme (Diois).

amateurs de ski nordique. Il en est de même dans le Trièves où le tourisme reste avant tout familial, que ce soit l'hiver aux stations de Gresse et de Château-Renard ou l'été sur les bords du lac de Monteynard.

Des propositions multiples

Les atouts touristiques du Vercors sont aujourd'hui bien connus et c'est là le fruit d'un important travail mené par les comités d'expansion des deux départements et par le Parc naturel régional. Les paysages sont exceptionnels et le pays offre aujourd'hui, grâce à ce dernier, des centaines de kilomètres de chemins de randonnée parfaitement balisés et entretenus. Il en existe pour toutes les forces et pour tous les âges. En ce qui concerne les sports d'hiver, le Vercors s'est forgé en une vingtaine d'années une réputation plus qu'enviable dans le domaine du ski nordique. La traversée du Vercors de Rousset à Corrençon est devenue un classique et depuis quelques années tout le plateau d'Herbouilly, qui joint Vercors-Central et Quatre-Montagnes, est devenu une immense zone réservée l'hiver aux "fondeurs", tandis que les stations de Rousset et de Font-d'Urle dans le Vercors-Central, de Gresse et de Château-Renard dans le Trièves, offrent de belles possibilités aux amateurs de ski de descente.

Le tourisme sportif

Il convient d'ajouter à toutes ces activités la spéléologie et l'escalade, mais aussi depuis quelques années les sports que l'on qualifie d'"extrêmes", comme le parapente, le deltaplane ou encore le canyoning, sans oublier, dans le Diois, le canoë-kayak que l'on pratique sur la Drôme, ni le VTT ou la randonnée à cheval...

Sur les plateaux, mais aussi alentour, on voit fleurir diverses initiatives : la gastronomie et les produits du terroir y ont leur place, tout comme les fabrications artisanales diverses et des réalisations attrayantes et originales comme l'étonnant musée de l'Automate à Lans-en-Vercors, le jardin ferroviaire situé à Chatte dans la vallée de l'Isère ou le jardin des Fontaines pétrifiantes à La Sône d'où l'on peut également prendre le bateau à roue à aubes qui, sur l'Isère, permet de découvrir jusque Saint-Nazaire-en-Royans toutes les falaises dominant le Royans à l'ouest. On n'oubliera pas quelques grottes aménagées très remarquables et qui méritent à elles seules le détour : Choranche en Royans, les cuves de Sassenage au nord des Quatre-Montagnes, la Draye-Blanche à La Chapelle-en-Vercors, la grotte de Thaïs à Saint-Nazaire-en-Royans... On profitera aussi des possibilités offertes par la ligne SNCF dite des Alpes (Grenoble-Veynes) dont le parcours semé de tunnels et de viaducs est impressionnant, offrant des vues grandioses sur l'est du massif du Vercors. Sauvée de justesse il y a quelques années, la ligne voit circuler des trains spéciaux jouant la carte du tourisme ferroviaire.

Renseignements

• Association de développement touristique du Vercors (ADT Quatre-Montagnes)
Place Mure-Ravaud
38250 Villard-de-Lans.
Tél. : 76.95.15.99.

• Office de tourisme du Vercors-Sud
26420 La Chapelle-en-Vercors.
Tél. : 75.48.22.54.

• Maison de l'aventure
26420 La Chapelle-en-Vercors.
Tél. : 75.48.22.38.

• Vercors-Accueil
38250 Lans-en-Vercors.
Tél. : 76.94.11.11.

• Comité départemental du tourisme de l'Isère
14, rue de la République
38000 Grenoble.
Tél. : 76.54.34.36.

• Comité départemental du tourisme de la Drôme
31, avenue du Président-Herriot
26000 Valence.
Tél. : 75.82.19.26.

La drôle de guerre, le désastre de mai 1940, l'armistice obtenu le 17 juin par le maréchal Pétain, l'Appel lancé de Londres par le général de Gaulle le 18 juin... Au lendemain de l'armistice, le Vercors appartient à la zone libre. La résistance est alors largement minoritaire alors que la région voit venir à elle de nombreux réfugiés, dont des juifs déjà pourchassés en zone occupée.

L'envahissement de la zone libre

Novembre 1942. Les troupes allemandes sont contraintes de quitter l'Afrique du Nord. Craignant un débarquement à partir de l'Algérie, les Allemands envahissent la zone libre. Il n'existe alors que quelques petits groupes de résistance dans le Vercors ainsi qu'en Chartreuse, qui vont parvenir à s'organiser entre eux. Aimé Pupin, Léon Martin et Eugène Chavant montent bientôt les premiers camps du maquis du Vercors, le tout premier du côté de Bouvante sur le plateau d'Ambel. Mais le véritable coup d'envoi du maquis sera le fait du STO (Service du travail obligatoire) qui incite de plus en plus de réfractaires à rejoindre les hauteurs. En avril 1943, on dénombre 350 maquisards. Dans le même temps, Pierre Dalloz parvient à faire accepter par les chefs de la Résistance son idée de "Plan montagnard", plan qu'il avait imaginé avec l'écrivain Jean Prévost dès 1941. L'idée était celle d'une forteresse, "sorte de cheval de Troie", dira-t-il, où l'on pourrait faire atterrir des commandos de parachutistes et d'où, au moment opportun, on fondrait sur l'ennemi dans les vallées. Au printemps de 1943, le général Delestraint, chef de l'armée secrète, vient lui-même visiter les résistants mais il est arrêté en juin 1943 ainsi que Jean Moulin. C'est un coup très dur pour toute la Résistance. Ses amis arrêtés, Dalloz est contraint de fuir et va à Alger puis à Londres défendre le "Plan montagnard". Il ne reçoit pas l'accueil escompté car les Alliés sont très préoccupés par les préparatifs du débarquement en Normandie...

Le maquis du Vercors

Sur le plateau, il y a désormais neuf camps où l'on s'entraîne dur. L'un d'eux est d'ailleurs organisé par l'abbé Croués, connu sous le nom d'abbé Pierre. Eugène Chavant, dit Clément dans la Résistance, devient en juin 1943 le chef civil du Vercors, le lieutenant Alain Le Ray ayant depuis mars de la même année la responsabilité de la préparation au combat des maquisards. Toujours en 1943, la milice vichyssoise intervient et sévit à La Chapelle et à Vassieux. Pendant ce temps, dans le Diois, les résistants ne restent pas inactifs : fin 1943, ils font dérailler un train allemand à hauteur de Vercheny. Par la suite, une cinquantaine d'hommes de Vercheny, Pontaix, Sainte-Croix et Barsac sont déportés en Allemagne.

Début 1944, les Allemands, en représailles d'actes de guérilla menés contre leurs hommes, attaquent les Grands-Goulets le 22 janvier et incendient le hameau des Barraques. Le 29 janvier, ils détruisent le

Groupe de maquisards dans le Vercors.

maquis de Malleval. En mars, ils attaquent le poste de commandement des résistants de Saint-Julien-en-Vercors. En ce printemps de 1944, tout porte à croire que le "Plan montagnard" est toujours valable. Le 6 juin a lieu le débarquement en Normandie et, dès cet instant, les résistants se mettent à affluer dans le Vercors où l'on se persuade que le débarquement en Provence est imminent. Le 13 juin, les Allemands attaquent Saint-Nizier-du-Moucherotte, mais ils sont repoussés une première fois. Revenus en nombre, ils forcent le passage le 15 pour occuper le lendemain toute la zone de Lans-en-Vercors. Saint-Nizier est incendié. Ils se retirent puis assaillent le centre de transmission des maquisards le 22 juin sur le plateau de Combovin au nord-ouest. Le 24, ils attaquent cette fois par la route des Ecouges. On dirait qu'ils veulent tester les résistants. Les 22 et 28 juin, ils bombardent Beaufort et la plupart des villages de la vallée de la Gervanne. Le 29 juin, ils lancent leurs bombes sur le Royans, à Saint-Jean, Pont, Saint-Laurent, Saint-Nazaire.

L'invasion du Vercors

Malgré les appels du général Koenig, commandant en chef des Forces françaises de l'intérieur (FFI), invitant les maquisards à s'éparpiller et à rester patients, les combattants se regroupent dans le Vercors jusqu'à être 3000 en juillet. Dès lors, les événements se précipitent : le 3 juillet 1944, à Saint-Martin-en-Vercors, la République française est restaurée sur tout le territoire du Vercors. Le 13 juillet, les Allemands bombardent Vassieux-en-Vercors et La Chapelle, alors que sur le plateau on fête le 14 Juillet. Ce même jour, les Alliés effectuent un très important parachutage de munitions et armes légères sur la plaine de Vassieux, alors que c'étaient des armes lourdes qui étaient attendues. Tous demeurent persuadés que le "Plan montagnard" est en cours de réalisation. Sitôt les Alliés éloignés, les Allemands viennent bombarder la plaine de Vassieux et le village. Quelques jours plus tard a lieu l'attaque massive. Les renseignements obtenus au cours de leurs nombreuses reconnaissances aériennes avaient dû inquiéter l'ennemi et l'imposant parachutage du 14 juillet l'incite sans aucun doute à agir vite. Les Allemands avaient en effet tout lieu de craindre de se voir attaqués

Le colonel Chavant décoré par le général de Gaulle (Grenoble, 1944).

sur leurs arrières au cas où les Alliés débarqueraient dans le sud de la France, comme tout d'ailleurs le laissait supposer après la campagne d'Italie...

Les journées tragiques du Vercors

Les Allemands préparent 10 à 15 000 hommes : infanterie, artillerie de montagne, bataillons de l'Est, régiment de sécurité... Le 19 juillet, le maquis de Grimone, au sud, est attaqué, puis celui de Menée. Le 20 juillet, le Vercors est totalement encerclé. Le 21, 2000 soldats montent par Saint-Nizier puis vont à Villard-de-Lans et à Autrans. Dans le même temps, les Allemands attaquent à l'est les différents pas : ceux des Chattons, de l'Aiguille, de la Selle, de la Ville. Les résistants, trop peu nombreux et dépourvus d'armes lourdes, ne peuvent les contenir. Le même jour, des planeurs remplis de SS atterrissent sur la plaine de Vassieux, là même où les maquisards avaient tout préparé pour accueillir les Alliés... Les résistants montent en vain une contre-attaque désespérée. C'est un sinistre carnage. Les habitants encore présents à Vassieux (une partie a fui à cause des bombardements des jours précédents) sont tous tués, vieillards, femmes et enfants. Le village est incendié. Ce n'est que le 10 août que les morts de Vassieux recevront une sépulture;

Vassieux-en-Vercors : le jardin de la Mémoire.

les SS étant enfin partis, des habitants du Diois peuvent accomplir cette triste besogne. C'est grâce à eux que l'on possède les photographies qui attestent l'horreur du martyre subi par Vassieux-en-Vercors et ses habitants. Le village a d'ailleurs été cité par la suite à l'ordre de la Libération : "Village du Vercors qui, grâce au patriotisme de ses habitants, s'est totalement sacrifié pour la cause de la Résistance française en 1944. Principal centre de parachutages pour l'aviation alliée sur le plateau, a toujours aidé de tous ses moyens les militaires du maquis dans les opérations de ramassage des armes. Très violemment bombardé le 14 juillet, attaqué par quarante-quatre planeurs allemands les 21 et 22 juillet, a eu soixante-douze de ses habitants massacrés et la totalité de ses maisons brûlées par un ennemi sans pitié. Martyr de sa foi en la résurrection de la Patrie."

Le 21 juillet à La Chapelle, des jeunes gens sont passés par les armes. Le 22 les Allemands occupent Die et tuent une vingtaine de personnes en représailles. Ce même jour, ils attaquent Valchevrière (Quatre-Montagnes), en vue d'ouvrir la route de Saint-Martin et d'effectuer ainsi leur jonction avec les troupes attaquant au sud. La défense du maquis est assurée par quatre cents hommes sous la direction du capitaine Goderville (nom de guerre de l'écrivain Jean Prévost). Les combats durent plusieurs jours. Le lieutenant Chabal est tué, puis les résistants sont submergés. Le 27 juillet, l'ordre de dispersion générale est donné. Ce même jour, les Allemands découvrent l'hôpital des maquisards installé dans le porche de la grotte de la Luire et ils abattent tous les blessés, emmenant les infirmières vers la déportation. Des combats ont également lieu à La Rivière-de-Gigors au sud, les Allemands remontant les vallées de la Gervanne et de la Sure.

Quelques jours avant, Chavant avait fait parvenir à Alger un message désespéré et amer : "Avions promis de tenir trois semaines. Temps écoulé depuis la mise en place de notre organisation : six semaines. Demandons ravitaillement en hommes, vivres et matériels… Si ne prenez pas dispositions immédiates, seront d'accord avec la population pour dire que ceux qui sont à Londres et à Alger n'ont rien compris à la situation dans laquelle nous sommes et sont considérés comme des criminels et des lâches. Nous disons bien criminels et lâches."

La Libération

Les Allemands achèvent leur besogne de "nettoyage" dans les semaines qui suivent, considérant que tout est terminé le 11 août… Le débarquement en Provence n'aura lieu que le 15 du même mois. Dès lors tout va vite et, le 21, Die est libérée par les Américains remontant au nord par

Aspres. Les survivants du maquis prendront part ensuite à la libération de Grenoble le 22 août, à celle de Romans et de Valence les 30 et 31 et de Lyon les 2 et 3 septembre.

La bataille du Vercors a tué 639 maquisards et 201 civils, massacrés pour la plupart dans d'horribles circonstances; un millier de maisons ont été détruites et le villages de Valchevrière n'a jamais été reconstruit. Il subsiste de nombreuses traces de ces jours douloureux, à commencer par les ruines de Malleval et de Valchevrière, mais aussi l'émouvant cimetière de Vassieux-en-Vercors, la cour des Fusillés de La Chapelle, ici et là des plaques et monuments et, plus particulièrement, le chemin de croix de Valchevrière réalisé par l'architecte grenoblois Pouradier-Duteil grâce à une souscription populaire dans les paroisses de Villard-de-Lans et des environs. C'est cette route qu'empruntaient les jeunes gens voulant rejoindre le maquis. Les faits sont également évoqués dans un musée privé à Vassieux-en-Vercors, à deux pas de l'église et du jardin de la Mémoire réalisé récemment au Mémorial de la Résistance qui domine la plaine de Vassieux, en direction du col de La Chau, ainsi que dans une grande salle du musée de Romans.

Le Mémorial du Vercors

Inauguré par Edouard Balladur alors premier ministre, le Mémorial du Vercors n'est pas un musée comme un autre. Le souci de la muséographie est ici d'aller à l'essentiel, c'est-à-dire le témoignage des hommes. Peu d'objets, mais des objets porteurs d'une forte charge symbolique : il en est ainsi de la bicyclette et de la valise, emblèmes de la débâcle et de toutes ces années noires... Puis, de salle en salle, on sent naître peu à peu le refus avec la Résistance et les maquis... Surviennent enfin les jours de crimes et de deuils...

Des images mais surtout des témoignages oraux que l'on écoute au moyen de casques : certains sont bouleversants. Et l'on chemine ainsi de lieu en lieu jusqu'au dernier témoignage, celui d'une petite fille morte à Vassieux en juillet 1944 dans des conditions inimaginables, témoignage infiniment douloureux recueilli par le curé de Vassieux... On sort alors à la lumière du ciel sur un balcon qui domine toute la plaine de Vassieux. Le Grand-Veymont est en vis-à-vis, imperturbable et interrogateur.

Renseignements

- Mémorial de la Résistance
  Col de Lachau
  26420 Vassieux-en-Vercors.
  Tél. : 75.48.26.00.
  Ouverture : d'avril à septembre, tous les jours, de 10 h à 18 h (jusqu'à 17 h le reste de l'année).
  Fermé du 15 novembre au 15 décembre.
- Salle du Souvenir au cimetière de Vassieux-en-Vercors
  (même téléphone)
  Ouverture : de mai à septembre, tous les jours de 10 h à 18 h.
  Projection audiovisuelle.

A visiter

- Grenoble (38000)
  Musée de la Résistance et de la Déportation
  14, rue Hébert
  Tél. : 76.42.38.53.
  Ouverture : tous les jours, sauf le mardi, de 9 h à 12 h et de 14 h à 18 h.
- Romans (26100)
  Centre historique de la Résistance en Drôme et de la Déportation
  2, rue Sainte-Marie
  Tél. : 75.05.81.36.
  Ouverture : du 2 janvier au 30 juin et du 1er septembre au 31 décembre, du mardi au samedi, de 9 h à 11 h 45 et de 14 h à 17 h 45; du 1er juillet au 31 août, du lundi au samedi, de 10 h à 18 h. Le dimanche, de 14 h 30 à 18 h.
- Saint-Agnan-en-Vercors (26420)
  Grotte de la Luire
  Tél. : 75.48.25.83.
- Vassieux-en-Vercors (26420)
  Musée privé de la Résistance
  Tél. : 75.48.28.46.
  Ouverture : d'avril à octobre, tous les jours, de 9 h à 12 h, de 14 h à 18 h et sur rendez-vous.

Manifestation

Pèlerinage à la chapelle de Valchevrière, le 1er dimanche de septembre.

A lire

Bolle (Pierre) (sous la direction de), *Grenoble et le Vercors, de la Résistance à la Libération*, 1985.

Villard-de-Lans, la Maison du Villard : la salle des Gens.

La montagne a toujours été rude pour ceux qui y vivaient. Les longs hivers isolant les villages ont fait naître et ont entretenu des modes de vie et des traditions bien distincts, tandis qu'alentour des plateaux, chaque région développait sa propre identité en fonction des données économiques du moment autant que de l'histoire. Des études ethnographiques permettent désormais de mieux connaître la vie des anciens habitants.

La Maison du Villard

C'est une des plus belles et des plus intéressantes visites que l'on puisse faire pour mieux comprendre ce qu'était cette vie des montagnards du Vercors. Cette maison du patrimoine comprend deux étages et trois niveaux d'expositions installées avec goût dans l'ancienne mairie, collections extrêmement riches et patiemment accumulées par un amoureux du Vercors, Jacques Lamoure. C'est un musée ethnographique au sens plein du terme : outils, ustensiles de la vie quotidienne dans le Vercors au XIXe siècle et jusqu'à la veille de la Deuxième Guerre mondiale, complétés par de nombreuses et vieilles photographies et cartes postales présentant des vues en situation : marchés agricoles, fermes, travaux des champs, événements familiaux... Une place importante a été laissée à la race bovine villarde, parfaitement adaptée à la vie rude des plateaux, bœufs et vaches que l'on faisait travailler dans les champs et dans les forêts comme en témoignent quelques superbes documents, ainsi qu'une splendide et très riche collection de jougs d'attelage dont certains sont colorés et sculptés comme de véritables objets d'art.

Le musée dauphinois

Ce musée situé à Grenoble dispose également d'objets, de mobilier et d'une belle richesse documentaire, particulièrement sur le Trièves et les plateaux. On y apprendra beaucoup sur les "gens d'en haut", depuis 7000 ans jusqu'à nos jours. Des maquettes reconstituent les maisons, leur agencement, leurs fonctionnement et organisation. La transhumance tient ici une bonne place avec des objets aussi étonnants pour nous que le collier à pointes de fer qui protégeait les chiens contre une attaque éventuelle des loups, une cabane mobile de berger, des fers à marquer... et bien d'autres outils aujourd'hui oubliés ainsi que des documents photographiques.

Villard-de-Lans, la Maison du Villard : la salle de l'Ours (bois sculpté, fin du XVIIIe siècle).

Die, Rochechinard

Le musée municipal de Die consacre une place importante aux traditions du Diois et à l'histoire locale, notamment celle des guerres de Religion qui marquèrent tant la région. Mais on y voit aussi une bien belle pompe à bras des pompiers de Die (1882), un tableau représentant les conscrits de la classe de 1875, des souvenirs des sociétés de musique, et bien d'autres éléments. Dans le Royans, le petit musée de Rochechinard expose des costumes locaux, le mobilier d'un intérieur de ferme, des outils et ustensiles ménagers, des outils servant à l'élevage du ver à soie dans les magnaneries ou à la fabrication des fromages...

Romans, musée international de la Chaussure : mules de femme (1789).

Romans

Le musée est consacré à l'histoire du cuir et de la chaussure (avec une collection absolument exceptionnelle de quelque 2000 pièces) et à la vie locale avec, par exemple, la reconstitution d'une scène de marché romanaise joliment mise en scène, des présentations des principaux aliments que sont le pain ou le fromage, de l'agriculteur à l'artisan et au consommateur. On suivra aussi avec intérêt une tranche de vie d'un colporteur venu de Savoie...

On pourra retrouver ce caractère ethnographique et des souvenirs en visitant d'autres petits musées locaux souvent fort bien faits : la magnanerie de Saillans dans le Diois, la cave coopérative de Die (histoire de la clairette), le musée du Fromage à Saint-Marcellin dans la vallée de l'Isère.

Grenoble, le musée dauphinois : document photographique sur la construction des routes du Vercors (Combe-Laval, 1893-1896).

Renseignements

Die (26150)
• Musée d'Histoire et d'Archéologie
Tél. : 75.22.03.03.
Ouverture : tous les jours en juillet-août, sauf le dimanche, de 15 h 30 à 18 h 30.

• Cave coopérative
Musée de la Vigne et de la Clairette de Die
Tél. : 75.22.02.22.
Ouverture : tous les jours, de 8 h à 12 h 30 et de 13 h 30 à 18 h 30.

Grenoble (38000)
• Musée dauphinois
30, rue Maurice-Gignoux
Tél. : 76.85.19.00.
Ouverture : tous les jours, sauf le mardi, de 10 h à 19 h (jusqu'à 18 h du 1er novembre au 30 avril).

Rochechinard (26190)
• Musée régional-Maison de la mémoire
Tél. : 75.48.62.53-75.48.62.74.
Ouverture : en juillet-août, tous les jours, sauf le lundi, de 15 h à 19 h; en juin et en septembre, le dimanche de 15 h à 19 h.

Romans
• Musée international de la Chaussure
2, rue Sainte-Marie
Tél. : 75.05.81.30.
Ouverture : du 2 janvier au 30 juin et du 1er septembre au 31 décembre, du mardi au samedi, de 9 h à 11 h 45 et de 14 h à 17 h 45; du 1er juillet au 31 août, du lundi au samedi, de 10 h à 18 h. Les dimanches et jours fériés, de 14 h 30 à 18 h.

Saillans (26340)
• La Magnanerie
Tél. : 75.21.56.60.
Ouverture : du 1er mai au 30 septembre, tous les jours, de 10 h à 19 h. Elevage de vers à soie, démonstration d'évidage de cocons (visite commentée).

Saint-Marcellin (38160)
• Musée du Fromage
Tél. : 76.38.53.85.
Ouverture : tous les jours, de 9 h à 12 h et de 14 h à 18 h, sauf le lundi matin.

Vercheny (26340)
• Musée de la Clairette
Tél. : 75.21.73.77.
Ouverture : tous les jours.
Villard-de-Lans (38250)

• Musée du Villard
Maison de la Mémoire des Quatre-Montagnes
Tél. : 76.95.17.31.
Ouverture : tous les jours, sauf les dimanches et lundis, de 14 h à 19 h.

A lire

Le Vercors. Pays, paysans, paysages, éd. Glénat, 1990.
Chevallier (Denis), *La Race de Villard-de-Lans,* Parc naturel régional du Vercors.

L'idée de parc naturel régional est née en France en 1967 d'un certain nombre de constats, parfois contradictoires. En premier lieu il y avait un risque croissant de désertification de zones rurales entières puis, a contrario dans d'autres secteurs, une pression urbaine, enfin, sur d'autres zones encore, une surfréquentation touristique.

Ainsi, de la Montagne-de-Reims aux Landes de Gascogne, de l'Armorique au Pilat, sont nés à ce jour trente et un parcs. L'état français, les collectivités locales et les acteurs régionaux s'engagent là dans une politique de type contractuel innovante puisque, dès le départ, la volonté était d'associer protection du patrimoine et développement local. Le classement par le ministère de l'Environnement représente donc, avant tout, la reconnaissance d'une qualité qui implique une politique de gestion rigoureuse et soucieuse de l'environnement, de l'économie, de l'aménagement du territoire et du tourisme. L'ambition des parcs est – et reste aujourd'hui encore – d'être des outils efficaces pour la construction de l'avenir d'une zone donnée.

La création du Parc

Le Parc naturel régional du Vercors fut créé en 1970 par décret. Le Vercors présentait, en effet, toutes les caractéristiques nécessaires : un territoire rural à forte identité tout en étant fragile au plan écologique, voire même menacé, en particulier au nord avec la pression urbaine de Grenoble, un patrimoine naturel de tout premier plan et, enfin, un patrimoine culturel non négligeable. A l'époque, on redoutait surtout l'industrialisation des loisirs de montagne avec tout ce que cela suppose en construction de remontées mécaniques, lignes à haute tension, hôtels et immeubles... Ainsi fut fait pour sauvegarder, voire développer, une vie économique réelle et non pas artificielle. Tâche énorme on s'en doute, qui a demandé et demande encore de travailler sur un consensus le plus large et le plus riche possible, tout en gardant le cap initialement fixé.

Le travail de l'association Vercors-Nature a abouti en 1974 à la mise en place des structures du Parc régional, le centre administratif étant implanté à Lans-en-Vercors. Il s'agit, au plan juridique et administratif, d'un syndicat mixte disposant d'un bureau qui est son organe de réflexion et de validation et d'un comité syndical regroupant tous les partenaires, élus ou non (ex. : direction régionale des Affaires culturelles, services de l'Equipement). La structure rassemble à ce jour 63 communes du Vercors central, des Quatre-Montagnes, des Coulmes, du Royans, du Trièves et du Diois, ainsi que 3 villes dites "portes" : Grenoble, Valence et Romans.

Le fonctionnement du Parc

Une vingtaine de permanents y travaillent, mais les équipes pluridisciplinaires sont souvent aidées de chargés de mission pour des projets précis. Ce travail est défini une fois tous les dix ans à travers une charte signée par les partenaires : élus locaux, départementaux, régionaux, associations, représentants socio-professionnels, établissements publics et Etat. Cette charte donne les orientations et fixe les objectifs. Tous les dix ans, les résultats obtenus sont analysés et discutés en fonction de ces objectifs. Le projet global reste toutefois d'assurer durablement la protection, la gestion et le développement du territoire. Les moyens financiers sont fournis par la Région Rhône-Alpes, les conseils généraux de l'Isère et de la Drôme, les communes membres et associées. Dans certains cas, la Communauté européenne contribue au budget. Le budget de fonctionnement s'est élevé en 1995 à 13 millions de francs (60 % pour la Région, 15 % pour chacun des deux départements et le reste pour les communes membres).

Les projets

Protéger la nature dans ce qui est, avec ses 18 000 ha, la plus grande réserve de France, voilà le but premier. Cela se fait dans la perspective de conservation d'un capital inestimable, notamment touristique, de façon à donner un atout économique de premier ordre à la population. Il s'agit là de développement local : idées et projets sont étudiés et au besoin soutenus financièrement, car il n'est pas question de vivre en circuit fermé. L'activité du Parc est donc multiple : études, gardiennage de la réserve, entretien du balisage des centaines de kilo-

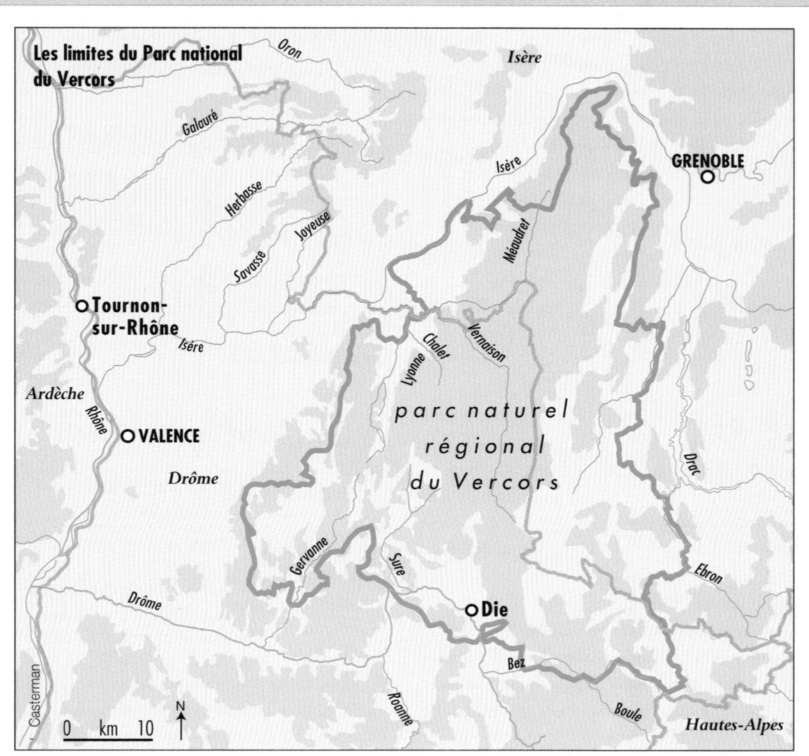

mètres de chemins de randonnée et pistes de ski de fond, entretien des refuges et maisons du parc (La Chapelle-en-Vercors et Chamaloc dans le Diois, Chichiliane, Gresse-en-Vercors et Prélenfrey-du-Guà dans le Trièves). Parmi toutes ces tâches, notons encore l'accueil des bergers lors de la transhumance et la réintroduction d'espèces animales disparues ici, comme le bouquetin, la marmotte ou encore le vautour fauve.

Bilan et avenir

Après plus de vingt ans le bilan est positif. Le Parc a permis sans conteste de conserver la majeure partie du prodigieux capital naturel du Vercors. Rien n'a été dénaturé ou presque, certaines zones des Quatre-Montagnes ayant toutefois moins bien résisté à la pression urbaine de Grenoble. L'économie rurale s'est maintenue aussi bien qu'il était possible vu les difficultés générales qui ont été celles de l'agriculture française pendant ces mêmes années.

La fonction pédagogique n'est pas la moindre des actions menées par le Parc et des milliers d'enfants et de jeunes lui doivent une approche de la nature et de ses richesses. Maintenant, le Parc est devenu une réalité bien au-delà de la seule région Rhône-Alpes, et même des frontières de la France. Cela impose naturellement des devoirs, dont celui de veiller au maintien d'un équilibre entre l'environnement et le développement économique.

Renseignements

- Parc naturel régional du Vercors
  Centre administratif
  Maison du Parc
  38250 Lans-en-Vercors.
  Tél. : 76.94.38.26.
- Maison du Parc et des Quatre-Montagnes
  Place du Village
  38880 Autrans.
  Tél. : 76.95.35.01.
- Maison de la flore et de la forêt
  Le Village
  26150 Chamaloc.
  Tél. : 75.22.25.52.
- Maison de l'aventure
  Avenue des Bruyères
  26420 La Chapelle-en-Vercors.
  Tél. : 75.48.22.38.
- Maison du Parc et du mont Aiguille
  38930 Chichilianne.
  Tél. : 76.34.44.95.
- Maison du Parc
  Grand-Veymont-la-Ville
  28650 Gresse-en-Vercors.
  Tél. : 76.34.30.98.
- Maison du Parc et de l'escalade
  Prélenfrey
  38450 Le Guà.
  Tél. : 76.72.34.41.
- Maison pour tous et du Royans
  1, rue Pasteur
  26190 Saint-Jean-en-Royans.
  Tél. : 75.48.51.42.

Le Dauphiné au nord et à l'est, la vallée de l'Isère et la plaine de Valence à l'ouest, le Diois au sud, des hauteurs aux longs hivers sur les plateaux et dans le Trièves… Cette diversité climatique et géographique, jointe à l'histoire des différentes populations, fait toute la richesse des produits de terroirs personnalisés et de leur gastronomie traditionnelle. Le Vercors, c'est un peu un résumé de tout ce qui se fait de bon en France : du vin à l'huile de noix, du fromage à la charcuterie.

Les vins

Dans le Diois, on les trouve en trois couleurs : rouge, blanc et rosé, sages ou pétillants avec les clairettes et les crémants. Le vin de noix est ici une spécialité, tout comme dans le Royans où les noix portent le label "Noix de Grenoble". Dans les deux contrées, on presse aussi une excellente huile de noix.

Sur le Vercors, dans la vallée de l'Isère et le Royans, on prépare toujours la pogne, sorte de gâteau léger à base de farine, d'œufs, de lait et parfumé à la fleur d'oranger.

Les ravioles sont une pâte farcie de fromage blanc, comté, œufs et persil. Elles ont été inventées il y a bien longtemps du côté de Saint-Jean-en-Royans. Depuis, ce met délicat a largement débordé des frontières du Royans et le premier atelier destiné à sa grande fabrication est né il y a plus de 100 ans à Romans.

Les fromages

Ils sont nombreux et d'origine souvent très ancienne, comme le sassenage (appellation Bleu du Vercors-Sassenage), né voici 600 ans environ, ou la tomme de Saint-Marcellin dont le roi Louis XI raffolait, dit-on… Dans le Diois, il y a le Picodon, savoureux fromage de chèvre. On trouve aussi dans certaines fermes des fromages de chèvres ou de brebis et des tommes fraîches.

Le miel a une large place dans les bonnes choses de la région et il est difficile de trouver mieux en diversité, du Diois où il est parfumé à la lavande et aux plantes aromatiques aux plateaux qui offrent des miels de montagne non moins savoureux.

Les charcuteries traditionnelles sont excellentes, dans une gamme de goût plutôt robuste qui tient sans doute à la rudesse du climat des plateaux.

Les plantes

Les plantes aromatiques sont nombreuses aussi, spécialement dans le Diois où elles sont cultivées de façon écologique. Dans ce même Diois, on trouve sur les coteaux de la Drôme une truffe extrêmement parfumée qui est très recherchée et fait toute la saveur des omelettes qu'on sert dans ce pays…

On peut trouver tous ces produits du terroir et les plats ou gourmandises qui en découlent dans de nombreux points de vente, et même directement chez le producteur. La gastronomie est souvent simple mais riche de toutes ces saveurs. Les vrais gourmands et gourmets sauront l'apprécier à quelques bonnes tables mais aussi, plus simplement, dans des fermes-auberges. En effet, l'accueil à la ferme est en plein développement dans le Vercors et alentour. C'est une façon de constater le retour à l'authentique et un réel besoin de racines.

Produits de la vigne dans le Diois.

Renseignements

- GIE-Pays drômois
26340 Vercheny.
Tél. : 75.21.70.88.

- Association de développement touristique du Vercors-Quatre-Montagnes
Place Mure-Ravaud
38250 Villard-de-Lans.
Tél. : 76.95.15.99.

- Syndicat interprofessionnel du Bleu de Sassenage (SIVER)
Maison du Parc
38250 Lans-en-Vercors.
Tél. : 76.95.48.58.

- Association de promotion des agriculteurs du Parc (APAP)
Maison du Parc
38250 Lans-en-Vercors.
Tél. : 76.94.38.26.

Chez Lydia et Bernard

Lydia et Bernard Chabert ont ouvert dans une vieille cabane de bûcherons, en pleine zone nordique, sur le plateau d'Herbouilly (au-dessus de Villard de-Lans), une sympathique ferme-auberge : l'auberge de Malaterre.

Bernard revendique très haut le noble titre de paysan et Lydia se passionne pour le Vercors des traditions. Ils retrouvent même une dizaine de fois dans l'année, pour le grand plaisir des visiteurs comme des gens du pays, l'esprit des veillées d'antan. Chacun vient avec ses souvenirs et les raconte si l'occasion s'en présente : "Il y a la grande histoire et il y a la petite... Les hivers sont longs, jusqu'à six mois, alors les gens vivaient en petites communautés, souvent isolées. Ils ont inventé des façons de se nourrir toute l'année bien adaptées aux saisons et au pays, tout comme ils ont pratiqué les veillées qui étaient aussi une façon d'économiser le chauffage..."

Bernard parle avec passion des produits du terroir, Lydia en explique l'origine et vous raconte cette route du sud, vers le Diois, par où venaient les épices et le vin. Elle n'a de cesse d'admirer les aïeux qui parvinrent à si bien vivre dans un pays aussi hostile et à maintenir une telle science des bonnes choses...

"Il passait jusqu'à cent quatre-vingt mules par jour au pas de l'Allier, explique Bernard, il y avait même un cabaret !". Ainsi est évoquée l'histoire des moyens de communication en ces temps lointains. Ici on apprend tout sur le bleu de Sassenage, fromage fabriqué initialement à partir de trois laits : vache, brebis et chèvre. Il a ensuite évolué et on n'utilise plus aujourd'hui que le lait de vache (appellation d'origine contrôlée en cours d'introduction).

Ici on vous parle du gratin dauphinois, certes, mais en rappelant que la pomme de terre fut introduite tardivement et qu'avant les ménagères préparaient un délicieux gratin d'herbes avec de l'ortie, de la doucette, de l'épinard sauvage... : "A Sassenage, il y avait autrefois une grande foire à la châtaigne ; les gens d'en haut allaient là-bas troquer les draps de chanvre fabriqués durant l'hiver contre des châtaignes qui étaient alors la base de l'alimentation avec le pain..."

La gastronomie d'ici, c'est ce que l'on y trouve selon les saisons, et on en trouve beaucoup : aussi bien la truite des torrents que le porc qu'on élève ou la chèvre, aussi bien ce qu'on cultive que ce que la nature vous offre : petits fruits, champignons, herbes. Il y a aussi ce qu'on chasse, et là on ne manquait de rien, jusqu'à l'ours encore présent dans le Vercors dans les années '30 : "Il y a que l'ours vit des mêmes choses que l'homme, et qu'il venait se servir... Finalement, l'homme a pris le pas sur l'ours qui a disparu. Autrefois, les gens d'ici avaient obtenu de nombreux droits auprès des seigneurs. C'est bien pour ça que la Révolution fut difficile à accepter, surtout les lois touchant à la forêt et que faisaient appliquer les Eaux et Forêts, telle l'interdiction du vagabondage des chiens... Autrefois, les chèvres mangeaient tout et la forêt ne ressemblait pas à ce qu'elle est aujourd'hui... Après, les paysans sont aussi devenus bûcherons parce que l'ouverture des routes au milieu du XIXe siècle a permis l'exportation des bois de nos forêts..."

Mais pour Bernard Chabert, plus rien ne sera comme avant : "On tue tout ce qui est traditionnel avec trop de règlements. En plus, les gens sont de moins en moins protégés naturellement..." Chez lui, pas question d'ensilage, rien de que de l'herbe sur pied l'été et du foin l'hiver. L'ensilage, par la fermentation qu'il occasionne, ne peut que modifier le goût du lait, du fromage et de la viande. Il y a ensuite le potager, objet de soins jaloux, et le pain qu'il cuit lui-même dans son four du XVIIIe siècle.

Lydia rêve quant à elle d'une sorte de complicité avec la nature : "Ce monde-ci est asphyxié et il nous faut absolument retrouver notre passé... Qui se souviendra un jour du chemin des Moines qui montait au prieuré de Valchevrière ? C'est ça le fait d'être d'un pays..."

Les femmes d'antan parlaient des petites fées qui venaient parfois les aider dans les durs travaux de la ferme et de la maison, mais il ne fallait surtout pas le dire... En attendant, beaucoup de choses se faisaient à la veillée; c'était en quelque sorte le cœur de la vie du hameau. Et si un jeune homme en pinçait pour une jeune fille, il envoyait son meilleur ami voir le père de la désirée pour lui demander d'être invité à la veillée... Si le jeune homme retrouvait des grains d'avoine dans les poches de son manteau, c'est que vraiment il n'avait aucune chance auprès d'elle : on lui avait donné l'avoinée...

CHRONOLOGIE

Fin de l'ère tertiaire : les Alpes se dressent, le Vercors, à la charnière des Préalpes du nord et du sud, se soulève du même mouvement

Ere quaternaire, quatre millions d'années environ : les glaciers recouvrent le massif du Vercors.

Choranche (grotte Couffin 1) : flèche tranchante et barbelée (mésolithique).

100 000 ans av. J.-C. : apparition des premiers hommes : chasseurs qui connaissent le feu et travaillent l'os et le bois. Alternance de glaciations et déglaciations.

5 000 ans av. J.-C. : les hommes se sédentarisent au pied du massif.

4 000 ans av. J.-C. : civilisation de la taille de silex (gisement de Vassieux-en-Vercors notamment).

2 000 ans av. J.-C. : la civilisation de la pierre taillée est à son apogée. Commence l'âge du cuivre, puis celui du bronze.

800 ans av. J.-C. : âge du fer. Le Vercors est habité par le peuple des Voconces.

58 av. J.-C. : début de la conquête de la gaule par Jules César. Civilisation gallo-romaine, développement de Die, établissement des voies romaines autour du massif.

IVe siècle : chute de l'Empire romain et invasions barbares.

Vercors : poignard (-2500 à -17000 ans).

574 : prise de Die par les Lombards.

VIIe siècle : premières implantations de monastères, au val de Combeau notamment, vers 610.

Fin du VIIe siècle : passage des Sarrasins, anéantissement du monastère du val de Combeau.

IXe et Xe siècles : le christianisme s'installe, naissance des paroisses.

890 : fondation du monastère de Saint-Géraud à Saillans.

XIe siècle : premiers écrits attestant de l'histoire locale ; le Trièves est rattaché au Dauphiné ; les premiers châteaux forts s'élèvent.

1032 : le Diois passe sous la souveraineté des empereurs germaniques.

XIIe siècle : installation des abbayes : Léoncel, Val-Sainte-Marie de Bouvante, Valcroissant, Sainte-Croix, les Ecouges... Construction de nombreuses églises et prieurés. Nombreux châteaux forts et guerres féodales. Les évêques de Die sont maîtres du Diois, la lutte avec les comtes durera une centaine d'années.

XIIIe et XIVe siècles : luttes féodales incessantes.

XIIIe siècle : premières chartes de communes.

Le blason du Dauphiné.

Deuxième moitié du XIVe siècle : passage des bandes de “routiers” issues de la guerre de Cent Ans.

1343 : Humbert II, dauphin, se rend maître de Romans.

1349 : sans descendance, Humbert II cède le Dauphiné au fils aîné du roi de France avec le titre de dauphin.

1358 : fin de la guerre des Episcopaux dans le Diois et signature d'un traité.

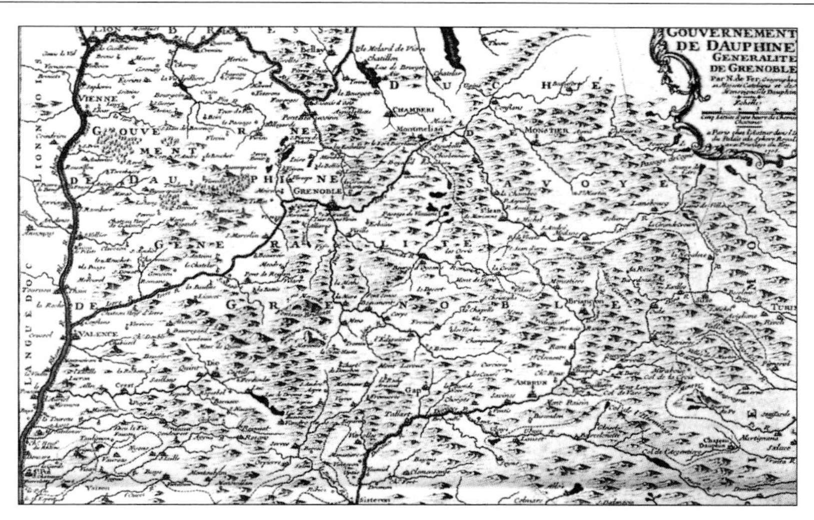

La carte du gouvernement du Dauphiné (1708).

1410 : bataille de Corrençon-en-Vercors. Les troupes de l'évêque de Die sont défaites par celles du comte de Sassenage.

1419 : le comté de Valentinois est rattaché à la couronne de France.

1426 : Le Diois est rattaché à la couronne de France.

1492 : le 27 juin, première ascension du mont Aiguille dans le Trièves par Antoine de Ville, capitaine du roi Charles VII.

1498 : Diois et Valentinois deviennent duché.

XVIe siècle : guerres de Religion ; toutes les églises du Royans sont détruites sauf celle de Saint-Nazaire-en-Royans.

1562 : le baron des Adrets s'attaque à Romans ; l'abbatiale est gravement mutilée.

1562 : les habitants de Die, acquis à la Réforme, chassent le seigneur de Glandage, gouverneur catholique.

1568 : la cathédrale de Die est saccagée ainsi que de nombreuses églises du Diois.

1575 : Montbrun, capitaine des protestants, est blessé à Mirabel dans le Diois; arrêté, il est décapité à Grenoble en août.

1577 : Die est prise par les protestants.

1580 : révolte des paysans de la vallée de l'Isère et massacre dans la plaine de Moirans.

1582 : Die est reprise par les catholiques.

1586 : c'est la peste.

1598 : édit de Nantes promulgué par Henri IV.

1632 : fondation du collège des Jésuites de Die.

1666 : reconstruction de la cathédrale de Die.

1685 : les premières dragonnades suivent la révocation de l'édit de Nantes par Louis XIV.

1688 : suppression de l'académie protestante de Die.

1745 : pendaison du pasteur Ranc à Die.

1787 : Louis XVI signe l'édit accordant aux protestants la liberté de vivre en France. Leur culte est toléré.

1788 : en décembre, réunion des états du Dauphiné à Romans.

1789 : Révolution française.

1791 : création des départements et partage du Vercors entre Drôme et Isère. Constitution des forêts domaniales issues des biens des monastères. Création de l'Office national des forêts.

1814 et 1815 : Romans est occupée à deux reprises par les Autrichiens.

1851 : ouverture de la route des Grands-Goulets ; le réseau routier du Vercors se

La grotte de la Luire : dans le porche, les blessés furent achevés par les Allemands le 27 juillet 1944.

construira jusqu'au début du XXe siècle.

1898 : le dernier ours est tué sur les hauts plateaux du Vercors le 7 octobre par le berger Tholozan, près de la Grande-Cabane.

1907 : l'électricité arrive dans le Vercors.

1937 : un dernier ours est, semble-t-il, aperçu sur les plateaux.

1940 : le 17 juin, armistice, le Vercors se trouve en zone libre.

1942 : en novembre, la zone libre est envahie.

1942-1943 : les premiers maquis se constituent sur les plateaux du Vercors.

1944 : en janvier, le maquis de Malleval est anéanti par les Allemands ; les 13 et 15 juin, les Allemands attaquent Saint-Nizier-du-Moucherotte ; Lans-en-Vercors est occupé le 16, les Allemands se retirent ; le 22 juin, les Allemands attaquent le plateau de Combovin ; le 24, ils attaquent les Ecouges ; le 29, ils bombardent Saint-Nazaire, Saint-Jean, Saint-Laurent et Pont-en-Royans.

3 juillet 1944 : la République française est restaurée à Saint-Martin-en-Vercors ; du 21 au 23 juillet, le Vercors est encerclé, Beaufort-sur-Gervanne est bombardé ; le 21, Vassieux-en-Vercors est détruit, habitants et résistants sont massacrés ; le 22, Die est occupée ; les Allemands attaquent Valchevrière ; le 25, La Chapelle-en-Vercors est incendié et seize jeunes gens sont passés par les armes ; le 27, les résistants reçoivent l'ordre de dispersion et le même jour l'hôpital des maquisards dans le porche de la grotte de la Luire est découvert, les blessés sont achevés.

1944, mois d'août : le 15, débarquement de Provence ; à la fin du mois, libération du Vercors.

1970 : le Vercors est reconnu officiellement comme parc naturel régional.

1985 : les hauts plateaux du Vercors deviennent la plus grande réserve naturelle de France.

PETIT DICTIONNAIRE DES PERSONNALITÉS

Adrets (François Beaumont baron des), (1523-1587)
Un des chefs des protestants dans le Dauphiné ; n'a laissé que cruauté et dévastation sur le passage de ses troupes lors des guerres de Religion, avant de revenir au catholicisme et de lutter contre les protestants.

Chavant (Eugène)
Cafetier à Grenoble, il fut l'un des organisateurs des maquis du Vercors à partir de 1943. Il en devint le chef civil. A reçu la croix de la Libération des mains du Général de Gaulle.

Comtesse de Die
Personnage mystérieux dont le buste imaginaire, inauguré en 1888, se trouve près de la mairie de Die. Elle serait Béatrix, femme de Guillaume de Poitiers, poète de langue occitane du XIIe siècle.

Buste de la comtesse de Die.

Decombaz (Oscar)
Né à Pont-en-Royans, un des fondateurs de la spéléologie. Il a effectué les premières explorations de grottes, notamment celles de la Luire en 1896, puis celles du Bournillon et du Brudour, à l'aide de bougies, cordes et échelles.

Faure (Maurice)
Homme politique de la troisième République et sénateur. Il fut maire de Saillans de 1892 à 1919.

Fillet (Abbé)
Probablement le premier historien du Vercors. Il a publié en 1888 : *Essai historique sur le Vercors* ; l'ouvrage a été réédité en 1983.

Jourdan (Charles)
Né à Romans en 1888, il créa en 1917 un atelier de chaussures qui prospéra rapidement. La marque "Charles Jourdan", très haut de gamme, fut créée en 1957.

Montbrun (Charles du Puy de) (1530-1575)
Né en 1530 à Montbrun, dans la Drôme. Il fut capitaine des troupes protestantes lors des guerres de Religion dans le Vercors et le Diois ; blessé lors d'un combat à Mirabel, il fut fait prisonnier et décapité à Grenoble en 1575.

Prévost (Jean) (?-1944)
Ecrivain et résistant. Il fut avec Pierre Dalloz initiateur du "Plan Montagnard". Il monta sur les plateaux à partir de 1943 et s'installa à Saint-Agnan en 1944. Il participa aux combats de Saint-Nizier-du-Moucherotte, de Valchevrière et fut tué le 1er août 1944 dans les Quatre-Montagnes.

Tholozan
Ce berger fut le dernier à tuer un ours dans le Vercors, le 7 octobre 1898, près de la Grande-Cabane.

BIBLIOGRAPHIE

Bligny (Bernard), *Histoire du Dauphiné*, éd. Privat, 1973.

Chevallier (Denis), *Un Village et des ronces*, éd. Curandera, 1980.

Dupont (Maguy), *Le Vercors*, 1984.

Ferrand (Henri), *Le Vercors* (1904), réédition ern 1983.

Fillet (Jean), *Essai historique sur le Vercors* (1888), réédition 1983.

Noaro (Jean), *Découverte du Vercors*, éd. Didier et Richard, 1979.

Sarthou (Silvain) et Bach (Jean-Jacques), *Randonnées pédestres et à ski, massif du Vercors et Royans*, éd. Didier et Richard, 1978.

Promenades dans le massif du Vercors : Diois, Royans, Trièves, Quatre-Montagnes, Vercors central

Dix "routes et promenades thématiques" pour découvrir le massif du Vercors et les micro-régions qui le composent.

Chaque route ou promenade présente sur plusieurs pages un rappel historique du thème traité, des photographies, une carte d'orientation et tous les aspects pratiques qui vous permettront de "vivre pleinement" le massif du Vercors.

Bonne route !

Vercors central
Quatre-Montagnes
Le Royans
Le Diois
Le Trièves
La vallée de l'Isère
De Léoncel au pays de Gervanne
La réserve des Hauts-Plateaux
L'archéologie
Les sports

Le Val de Combeau (Diois).

LE VERCORS CENTRAL

Une des plus belles promenades que l'on peut faire, c'est assurément celle du Vercors central, entre Bourne et Vernaison. On prendra à Pont-en-Royans ❶ la départementale 518, route des gorges de la Bourne. Après le resserrement de roches où la ville de Pont s'est installée de façon si étonnante et impressionnante, la vallée s'élargit un peu, offrant à la vue sur la droite des prairies pentues tandis qu'en face le bec de Chatelus ❷ marque l'avancée du plateau au-dessus de la Bourne au nord et de la Vernaison au sud. On laisse bientôt à gauche la route qui mène à la grotte de Choranche ❸.

Après le bec de Chatelus, la vallée s'évase à droite en une sorte de cirque couronné par les rochers du Bournillon ❹. Avant de rentrer dans les gorges de la Bourne, on ne manquera pas de remarquer à droite, aisément reconnaissable au vert tendre des mousses qui l'habillent, la cascade du Bournillon dans un creux de la falaise. Et voici les saisissantes gorges de la Bourne dominées à gauche, lorsqu'on monte, par le massif des Coulmes et à droite par le plateau du Vercors central. Le paysage s'ouvre après quelques kilomètres de roches nues et verticales au-delà de La Balme-de-Rencurel ❺. Nous croisons ici le sillon synclinal du Vercors qui va du col de Roméyère au col du Rousset. Sur la gauche, plus haut sur la pente, se trouve le joli village de Rencurel ❻. Poursuivons vers Villard-de-Lans, le paysage se resserre à nouveau. Nous parvenons au pont de la Goule-Noire ❼ jeté haut au-dessus du torrent.

La Bourne à La Balme-de-Rencurel.

Saint-Julien-en-Vercors

Tandis que la départementale 531 poursuit sa route vers Villard en creusant la roche, tournons par la départementale 103 en direction de Saint-Martin-en-Vercors et La Chapelle. La pente est sévère parmi roches et bois accrochés aux flancs de la montagne. Le paysage s'ouvre largement avant de parvenir à Saint-Julien-en-Vercors ❽. Sur la droite se dressent les falaises des gorges de la Bourne sous lesquelles nous venons de passer. Il subsiste au-dessus des

Vers Saint-Martin-en-Vercors.

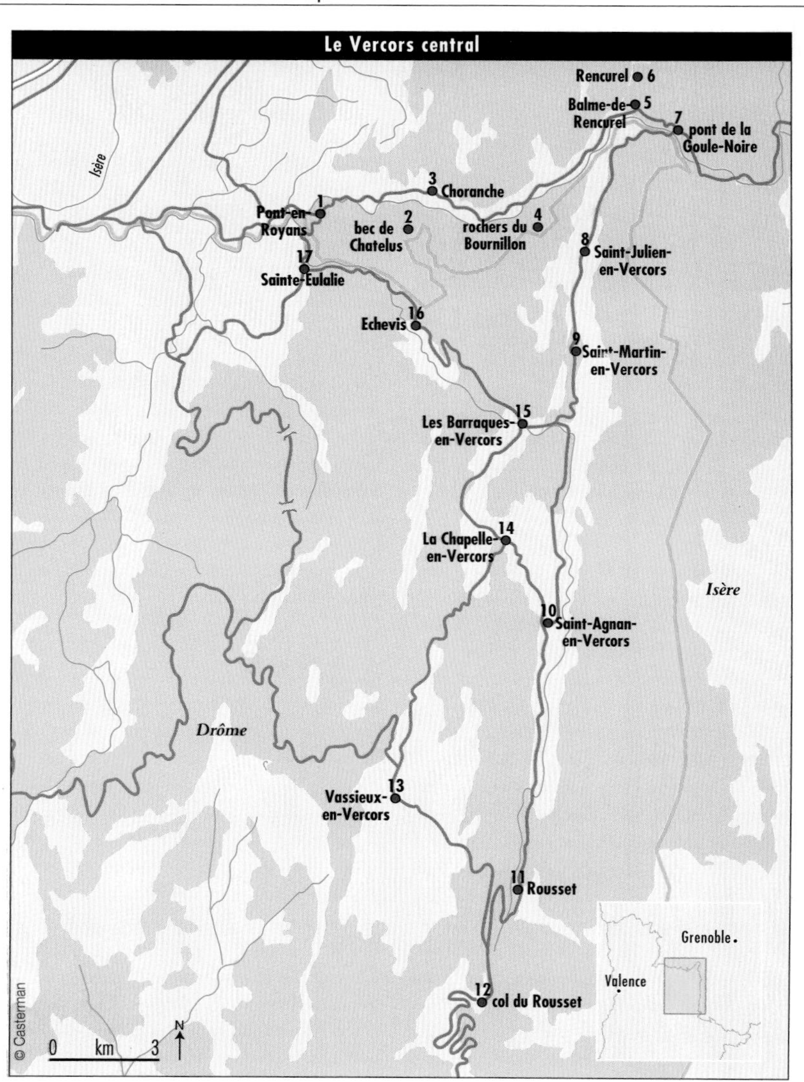

gorges, au lieu dit Le Château, quelques **ruines** d'un château fort qui défendait au Moyen Age le Vercors central. La massive **église** de Saint-Julien est du XIIIe siècle.

Saint-Martin-en-Vercors

En poursuivant par la départementale 103, voici Saint-Martin-en-Vercors ❾ avec son musée de l'Ours. C'est en effet dans les parages que l'on a pu observer pour la dernière fois des ours dans le Vercors. Une belle église, quelques commerces, une fontaine… le décor de ce beau village est complété par un très vieux tilleul planté au XVIe siècle sur l'ordre du ministre de Henri IV, Sully. A l'époque, Saint-Martin était une active cité où l'on travaillait le fer grâce au charbon de bois produit dans les forêts alentour, mais cette spécialité disparut rapidement après que le charbon fossile eût supplanté le charbon de bois.

Saint-Agnan-en-Vercors

Après Saint-Martin-en-Vercors, la route descend suivant le cours du ruisseau qui part à la rencontre de la Vernaison. Prenons à gauche la départementale 103 en direction de Saint-Agnan-en-Vercors ❿ et le col du Rousset. La route remonte doucement, suivant la belle et large vallée dans

Le plateau du Vercors (vers La Chapelle-en-Vercors), depuis le col du Rousset..

laquelle s'est installée la Vernaison. Saint-Agnan a planté sa solide église sur une petite hauteur et un perron au-dessous duquel jaillit une fontaine y donne accès. L'édifice actuel est du XVIIe siècle.

Le Rousset

La route se poursuit vers Rousset, presque droite, suivant en cela le pli synclinal nord-sud du Vercors central. Le parcours est ponctué de hameaux; celui de la Britière est remarquable, bâti sur une moraine laissée par les glaciers. Une jolie chapelle à petit campanile s'y élève.

Plus loin, laissons à gauche la route qui mène à la grotte de la Luire puis traversons le petit village de Rousset ⓫. Arrêtons-nous un peu au-delà, de façon à monter jusqu'à la chapelle Saint-Alexis que l'on distingue à gauche sur une hauteur. Elle est construite sur le site et parmi les ruines d'une forteresse. Il y eut ici autrefois, semble-t-il, une localité assez active sur un axe commercial reliant le Diois au Vercors central et à la plaine de Vassieux. Poussons ensuite jusqu'à la station de Rousset située à 1250 m d'altitude et qui donne accès aux hauts plateaux et au Glandasse par la montagne de Beure. Nous pouvons aussi traverser le tunnel du col du Rousset ⓬ de façon à nous retrouver quelques instants dans le ciel clair et déjà méditerranéen du Diois... Mais replongeons dans la fraîcheur des hautes et sombres forêts et montons le col de Saint-Alexis en direction de Vassieux-en-Vercors.

Vassieux-en-Vercors

La descente dans ce que l'on appelle la plaine de Vassieux est surprenante et le mot d'austérité vient à l'esprit. Le village ⓭, entièrement sinistré en juillet 1944 dans les horribles circonstances que l'on sait, a été rebâti au même endroit. Nous sommes ici à 1054 m d'altitude. Une vaste place fait face à l'église qui abrite des fresques naïves et émouvantes ainsi que le Christ de l'église incendiée en 1944. Près de l'église se trouve également le jardin du Souvenir, monument de verre élevé dans l'ancien cimetière à la mémoire des victimes civiles de Vassieux. Un peu plus loin se trouve un musée de la Résistance en Vercors.

Le passionnant musée préhistorique de Vassieux est construit au-dessus du site même où l'on voit quantité de silex taillés et les fouilles encore en cours. Les guides font régulièrement des démonstrations de taille de ces silex noirs que l'on trouve en abondance dans les environs. Le musée se trouve à 5 km environ du bourg en direction du col de Vassieux qui domine Die et Saint-Julien-en-Quint.

Sur la gauche se trouve le petit cimetière national où reposent les victimes de la journée du 21 juillet 1944. On remarque les restes d'un des planeurs allemands atterris ce jour-là pour semer mort et désolation. Une salle rappelle également ces noirs souvenirs. Au-dessus, à flanc de montagne et surplombant la route du col de la Chau, on distingue le Mémorial de la Résistance du sculpteur Gilioli.

Plus haut sur cette même route qui permet de rejoindre Font-d'Urle et, au-delà, la forêt de Lente, se trouve le mémorial du Vercors, inauguré en 1994. La forme de béton est enfouie dans le paysage et domine toute la plaine de Vassieux tandis que le Grand-Veymont, de l'autre côté, paraît veiller de toute la puissance de son dôme.

La Chapelle-en-Vercors ⓮

Dans ce chef-lieu de canton, on trouve l'essentiel des commerces desservant le Vercors central. Le bourg a été relevé de ses ruines à partir de 1948. En effet, il avait été bombardé avant d'être incendié par les Allemands en juillet 1944. Seule l'église avait échappé à ces terribles représailles, avec son beau clocher roman (début du XIIIe siècle). Subsistent également quelques pans de mur de l'ancien bourg, là même où furent fusillés, le 25 juillet 1944, seize jeunes gens de La Chapelle.

La Chapelle-en-Vercors.

La petite ville est fort bien située pour les amateurs de promenades et de randonnées, aussi bien par rapport aux hauts plateaux qu'à la plaine de Vassieux, la forêt de Lente (que l'on peut rejoindre par le col de Carri) et, au-delà, les alpages du Font-d'Urle et de la serre de Montué, au-dessus du pays de Quint.

De La Chapelle, on gagne Les Barraques-en-Vercors ⓯ par la départementale 518. Il faut prendre le temps d'aller à pied au cœur des Grands-Goulets, tant le site est surprenant. La route creusée dans le roc permet difficilement le croisement. L'ombre est ici perpétuelle, la Vernaison descendant en cascades rapides... Ce site des Grands-Goulets est un des plus impressionnants de tout le Vercors. Après un passage extrêmement étroit, les falaises s'écartent ensuite, lorsqu'on descend, en une large et profonde combe dans laquelle s'est installé le village d'Echevis ⓰. On parvient enfin aux Petits-Goulets que l'on franchit par cinq tunnels successifs accédant alors à Sainte-Eulalie ⓱ et au Royans coloré, à quelques kilomètres de notre point de départ de Pont-en-Royans.

RENSEIGNEMENTS PRATIQUES

La Chapelle-en-Vercors (26420)
- Office de tourisme
  Tél. : 75.48.22.54.
- Cour des Fusillés
  espace muséographique.
- Grotte de la Draye-Blanche
  Tél. : 75.48.24.96.

Visites guidées du 1er avril au 31 octobre, tous les jours, de 9 h 30 à 18 h.

Saint-Agnan-en-Vercors (26420)
- Syndicat d'initiative
  Tél. : 75.48.22.21.
- La grotte de la Luire
  Haut lieu de la Résistance
  Tél. : 75.48.25.83.

Ouverture : du 1er avril au 30 octobre, tous les jours, de 9 h 30 à 12 h et de 13 h 30 à 18 h.

- Col du Rousset
  Accès par télésiège
  Tél. : 75.48.25.39.

Belvédère sur le Diois et le Vercors central, maquette en relief des hauts plateaux, spectacle audiovisuel (Tél. : 75.48.22.21).
Sentier panoramique sur la réserve naturelle des Hauts-Plateaux.

Saint-Martin-en-Vercors (26420)
- Syndicat d'initiative
  Tél. : 75.45.50.69.
- Caverne de l'Ours
  Tél. : 75.45.53.96.

Ouverture : en juillet-août, tous les jours, de 10 h à 12 h et de 14 h à 19 h; hors saison, tous les jours, sauf le mardi, de 14 h à 18 h.

Vassieux-en-Vercors (26420)
- Syndicat d'initiative
  Tél. : 75.48.27.40.
- Atelier préhistorique-musée de la Préhistoire du Vercors
  Tél. : 75.48.27.81.

Ouverture : du 1er mai au 30 septembre, tous les jours, sauf le mardi, de 9 h à 12 h et de 14 h à 18 h 30.

Renseignements

Maison de l'aventure
Avenue des Bruyères
26420 La Chapelle-en-Vercors.
Tél. : 75.48.22.38.

LES QUATRE-MONTAGNES

Une façon intéressante d'aborder les massifs des Coulmes et des Quatre-Montagnes est sûrement d'emprunter la route absolument vertigineuse qui monte au plateau de Presles à partir de la départementale 531, après Pont-en-Royans et avant de parvenir aux grottes de Choranche. Des 208 m d'altitude à Pont-en-Royans aux 900 m du village de Presles, pas mal d'émotions en perspective !... Au fur et à mesure que l'on monte, on appréciera la vallée de la Bourne qui a profondément creusé les plateaux entre les hautaines falaises d'urgonien, tandis qu'à l'est les deux murailles paraissent se rejoindre aux gorges que la route va franchir pour rejoindre Villard par la Balme-de-Rencurel.

Presles

L'arrivée à Presles ❶ ne peut que surprendre par sa sagesse après une montée qui parait défier la montagne de face. Ce sont des prés tranquilles, des clairières et une immense forêt qui montent vers les hauteurs des Coulmes. Le village est modeste, groupé pour l'essentiel autour de son église joliment appelée Sainte-Marie-des-Petits-Prés. On aura sans doute peine à croire qu'ici se tenaient jusqu'au début du XXe siècle d'importantes foires agricoles... On n'en est bien entendu plus là et la commune ne compte pas même une centaine d'habitants.

De Presles, on prendra la direction de Rencurel ❷. La petite route, au cœur de l'immense forêt passe par le col de Pra-l'Etang à près de 1 300 m d'altitude, pour redescendre de façon rapide vers Rencurel situé à 800 m d'altitude à peine. De Rencurel, on peut voir, loin au sud, jusqu'au village de Rousset. Nous sommes ici dans le sillon du Vercors central. Prenons la départementale 35 en direction de la Balme-de-Rencurel ❸ de façon à rejoindre la départementale 531 que l'on empruntera en direction de Villard-de-Lans. On traverse alors la seconde partie des gorges de la Bourne qui mènent aux Jarrands puis, après une dernière montée, à la large vallée de la Haute-Bourne.

Villard-de-Lans

Villard ❹ domine du haut de son tertre ce paysage paisible tout à coup. Maisons et immeubles s'y étagent jusqu'au clocher de l'église située un peu en arrière. La petite ville que cet ancien village d'éleveurs est devenu, a pris des allures de station touristique importante, et il n'est que de voir la foule en été ou en hiver pour se convaincre de son succès.

Au-delà vers l'est, ce sont les crêtes du Vercors alternant alpages, roches nues ou

Le val de Lans.

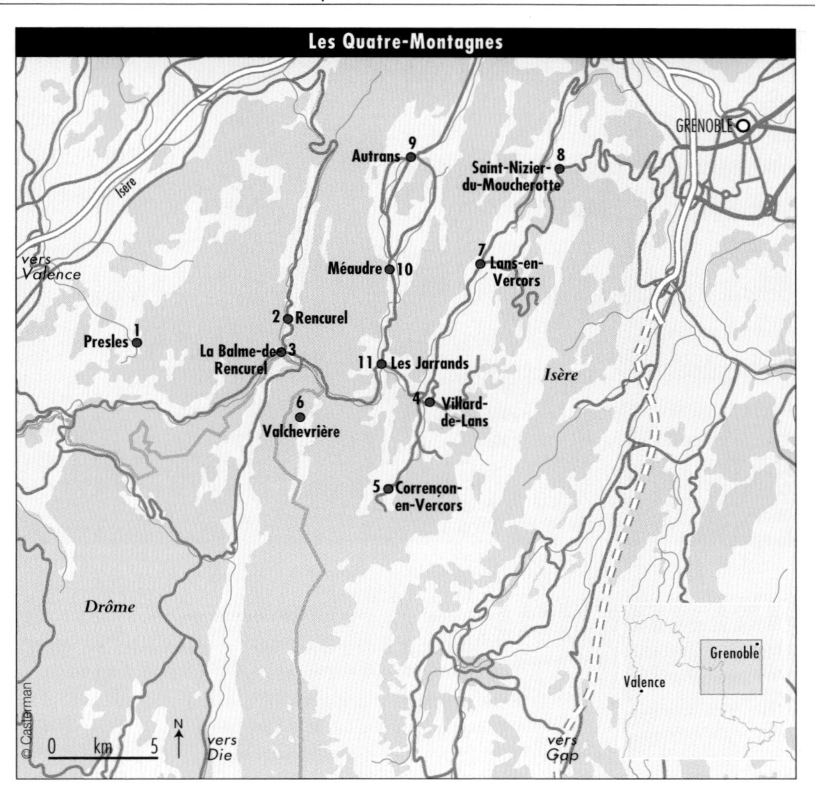

éboulis. L'hiver, les champs immaculés de neige sont tout de lumière lorsque le soleil bascule à l'ouest. Nous sommes ici à plus de 1 000 m d'altitude. Villard compte, malgré cela, 3300 habitants. Il faut dire que Grenoble n'est pas très loin et que la ville sert en partie de résidence pour des personnes travaillant dans cette agglomération.

La petite ville est active et on y trouve tous les services essentiels à une station touristique et climatique. Villard s'est surtout investie ces dernières années dans les sports d'hiver. C'est ainsi que la neige y est assurée grâce à de nombreux canons à neige, de décembre à avril. Les pistes sont nombreuses qui descendent des crêtes du Vercors et peuvent grimper jusqu'à près de 2 200 m d'altitude; remontées mécaniques et télécabines complètent l'équipement de la station qui compte largement plus de 100 km de pistes au total, parfaitement balisées.

Dans la ville même, on remarquera les pignons caractéristiques à sauts de moineaux, et l'amateur d'ethnographie ira jusqu'à la Maison du Villard où il trouvera de multiples témoignages, objets et outils de la vie dans le Vercors d'antan, alors que les Quatre-Montagnes étaient tout entières tournées vers l'élevage de la race locale, la "villarde". On peut y voir, par exemple, une extraordinaire collection de jougs pour l'attelage de bœufs ou de vaches. Sur la place, on aura un regard pour une belle sculpture d'ours qui vient rappeler que le dernier ours du Vercors a été vu ici en 1937, semble-t-il.

On pourra ensuite prendre la direction de Corrençon-en-Vercors ❺, et pousser jusqu'aux Balcons-de-Villard, moderne station de ski. Le village de Corrençon est devenu, lui aussi, une véritable station, dominée par la haute silhouette de la Grande-Moucherolle au sud-est. Alentour sont d'immenses forêts, notamment celle de la Loubière. On pourra ainsi, par les routes forestières (tourner à Bois-Barbu), accéder à l'ancien village de Valchevrière ❻ détruit lors des combats livrés par le maquis en juillet 1944. La chapelle, qui a échappé par miracle à la bataille, a été res-

Saint-Nizier-du-Moucherotte.

taurée, mais le village n'a pas été reconstruit. Toute cette zone de forêt forme, l'hiver, un immense domaine de ski de fond.

Lans-en-Vercors, Saint-Nizier

De retour à Villard, on prendra cette fois la direction de Lans-en-Vercors ❼, au cœur du large val du même nom et qui vient rappeler qu'au début du quaternaire, les temps étant aux glaciations, se trouvait ici un lac. La longue sédimentation qui s'est opérée un peu à la fois au fond de ce lac explique la platitude alentour. L'activité économique du bourg est très ancienne car la localité était parmi les plus accessibles de tout le massif. On va, en effet, facilement de Grenoble à Lans-en-Vercors par la route qui passe par Saint-Nizier-du-Moucherotte ❽, ou par la route des gorges du Furon (départementale 531) rejoignant la vallée de l'Isère par Sassenage.

Le siège administratif du Parc naturel régional du Vercors est installé dans cette commune qui abrite également un étonnant et intéressant musée de l'Automate. Non loin, vers le nord, les amoureux de nature pourront aller jusqu'aux gorges du Bruyant. Un petit chemin bien aménagé permet de les parcourir. Le site est impressionnant et le torrent, né d'une résurgence issue des crêtes, poissonneux, dit-on. Ce site est classé depuis 1977 et il est aisément reconnaissable, sur la gauche, lorsqu'on prend la route de Lans à Saint-Nizier (départementale 106).

Autrans, Méaudre

Revenant à Lans-en-Vercors, on peut prendre en direction d'Autrans ❾ (départementale 106). Le village, regroupé autour de son église, se trouve au sein d'un large vallon et à plus de 1000 m d'altitude. C'est une station accueillante aussi bien l'été que l'hiver. Vers l'ouest, la forêt s'élève vers des hauteurs marquées comme le bec de l'Orient, la roche de Pierre-Taillée, le signal de Naves à plus de 1 600 m d'altitude et l'on a bien de la peine à admettre que, de l'autre côté, ces hauteurs forment d'énormes falaises qui se dressent au-dessus de la vallée de l'Isère.

Descendons le vallon en direction de Méaudre ❿, autre village caractéristique des Quatre-Montagnes, qui ouvre quant à lui sur d'immenses massifs forestiers. Au nord de la localité, les curieux ne manqueront pas le "Trou qui souffle", un courant d'air permanent émanant d'un immense réseau de grottes dont les spéléologues n'ont toujours pas terminé l'exploration. Dirigeons-nous alors vers la Bourne que

l'on retrouvera aux Jarrands ⓫ et prenons, selon le besoin, à gauche sur la départementale 531 vers Villard, ou à droite pour redescendre les gorges de la Bourne, spectacle fascinant et toujours renouvelé, à moins de remonter le col de Roméyère en prenant vers Rencurel, long val régulier et boisé qui descend bientôt, après le col, en direction des Ecouges en laissant le bec de Neurre sur la gauche. C'est là encore une des routes parmi les plus étonnantes du massif. La partie la plus acrobatique n'est plus accessible aujourd'hui qu'à pied, les voitures étant obligées de prendre un tunnel creusé dans le roc. Le site est impressionnant, où la Drevenne tombe en cascades vers la vallée de l'Isère, 700 m plus bas...

Autrans.

RENSEIGNEMENTS PRATIQUES

Autrans (38880)

- Office de tourisme
  Tél. : 76.95.30.70.
- Maison du Parc et des Quatre-Montagnes
  Tél. : 76.95.35.01.

Corrençon-en-Vercors (38250)

- Office de tourisme
  Tél. : 76.95.81.75.
- Spectacle audiovisuel sur la réserve des Hauts-Plateaux.
- La glacière de Corrençon
  Accessible par un sentier balisé à 45 mn du centre d'accueil des Hauts-Plateaux.

Lans-en-Vercors (38250)

- Office de tourisme
  Tél. : 76.95.42.62.
- Parc naturel régional du Vercors
  Maison du Parc
  Centre administratif
  Tél. : 76.94.38.26.
- Musée des Automates
  Hameau du Père-Noël
  Tél. : 76.95.40.14.
  Ouverture : tous les jours, de 10 h à 18 h.

Méaudre (38112)

- Syndicat d'initiative
  Tél. : 76.95.20.68.
- "Le Trou qui souffle"
  Ancienne route d'Autrans (en direction des pistes de ski).

Rencurel (38680)

- Office de tourisme
  Tél. : 76.38.97.48.

Villard-de-Lans (38250)

- Office de tourisme
  Tél. : 76.95.10.38.
- Musée du Villard
  Maison de la Mémoire des Quatre-Montagnes
  Ancien hôtel de ville
  Tél. : 76.95.17.31.
  Ouverture : tous les jours, sauf le dimanche et le lundi, de 14 h à 19 h.

Renseignements

- Association de développement touristique du Vercors-Quatre-Montagnes (ADT)
  38250 Villard-de-Lans.
  Tél. : 76.95.15.99.
- Maison du Parc et des Quatre-Montagnes
  Place du Village
  38880 Autrans.
  Tél. : 76.95.35.01.

LE ROYANS

Le Royans forme une incontestable entité dans le patchwork de régions qu'est le massif du Vercors. Il est particulièrement attachant. On viendra, par exemple, par la nationale 532 qui suit la vallée de l'Isère et Saint-Nazaire-en-Royans.

Saint-Nazaire ❶

La modeste cité, établie sur les premiers contreforts de la montagne de Musan au confluent de la Bourne et de l'Isère, est une sorte de verrou donnant accès à tout le Royans. La ville et le lac de retenue à ses pieds sont dominés par un aqueduc très reconnaissable qui fut construit à la fin du XIXe siècle pour alimenter d'une partie des eaux de la Bourne les cultures de la plaine de Valence. Un tel site et les possibilités de contrôle qu'il présentait explique qu'au Moyen Age le bourg ait été fortifié et pourvu d'un château fort. Il faut dire aussi que le Royans fut le théâtre de longues guerres féodales... On distingue, au-dessus de la cité, les restes de la tour dite "poitevine". L'église est du XIIIe siècle et elle est la seule du Royans ayant échappé aux fureurs des guerres de Religion. Saint-Nazaire fut aussi une sorte de port qui permit l'exportation des bois du Vercors sous forme de radeaux. L'amateur ne manquera pas à Saint-Nazaire les grottes de Thaïs qui sont d'un bel intérêt archéologique; on y a en effet retrouvé des outils, des os gravés et des parures du paléolithique et du magdalénien, soit 13 000 ans avant J.-C.

Rochechinard

Dans Saint-Nazaire, on prendra tout de suite à droite, le long du vieux village, la route de Rochechinard ❷ (départementale 209) dont on atteindra après bien des virages la petite église au sommet d'une colline où se trouve également, dans une maison ancienne, un intéressant musée consacré à la vie dans le Royans d'antan. De cette plateforme, la vue est superbe sur la vallée de l'Isère au nord et sur tout le Royans. On prend ici parfaitement conscience de la complexité de cet ancien golfe marin rehaussé à la fin du tertiaire en même temps que le Vercors, et tellement travaillé depuis par l'érosion. Plus loin à l'est, on aperçoit les murailles de la citadelle du Vercors, de Pont-en-Royans à Combe-Laval. Au-delà, vers le sud, la vue porte jusqu'au col de la Bataille au-dessus de Bouvante; plus près, c'est la montagne de Musan sur la pente de laquelle s'élèvent les sombres ruines du château fort de Rochechinard.

On prendra la route qui mène vers Oriol-en-Royans ❸ de façon à voir de plus près ce beau pays de verdure et d'eau. Saint-Martin-le-Colonel ❹ et Bouvante-le-Bas ❺... dans la masse du Vercors s'ouvre le val Sainte-Marie ❻ qui abrita

Le massif du Vercors depuis Rochechinard.

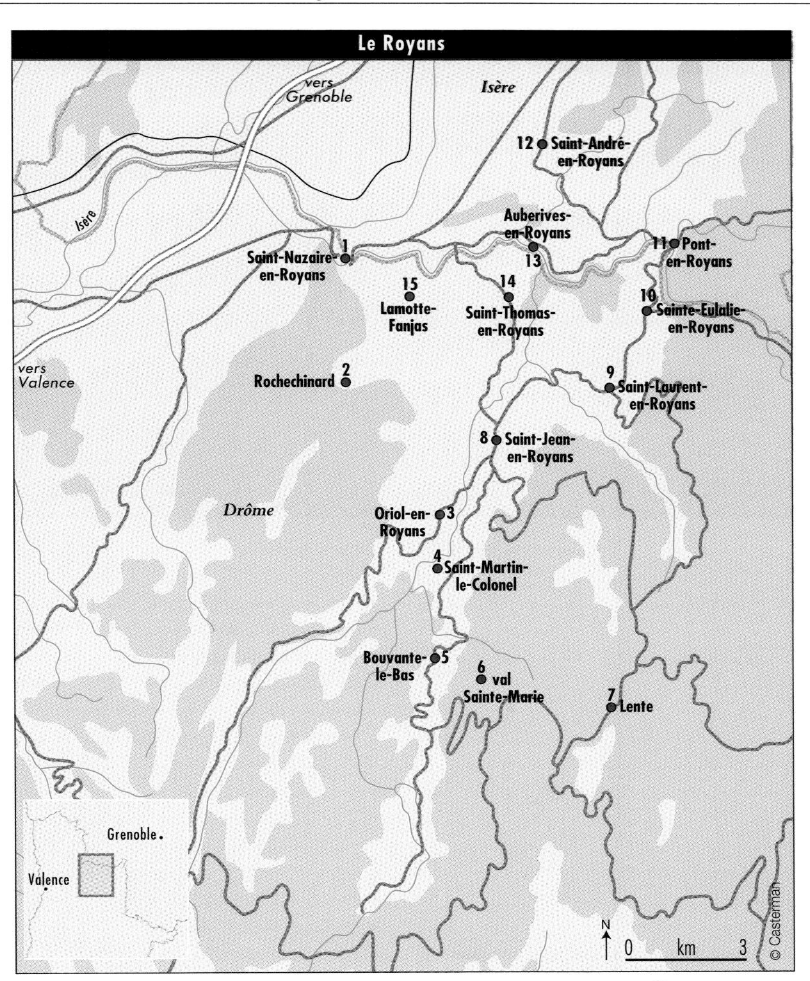

autrefois un grand monastère de Chartreux. Prenons alors la route de Pionnier qui, au fur et à mesure que l'on monte, ouvre des vues superbes sur tout le Royans. Un petit tunnel et nous voici au cœur de la forêt de Lente. Le col de la Portette donne accès au hameau de Lente ❼ situé dans une longue pelouse semée de dolines. Prenant la direction du col de la Machine, rejoignons Saint-Jean-en-Royans par une des routes les plus prestigieuses du Vercors, celle de Combe-Laval : elle est vertigineuse à souhait et ses à-pics stupéfiants. C'est ensuite la longue descente dans la forêt et l'odeur forte des buis. De temps à autre, une échappée dévoile le Royans et, au-delà, la vallée de l'Isère.

Saint-Jean-en-Royans ❽

C'est un chef-lieu de canton très actif et plaisant, installé sur la vallée de la Lyonne qui descend de Léoncel. L'activité du bois est ici très ancienne et remonte au Moyen Age. On y travailla également le papier, la soie, le drap. Aujourd'hui, Saint-Jean reste un centre important pour le bois et, plus particulièrement, pour la tournerie-tablerie. C'est en même temps un centre agricole pour tout le Royans.

Dans une rue principale ouvrant sur une succession de places, entre l'imposant hôtel de ville et l'église, se concentre l'essentiel de l'activité commerciale. Datée du XVIIe siècle, l'église – cachée en partie par les platanes de la place – est très simple d'aspect mais elle surprend par la richesse de son intérieur avec des boiseries, des

Choranches : la salle d'entrée de la grotte.

panneaux peints et des sculptures datées du XVIIIe siècle. Ce superbe ensemble provient de la chartreuse du Val-Sainte-Marie à Bouvante.

En quittant Saint-Jean-en-Royans, prenons la départementale 54 en direction de Saint-Laurent-en-Royans ❾. Parvenu dans la localité, après avoir traversé le Cholet, tournons à droite sur la route qui va à Lente par la montagne de l'Arp (départementale 2) puis, encore à droite, sur la petite route qui mène au fond du cirque de Combe-Laval. C'est à peine si l'on devine à flanc de falaises la route empruntée précédemment pour la descente de Lente à Saint-Jean. Tout au bout, dans l'ombre des monumentales parois et des bois, au bord du Cholet qui bruit tranquillement au sortir de la montagne, au pied du col de la Machine, se trouve un monastère orthodoxe.

Revenons sur nos pas, laissant sur la droite la route la départementale 2 et prenons dans Saint-Laurent la direction de Sainte-Eulalie-en-Royans ❿, au pied des Petits-Goulets. On remarquera les nombreux vergers de noyers, le Royans restant gros producteur de noix et d'huile de noix. Prenons la direction de Pont-en-Royans, toujours suivant la départementale 54. La vieille cité est bâtie de façon audacieuse audessus de la Bourne, au débouché même des gorges du torrent. Ce fut une place forte de premier ordre au Moyen Age car Pont était, rappelons-le, un point de passage obligé pour accéder aux plateaux et à leurs forêts via le pas de l'Allier et son chemin muletier, les Petits et Grands-Goulets n'ayant été percés qu'au milieu du XIXe siècle.

Saint-Jean-en-Royans.

Pont-en-Royans

Il est parfois difficile de se garer en saison car Pont-en-Royans ⓫ représente incontestablement un des hauts lieux touristiques du Vercors et du département de l'Isère. Les maisons suspendues ne laissent de surprendre et elles confèrent à la ville un aspect "imprenable". On grimpera par d'étroites rues pentues dans le vieux village qui est dominé par les ruines du château, et on remontera volontiers la route qui mène à Villard-de-Lans pour contempler les cascades de la Bourne.

Quittant Pont-en-Royans par la départementale 531, prenons ensuite la route de Saint-André-en-Royans ⓬ (départementale 58), au pied du massif des Coulmes. La vieille église et le château dominent le village juché sur une butte d'où la vue est splendide sur la vallée de l'Isère et le Royans. Quittons Saint-André en direction d'Auberives-en-Royans ⓭. Les modestes routes empruntées permettent de goûter le charme particulier du Royans. On pourra alors rejoindre Saint-Nazaire-en-Royans soit directement, soit en faisant le détour par Saint-Thomas-en-Royans ⓮ et La Motte-Fanjas ⓯ où l'on ne pourra rester insensible au joli clocher roman de l'église de ce village.

RENSEIGNEMENTS PRATIQUES

Pont-en-Royans (38680)

• Office de tourisme des gorges de la Bourne
Tél. : 76.36.09.10.
Visite guidée du vieux village.

• Grottes de Choranche
Accès par les gorges de la Bourne (route Pont-en-Royans-Villard-de-Lans)
Tél. : 76.36.09.88.
Ouverture : toute l'année.
Visite guidée du site et des alentours.

Rochechinard (26190)

• Musée régionaliste-
Maison de la mémoire
Ancien presbytère
Tél. : 75.48.62.53-75.48.62.74.
Ouverture : en juillet-août, tous les jours, sauf le lundi, de 15 h à 19 h.

Saint-Jean-en-Royans (26190)

• Office de tourisme
Tél. : 75.47.54.44.
Borne interactive et diaporama commenté.

• Chapelle orthodoxe
Tél. : 75.48.66.75.
Atelier d'icônes et de mosaïques.
Visite guidée sur rendez-vous.

Saint-Laurent-en-Royans (26190)

• Monastère orthodoxe
Tél. : 75.47.72.02.
Ouverture : tous les jours, de 13 h 30 à 16 h 30.

Saint-Nazaire-en-Royans (26190)

• Grottes de Thaïs
Tél. : 75.48.45.76.
Ouverture : du 1er juin au 30 septembre, tous les jours, de 10 h à 12 h et de 14 h à 17 h, en avril, mai et octobre, les dimanches et jours fériés.

• Promenade en bateau à roue (le *Royans-Vercors*)
Tél. : 76.64.43.42.
Embarquement à La Sône.

Renseignements

• Maison pour tous et du Royans
1, rue Pasteur
26190 Saint-Jean-en-Royans.
Tél. : 75.48.51.42.

LE DIOIS

Crest et Saillans

Il y a plusieurs façons de parvenir dans le Diois, notamment par les montagnes. Mais l'une des plus faciles et des plus agréables reste toutefois de prendre, à partir de Crest ❶ dont l'énorme donjon domine tout le paysage de ses 52 m, la départementale 93 qui suit très fidèlement la vallée de la Drôme. Rapidement, on quitte la plaine de Valence tandis qu'à droite s'élèvent les hauteurs de la forêt de Saou et ses rocs reconnaissables de loin, et à gauche celles de la forêt domaniale du Grand-Barry. Bientôt, sur la gauche, apparaissent à mi-pente d'étranges ruines, celles du village de Mirabel et de son château. Ce village a conservé une partie de son enceinte, mais il reste très peu de choses du château qu'avaient fait édifier les évêques de Die.

Crest : la citadelle surplombant la ville.

Saillans

Quelques kilomètres plus loin voici Saillans ❷, au carrefour de la Drôme et de deux petites vallées, celles du Riousset et du Contècle. Le village s'étale sur la rive droite de la Drôme autour d'une intéressante église et il est dominé, rive gauche, par les rochers imposants des Trois-Becs. L'église est pour l'essentiel du XVIe siècle – mais certaines parties remontent au XIIe –, le clocher étant quant à lui du XIXe. C'est un village très provençal d'allure avec des fontaines, des ruelles étroites, une allée de platanes... L'activité de la soie fut très importante autrefois dans la vallée dans le Diois, et c'est ce que l'on peut découvrir à la magnanerie de Saillans, centre d'animation séricicole à vocation pédagogique, culturelle et promotionnelle qui retrace l'histoire de cette culture et de cet artisanat vieux de trois siècles, du mûrier au ver à soie et au cocon que l'on dévide. La sériciculture aujourd'hui y est également abordée.

Sitôt passé Saillans, la vallée devient plus étroite, resserrée en une cluse, pour s'élargir un peu à hauteur d'Espenel ❸ et tourner ensuite franchement en direction du nord vers Vercheny ❹. Ainsi le veut le

Saillans et la Drôme.

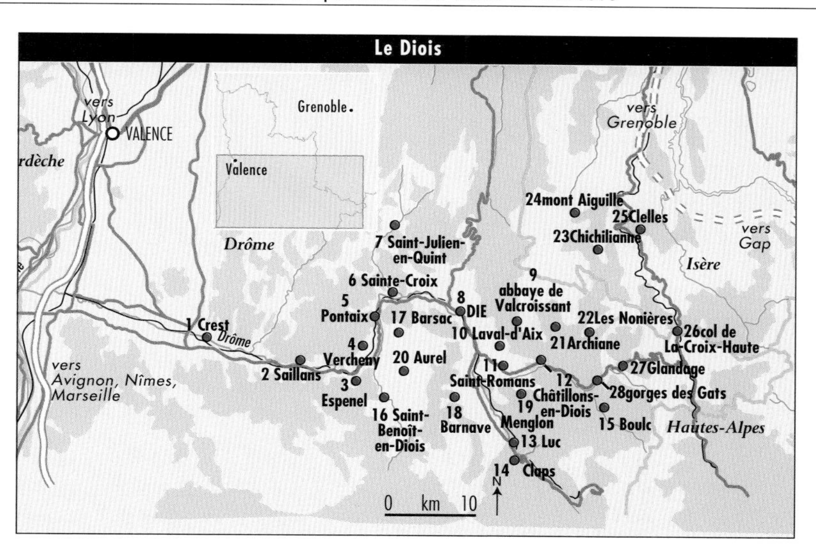

cours de la Drôme, lui-même sujet aux caprices de la géologie compliquée du Diois... Le nom du lieu veut dire "vieux chêne" et la commune est un petit royaume de la viticulture, comme l'affirment les panneaux indiquant les caves. Le village est dominé de loin par les ruines du château de Barry qui se dresse dans un site très escarpé à quelque 969 m d'altitude.

Pontaix

Avant de tourner en direction de l'est, voici Pontaix ❺, dans un site à nouveau très resserré. Les ruines du château fort, au sommet d'une petite colline rocheuse, semblent planer sur le village, tandis que la Drôme coule une dizaine de mètres plus bas sur son lit de galets. La voie ferrée passe de la rive droite à la rive gauche sur un viaduc qui franchit la route et le torrent. Pontaix est bâti des deux côtés de la Drôme mais on ira volontiers rive droite, à pied de préférence, car la rue principale très étroite de ce beau village de pierre est typique, là encore, du Diois et de la Provence des montagnes. Poursuivant la départementale 93 vers Die, on ne manquera pas d'admirer les maisons du village directement dressées au-dessus du lit de la rivière. On remarque, plongeant ses fondations dans l'eau et reconnaissable à de surprenants encorbellements, le temple : c'est un bâtiment du XVe siècle, chapelle avant la Réforme. Et, tout à côté, quelques maisons anciennes avec leurs fenêtres à meneaux.

Vers le pays de Quint

La vallée se redresse dans la direction de l'est au sein d'un splendide paysage de montagne. Le curieux pourra monter jusqu'à Sainte-Croix ❻ en prenant à gauche la départementale 129 qui donne accès au pays de Quint, dominé au-delà de Saint-Julien-en-Quint ❼ par les altières falaises de Font-d'Urle au nord et, à l'ouest, par la montagne d'Ambel. Le village de Sainte-Croix est situé sur un éperon rocheux où l'on remarque l'ancien couvent antonin, les beaux bâtiments trouvant leur origine au XIIe siècle (aujourd'hui centre d'accueil). Le village, lui aussi caractéristique du Diois, est environné de vignes qui produisent la clairette de Die.

Die ❽

Avant d'entrer en ville, on a laissé sur la gauche la route de Chamaloc et du col du Rousset (départementale 518), qui donne accès au Vercors central en direction de Saint-Agnan et de La Chapelle. Derrière la ville, en direction de l'est, s'imposent les splendides falaises du Glandasse. Le site est impressionnant. Avec un peu plus de 4000 habitants, la sous-préfecture mérite un arrêt prolongé justifié par son charme de vieille ville méridionale, mais aussi par le prestigieux passé qui est le sien. Les vins que l'on y prépare, clairettes et autres crémants, valent aussi d'être goûtés...

Lorsqu'on arrive de Crest, sitôt l'entrée sur la gauche en montant, ce sont les restes

Pontaix : vieille bâtisse au bord de la Drôme.

imposants des remparts de Die. Une petite route permet de les suivre au-delà du centre hospitalier. Des effondrements ici ou là dévoilent les matériaux de réemploi qui furent utilisés par les constructeurs, morceaux de colonnes ou de monuments notamment. Certaines parties de ces remparts sont datées du IIIe siècle. On sait en effet que, sous la ville actuelle, trois ou quatre mètres plus bas, tout est gallo-romain ou presque. Mais ces remparts ont été constamment retravaillés jusqu'à la fin du Moyen Age.

La cathédrale Notre-Dame se dresse au cœur de la vieille ville : la partie la plus ancienne est la sacristie (XIe siècle), la nef étant de la fin du XIIe. La mairie de Die est, pour sa part, établie dans l'ancien évêché et on peut y admirer, dans la chapelle Saint-Nicolas aux surprenantes peintures d'époque, une mosaïque (milieu du XIIe siècle) : elle représente les quatre fleuves arrosant la terre selon la liturgie de la nuit de la Résurrection. Il faut voir la porte Saint-Marcel dont une des voûtes est datée du IIIe siècle, portant rosaces et frises gallo-romaines. Le tout fut transporté par les habitants du Bas-Empire lorsque l'enceinte de remparts fut élevée. On ne manquera pas de parcourir à partir de cette porte, sous laquelle traditionnellement les troupeaux de transhumance passaient, quelques vieilles rues étroites qui montent vers le haut de la cité. L'amateur d'histoire et d'archéologie visitera le musée qui propose des salles réservées à la sculpture romaine ou moyenâgeuse d'une belle richesse, complétées d'éléments d'histoire

Die sous la masse imposante du Glandasse.

locale touchant à la Réforme et aux guerres de Religion, ainsi qu'aux événements et à la vie des deux derniers siècles

Vers le Haut-Diois

Un peu après Die, on peut s'arrêter aux jardins des Découvertes hydroponiques où, dans des serres abritant de multiples plantes exotiques entretenues par hydroculture, évoluent librement des papillons, du plus petit au plus grand. Dans d'autres parties des jardins le visiteur aura la compagnie d'oiseaux non moins exotiques... Mais on pourra aussi prendre sur la gauche, en direction de l'abbaye de Valcroissant ❾. Un vert vallon assez resserré et arrosé d'une charmante rivière y mène. Cette modeste abbaye fut fondée dans la deuxième moitié du XIIe siècle et construite selon les sévères critères architecturaux cisterciens. Il en subsiste de beaux morceaux dans un site impressionnant et grandiose où bruit un ruisseau.

Toujours en direction de Luc-en-Diois, un peu plus loin, prenons en direction de Laval-d'Aix ❿ la départementale 514, une petite route qui serpente dans un pays de bois et de vigne, jusqu'au moment où émergent – image saisissante au détour d'un virage – les ruines du château d'Aix-en-Diois et les quelques maisons du vieux village. Suivons la route jusqu'à la départementale 539 vers Saint-Roman ⓫ et prenons alors la direction de Châtillon-en-Diois.

Châtillon-en-Diois ⓬

La petite ville de pierres et de tuiles romaines se trouve tout entière sous l'emprise des falaises du Glandasse, tandis qu'à ses pieds coule le torrent du Bez. La cité mérite une visite et on la fera volontiers à pied. Sur le rocher, situé au-dessus du bourg en entrant lorsque l'on vient de Die, on distingue les vestiges d'un château fort dont les fondations ont notamment été réutilisées pour édifier des bâtiments d'époque plus moderne. De là, on suivra la rue principale – appelée des Rostangs – et qui mène à l'horloge, sorte de beffroi édifié au XVIIIe siècle. Au-delà se trouve une jolie petite place avec fontaine. On remarquera de part et d'autre de la rue des Rostangs de belles ruelles anciennes, souvent très

Die : la cathédrale.

étroites et que l'on nomme ici "viols", du patois local "viao", lui-même issu du latin via qui veut dire route ou rue, ou voie...

Châtillon se trouve sur la route touristique des "Villages botaniques de la Drôme" : des étiquettes de bois gravé, au détour des rues et chemins, permettent une approche originale des plantes. Dans le cas de Châtillon, il s'agit plus particulière-

Die : la vieille ville.

Sur la route du col de Grimone à Châtillon.

ment de plantes grimpantes et de fontaines fleuries, les meilleures saisons pour cette découverte étant l'été et l'automne. Enfin, n'oublions pas surtout que Châtillon est au cœur d'une zone viticole d'appellation d'origine contrôlée, en rouge, rosé et blanc (des panneaux de caves nous le rappellent...).

Châtillon-en-Diois : cabanon de vignes sous les falaises du Glandasse.

Vers Luc-en-Diois

On pourra quitter Châtillon en revenant sur ses pas de quelques kilomètres, de façon à prendre à gauche la départementale 69 en direction de Luc-en-Diois. La route traverse un paysage très marqué de vignes, de bois pauvres, de prairies, de ravines au pied des collines... Luc ⓭, village situé au pied d'un pic de même nom, a conservé une belle allure. Ce fut au début de notre ère la capitale du peuple des Voconces. On remontera la départementale 93 en direction de Gap jusqu'au site étonnant du Claps ⓮, là où la Drôme fait un véritable saut depuis le XVe siècle, époque où un gigantesque éboulement avait barré entièrement la vallée. Il en reste une sorte de chaos de roches très impressionnant. Un petit lac s'est formé au-dessus tandis qu'un imposant viaduc de la ligne ferrée de Valence à Veynes domine l'ensemble du site.

Il y a naturellement bien d'autres possibilités de promenades dans cette région du Diois, au village de Boulc ⓯ par exemple où se trouve une grotte préhistorique : la Tune de la Varaime qui présente des gravures d'époque dans la roche (visites en saison et sur rendez-vous de juin à novembre). L'accès traditionnel à Châtillon est barré, car la route a été emportée par des éboulements et des inondations. Un tunnel est en construction et la route devrait rouvrir en 1997. Actuellement, on accède à Boulc par la vallée de la Drôme et le village de Miscon. Mais il y a encore de nombreux villages souvent haut perchés, comme Saint-Benoît-en-Diois ⓰ accessible par la départementale 135 et qui suit les gorges de la Roanne, côté rive gauche de la Drôme; le vieux village possède une église romane et des ruelles remarquables. Il y a aussi Barsac ⓱, toujours sur le côté gauche de la Drôme et qui, au milieu de ses vignobles, est un des berceaux de la clairette. L'amateur de paysages n'hésitera pas, quant à lui, à prendre ici ou là une petite route ou l'autre qui lui fera toujours découvrir un coin de paysage inédit : pensons à Barnave ⓲, à Menglon ⓳, à Aurel ⓴ et au superbe cirque d'Archiane ㉑.

Vers le Trièves

De Châtillon, prenons la route du col de Menée en direction de Chichilianne. On passe bientôt devant les ruines du châ-

Lavande et plantes aromatiques

La tradition de la lavande est très ancienne dans le Diois. La plante pousse en effet de façon spontanée dans les Alpes sèches à partir de 600 m d'altitude environ et jusqu'à un millier de mètres. Extraite de façon artisanale par les paysans au XIXe siècle, l'essence de lavande servait à arrondir leurs fins de mois. Lavande et lavandin (ce dernier a un parfum beaucoup moins subtil) sont encore cultivés sur des surfaces importantes, notamment vers Châtillon-en-Diois et dans le pays de Quint. Il n'est pas rare au mois d'août, après quelques journées de chaleur qui ont exalté les parfums, de sentir tout à coup une forte odeur de lavande et de distinguer une fumée s'échappant d'un bâtiment à grande cheminée qui se révèle être une distillerie.

Cette spécialité s'est enrichie depuis quelques années de la culture rigoureusement biologique de diverses plantes aromatiques comme la sauge, le thym, l'estragon, la mélisse et même le tilleul, chaque ferme ayant au moins son arbre. Inutile de dire qu'un pareil environnement aromatique donne des miels de qualité.

teau de Menée. 1,5 km plus loin, prenons à gauche la départementale 224 qui mène au cirque d'Archiane ceint d'impressionnantes falaises qui culminent à près de 1800 m. Le cirque entre profondément dans les hauts plateaux du Glandasse.

De retour sur la départementale 120, gagnons Les Nonières ㉒. La route se met à monter de façon assez raide... Laissons bientôt le chemin qui mène au vallon de Combeau. Le paysage devient très sauvage tandis que le Diois s'éloigne toujours plus au fond de ses vallons et ses vallées. Le col est à 1457 m d'altitude et, là encore, on a l'impression de quitter la lumière méditerranéenne et d'arriver dans un pays nettement plus sombre de pins et de forêts, tandis que la route descend en lacets sous la tête de Praorzel. Après le col de Prayet, la route continue sa descente, mais plus calmement, vers Chichilianne, et la masse calcaire très reconnaissable du mont Aiguille apparaît et disparaît au gré des courbes.

Luc-en-Diois : le site du Claps.

Châtillon-en-Diois : la vieille ville.

L'église de Chichilianne.

Chichilianne et le mont Aiguille

Chichilianne ㉓ est un beau village d'allure résolument dauphinoise comme l'indiquent immédiatement les toitures de tuiles plates en forme d'écaille. Le contraste est saisissant avec le Diois quitté quelques instants plus tôt. Chichilianne est installé à 1064 m d'altitude dans une cuvette, à part du Trièves proprement dit, et la localité est entièrement sous la puissante domination des falaises et crêtes du Vercors et du mont Aiguille ㉔ qui culminent à plus de 2000 m. La belle église est datée du XVIIIe siècle et elle est richement meublée. On trouve aussi dans la commune deux châteaux forts, l'un au hameau des Oches et l'autre à Ruthière

Lus-la-Croix-Haute

On prendra ensuite la départementale 7 en direction de Clelles ㉕ de façon à

Vers le cirque d'Archiane.

rejoindre à la gare la nationale 75 que l'on prendra à droite vers le col de La-Croix-Haute ㉖. On pourra poursuivre jusqu'à Lus-La-Croix-Haute, village encore typique du Trièves mais qui se trouve dans le canton de Châtillon-en-Diois. Le village et ses hameaux sont implantés à 1050 m d'altitude environ dans la haute vallée du Buëch et sur son affluent, le Lunel. Nous sommes ici aux portes du Dévoluy. L'église date, pour partie, du XIIIe siècle. Les amoureux de nature et de flore alpine pousseront sans doute jusqu'au vallon de Jarjatte, à quelques kilomètres du bourg.

L'église de Lusettes, commune de Lus-la-Croix-Haute.

Glandage

Pour s'en revenir à Châtillon-en-Diois, il convient de reprendre la nationale 75 vers Grenoble et de tourner quelques kilomètres plus loin à gauche sur la route du col de Grimone qui nous ramènera dans le Diois. La montée est sévère mais agréable jusqu'aux 1209 m d'altitude de ce col qui s'ouvre dans un paysage d'alpages et de forêts. La descente conduit d'abord au village de Glandage ㉗ dont Giono a souvent parlé dans ses livres. L'église, très rustique, est du XIIIe siècle; deux portails sont intéressants : celui de la façade de l'édifice religieux et, tout à côté, un autre aux sculptures naïves et qui donne accès à la mairie.

Après Glandage, la route descend encore puis s'infiltre, si l'on peut dire, dans les gorges des Gas. Prenons avant d'y pénétrer la route qui mène au hameau de Borne, quelques maisons et une chapelle. On ne manquera pas d'admirer, avant d'y parvenir, quelques rocs résolument dressés vers le ciel et que l'on appelle les "Sucettes de Borne".

Dans les belles gorges des Gats ㉘, on peut aussi s'arrêter pour contempler un curieux phénomène de la nature : le Rio Sourd. C'est un étonnant et étroit couloir creusé par l'eau dans la roche. D'une bonne vingtaine de mètres de largeur dans ses parties les plus larges, le Rio Sourd se réduit parfois à une fine entaille d'à peine d'un mètre de large ! Les amateurs de canyoning le connaissent bien...

Sortie des gorges, la route traverse la forêt domaniale du Sapet avant de rejoindre Châtillon-en-Diois par une vallée du Bez redevenue tout à coup riante.

L'église de Glandage (XIIIe siècle).

RENSEIGNEMENTS PRATIQUES

Boulc-en-Diois (26)

- Grotte préhistorique
  Tél. : 75.22.23.98.

Visite de la "Turaine de la Varaine" sur réservation, accompagné d'un guide.

Châtillon-en-Diois (26140)

- Office de tourisme
  Tél. : 75.21.10.07.

Spectacle audiovisuel et diaporama sur la réserve des Hauts-Plateaux.

- Village botanique
Visites sur rendez-vous auprès de la mairie (75.21.14.44).

Crest (26400)

- Office de tourisme
  8, quai Maurice-Faure
  Tél. : 75.25.11.38.

- Tour de Crest
  Tél. : 75.25.32.53.

Ouverture : tous les jours, sauf en janvier, de 9 h 30 à 19 h (en hiver de 14 h à 18 h).

- Chapelle des Cordeliers
  Tél. : 75.76.70.14.

Die (26150)

- Office de tourisme
  Place Saint-Pierre
  Tél. : 75.22.03.03.

- Musée d'Histoire et d'Archéologie
  Tél. : 75.22.03.03.

Ouverture : en juillet-août, tous les jours, sauf le dimanche, de 15 h 30 à 18 h 30.

- Mosaïque de la chapelle Saint-Nicolas
  Mairie.

Ouverture : du lundi au vendredi, de 9 h à 12 h et de 13 h 30 à 16 h.

- Abbaye cistercienne de Valcroissant
  Tél. : 75.22.12.70.

Ouverture : visite guidée en juillet et août sur réservation, les mardis, jeudis et dimanches à 15 h.

- Le jardin des Découvertes
  Tél. : 75.22.17.90.

Ouverture : du 1er mai au 30 septembre, de 10 h à 12 h et de 14 h à 19 h (en juillet-août, de 10 h à 19 h).

- Musée de la Clairette de Die
  Cave coopérative
  Rue de la Clairette
  Tél. : 75.22.02.22.

Ouverture : du 1er mai au 30 septembre, de 8 h à 12 h 30 et de 13 h 30 à 18 h 30.

Luc-en-Diois (26310)

- Office de tourisme
  Tél. : 75.21.34.14.

Lus-la-Croix-Haute (26620)

- Office de tourisme
  Tél. : 92.58.51.85.

Mirabel-et-Blacons (26400)

- Musée agricole et industriel
  Hameau de Berthalais
  Tél. : 75.40.06.07.

Ouverture : en juillet-août, tous les jours, sauf le mardi, de 14 h à 18 h; en mai-juin, les week-ends.

Saillans (26340)

- Office de tourisme
  Tél. : 75.21.51.05.

- La Magnanerie
  Tél. : 75.21.56.60.

Vercheny (26340)

- Musée de la Clairette

  Tél. : 75.21.73.77.

Visites commentées par les vignerons toute l'année.

Renseignements

- GIE-Pays drômois
  26340 Vercheny.
  Tél. : 75.21.70.88.

Magasin de dégustation et de vente directe à Vercheny, Saint-Nazaire-le-Désert, Die, Luc-en-Diois.

- Maison du Parc et de la flore
  Le Village
  26150 Chamaloc.
  Tél. : 75.22.25.52

A lire

Pitte (André) (sous la direction de), *Le Guide du Diois*, 1992.

LE TRIEVES

Incontestablement, le Trièves forme à l'est du Vercors une entité forte. La personnalité dauphinoise, dès Chichilianne, ne peut être mise en doute. L'architecture (les toits à quatre pentes à tuiles plates en forme d'écaille) est là pour nous le rappeler. Même les énormes falaises du Vercors ont une personnalité différente : ce côté-ci est redressé en regardant vers l'est, et beaucoup plus élevé aussi, en découpes tendues. Ce sont les crêtes qui se dessinent sur le ciel et l'on n'a pas vraiment l'impression d'être face à un plateau.

Du sud au nord

Depuis le col de la Croix-Haute sur la nationale 75 en direction de Grenoble se dresse, sur le côté gauche, la montagne de Jocou qui culmine à 2052 m, avancée de rochers qui est un prolongement à l'extrême sud-est du massif du Vercors. Sur la droite s'ouvre alors un vaste paysage, presqu'une plaine, et qui descend doucement en direction de la vallée du Drac. La route domine les beaux villages bien regroupés de Lalley ❶ et Saint-Maurice-de-Trièves ❷. Après La Commanderie, vers la droite, la départementale 252 gagne Le Monestier-de-Percy ❸, village qui était autrefois un important relais sur l'ancienne route menant de Grenoble aux Hautes-Alpes. On y voit encore un bâtiment particulier (la "Grande Halte") où voitures et attelages étaient changés. Le nom même de Monestier se justifie par la fondation en ces lieux (XIIIe siècle) d'un prieuré qui se trouvait attaché à l'abbaye Saint-Marcel de Die. Le curieux ira jusqu'au moulin qui fabriquait dans le temps l'huile de noix et, se promenant, découvrira d'autres témoins encore de l'ancienne vie rurale en Trièves.

Gagnons alors Percy; le village s'est installé sur ce qui était la grande voie entre Diois et Trièves : le col de Menée, actuelle nationale 75, n'était pas alors tracé. Cette position privilégiée lui valut bien des épreuves, tout particulièrement lors des guerres de Religion. L'église est pour partie du XIIIe siècle, la nef du XVIIe.

Clelles

On rejoint Clelles ❹ en faisant le détour vers l'Ebron, torrent qui arrose le bas du territoire communal, par la départementale 132; remontons ensuite par la départementale 528 vers Clelles. C'est un bourg tranquille, bien regroupé autour de sa vieille église du XIIe siècle et dont le style est résolument montagnard. La cité est installée là depuis le début de notre ère, sur la voie romaine qui allait de Mens au col de Menée. Son histoire fut très liée à celle du Dauphiné indépendant. Ce bourg connut aussi une grande prospérité grâce à l'ouverture en 1825 de la nationale 75 menant aux Hautes-Alpes puis, en 1878, grâce à

Vers Gresse-en-Vercors.

Chichilianne : le château.

l'ouverture de la voie ferrée. D'ici, la vue est superbe sur le mont Aiguille et le Grand-Veymont.

Chichilianne

Prenons cette fois la direction de Chichilianne ❺, par la gare de Clelles. L'arrivée se fait par le hameau des Oches et son château. La localité se trouve à 1064 m d'altitude dans une sorte de cuvette un peu à part. A l'ouest s'élève le formidable écrin des crêtes du Vercors, au nord le mont Aiguille dresse son altière silhouette. Juste au-dessus du village, se trouve le pas de l'Aiguille où eurent lieu des combats en juillet 1944, lors de l'attaque du maquis par les Allemands. Un monument rappelle en ces hauteurs le souvenir des combattants tombés sur cette partie du Glandasse.

Le village est agréable, sagement groupé autour de son église du XVIIIe siècle qui figure parmi les mieux meublées du Trièves.

Chichilianne étant situé dans une cuvette, il faut donc rejoindre la nationale 75 par la départementale 7, pour ensuite remonter plus au nord vers la vallée de la Gresse. Laissons sur le côté le ravissant village de Saint-Martin-de-Clelles et ses toits de tuiles rouges tapis autour de l'église de style roman. Quelques kilomètres encore et l'on tourne sur la gauche pour rejoindre la départementale 247.

Saint-Michel-les-Portes ❻ est un très beau village également, aux splendides toitures dauphinoises qui s'étagent sur les pentes de la montagne de la Chaux. Il est inscrit à l'inventaire des sites classés. L'impression est effectivement de passer ici une porte, tandis qu'à gauche en montant s'ouvre sur le Trièves un vaste panorama.

Poursuivant la départementale 8 au-delà de Saint-Michel-les-Portes, nous parvenons au hameau de La Bâtie ❼ dominé au sud par le mont Aiguille. S'y trouve la dernière grange du Trièves encore recouverte de chaume. Tout à côté s'élève une très ancienne chapelle de montagne et un calvaire de pierre de style très rustique. Dans un paysage de forêts et d'alpages, la route se poursuit par le col de l'Allimas (1352 m d'altitude) puis par une belle et calme descente jusqu'à Gresse-en-Vercors ❽ qui est le bourg situé le plus haut du Vercors (1205 m).

Gresse-en-Vercors

Son église est datée du XIIIe siècle, le curieux clocher de pierre est du XVIe et la flèche qui le coiffe du XVIIe. Filant vers le nord, s'ouvre la vallée de la Gresse serrée entre les hauteurs minérales des hauts plateaux à gauche, et la montagne de la Pale à droite. Le pays se consacre à l'élevage pastoral, mais Gresse est surtout une station touristique d'été et d'hiver (ski de descente ou de ski de fond).

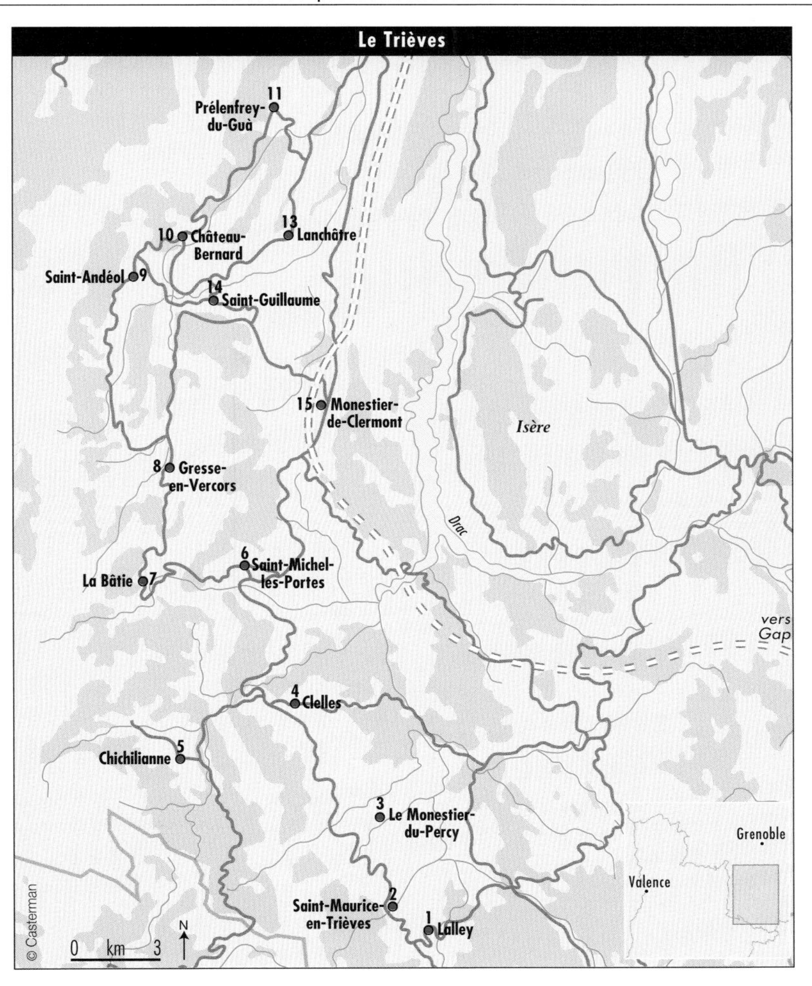

De Gresse-en-Vercors, prenons ensuite la direction de Saint-Andéol ❾ par une petite route qui passe par le col des Deux (départementale 252) et suit de près les pentes du Vercors. Saint-Andéol est véritablement au pied des falaises : rochers du Playnet, crête des Rochers-de-la-Balme, roche du Coin puis, vers le nord, la Grande-Moucherolle. C'est un site impressionnant qui rehausse d'autant l'aspect parfaitement tranquille et serein de ce village que l'on quittera en direction du Château-Bernard ❿ (départementale 242) situé 5 à 6 km plus loin, et toujours dans ce même site étonnant en forme de cirque de roches nues, incroyablement travaillées par l'érosion et le temps. Nous sommes à plus de 1000 m d'altitude encore, et la calme localité se mue l'hiver en station de ski vivante et agréable.

Poursuivant notre route, nous parvenons au col de l'Arzelier (1154 m). Une station moderne fonctionne aussi bien l'été pour de belles randonnées que l'hiver. Un télésiège permet d'accéder au col des Deux-Sœurs.

Du col de l'Arzelier, descendons cette fois vers Prélenfrey-du-Guà ⓫ qui s'étend au pied de la forêt domaniale du Gerbier et des arêtes du même nom qui attirent depuis une centaine d'années les meilleurs alpinistes (c'est ici que se tua l'alpiniste Lionel Terray). C'est le royaume de l'escalade comprenant une station accueillante aussi bien en été qu'en hiver, où des pistes de ski de fond s'ouvrent sur plus de 20 km.

Saint-Guillaume.

Plus au nord, en direction de Vif ⓬ (sur la nationale 75), nous nous retrouvons à quelques pas de Grenoble tandis qu'au sud, parallèlement à cette route, remonte la vallée du Drac avec les lacs de retenue de Saint-Georges-de-Commiers puis, plus au sud encore, de Monteynard-Avignonet, très recherchés des vacanciers l'été. La corniche du Drac peut être un moyen agréable de remonter dans le Trièves vers Mens ou Percy. Autre possibilité : quittant Prélenfrey-du-Guà, prenez la direction de Lanchâtre ⓭, retrouvant là la vallée de la Gresse, puis poursuivez vers Saint-Guillaume ⓮ dans un site très pentu et très boisé au bas duquel coule le torrent. Rejoignez alors la nationale 75 vers le sud en prenant la direction de Saint-Paul-les-Monestier et Monestier-de-Clermont ⓯ (départementale 8).

RENSEIGNEMENTS PRATIQUES

Gresse-en-Vercors (38650)

- Office de tourisme
  Tél. : 76.34.33.40.

Renseignements

- Maison du Parc et du mont Aiguille
  38930 Chichilianne.
  Tél. : 76.34.44.95.
- Maison du Parc
  Grand-Veymont-la-Ville
  38650 Gresse-en-Vercors
  Tél. : 76.34.30.98.
- Maison du Parc et de l'escalade
  Prélenfrey
  38450 Le Guà.
  Tél. : 76.72.34.41.

LA VALLEE DE L'ISERE

Romans et Bourg-de-Péage

Avec Bourg-de-Péage ❶ qui lui fait face de l'autre côté de l'Isère, Romans ❷ représente une agglomération de plus de 45 000 habitants. Deux ponts relient les deux cités : le pont Vieux et le pont Neuf, de son vrai nom : "De-Lattre-de-Tassigny". La vue sur l'Isère et les deux villes, la collégiale émergeant rive droite des toits de tuile rouge orangé, est très belle lorsqu'on est sur le coteau des Chapeliers, non loin du cimetière de Romans. Au loin se profilent les monts du Matin, autrement dit la montagne de Musan – déjà le Vercors – par-delà laquelle se cache le Royans.

Romans : l'arrière de Saint-Barnard (place Maurice-Faure).

A la découverte de la vieille ville

Une visite de la vieille ville s'impose (à pied, pour ne rien manquer du charme des rues et de la beauté de certaines façades d'époque Renaissance). La visite peut débuter à la tour du Jacquemart, tour carrée datée du XIIIe siècle qui supporte l'horloge de la ville, installée dès 1429. Jacquemart, personnage de bois, habillé de tricolore en bon républicain qu'il est devenu après avoir porté le lis, imperturbablement, frappe heures et quarts d'heure...

Descendons alors par une des rues qui s'offrent à nous au cœur de la vieille ville. C'est un dédale plaisant qui nous mène à la jolie place Maurice-Faure que domine l'austère collégiale Saint-Barnard, l'abbaye ayant été fondée ici en 838 par le saint. La première église fut détruite par les Normands, les suivantes par des incendies. La partie romane fait partie de la quatrième église à laquelle fut ajoutée par la suite une partie gothique. Mais le sinistre baron des Adrets mit en ruine Saint-Barnard en 1567. La reconstruction des voûtes ne sera achevée qu'en 1720. L'intérieur est sobre

La vallée de l'Isère au nord de Romans.

Romans, musée d'Ethnographie régionale : reconstitution du marché de Romans au XIXe siècle.

et on peut y admirer des fresques récemment restaurées. La partie la plus touchante est sans conteste la chapelle du Saint-Sacrement avec des fresques du XVe siècle remarquables et des tentures du XVIe siècle. Cette chapelle est, en fait, le fruit de la fusion de deux chapelles dédiées l'une à saint Maurice et l'autre à saint Étienne.

Une visite de Romans ne peut omettre le musée de la Chaussure et d'Ethnographie régionale installé dans les beaux bâtiments de l'ancien couvent de la Visitation, fondé en 1632 et terminé en 1667. Après avoir été hôpital, couvent de nouveau, école et annexe du lycée, ces bâtiments accueillent le musée depuis 1971. On découvrira les lieux (en particulier la belle chapelle du XVIIe siècle), en même temps que les collections qui sont absolument remarquables. Une grande salle rappelle l'histoire du cuir et de la chaussure à Romans. Elle présente des matériels et des documents qui expliquent de façon didactique l'art de fabriquer le cuir et la chaussure. A l'étage, dans les anciennes cellules des moniales, on présente les collections : chaussures, bottes, escarpins de toutes les époques (des Gaulois et Romains à nos jours), de France et du monde entier, soit quelque 2000 pièces au total !

D'autres salles complètent ce musée, présentant des collections ethnographiques consacrées à la vie locale grâce à des reconstitutions. On ne manquera pas l'émouvante salle réservée à la dernière Guerre mondiale et aux tragiques événements du Vercors.

Saint-Marcellin ❸

La ville se trouve à 25 km environ sur la nationale 92 en direction de Grenoble. Elle est dominée au nord par le château du Mollard (façade de style Renaissance) qui a un aspect dauphinois. L'amateur visitera volontiers le musée du Fromage qui vient nous rappeler l'ancienne tradition des tommes de Saint-Marcellin dont Louis XI, dit-on, se faisait un régal. Ce musée retrace le passé de ce prestigieux fromage et de son industrie qui prit son envol avec l'ouverture de la voie ferrée de Valence à Grenoble, via Romans et Saint-Marcellin en 1864. On évoque également le présent, car une trentaine de fromageries expédient maintenant le saint-marcellin dans le monde entier.

Dans les environs immédiats, on pourra aller jusqu'à Chatte ❹ où un particulier a ouvert un "jardin ferroviaire" aussi étonnant que remarquable. Les amateurs de petits trains y seront à la fête, mais aussi les poètes. On y voit en particulier une reconstitution pleine de charme et de fantaisie créée par Christian et Gaëtan Abric, avec 1100 m de voie à l'échelle 1/22,5^e et trente trains roulant en permanence...

Au fil de l'Isère

A Sône ❺, à deux pas de Saint-

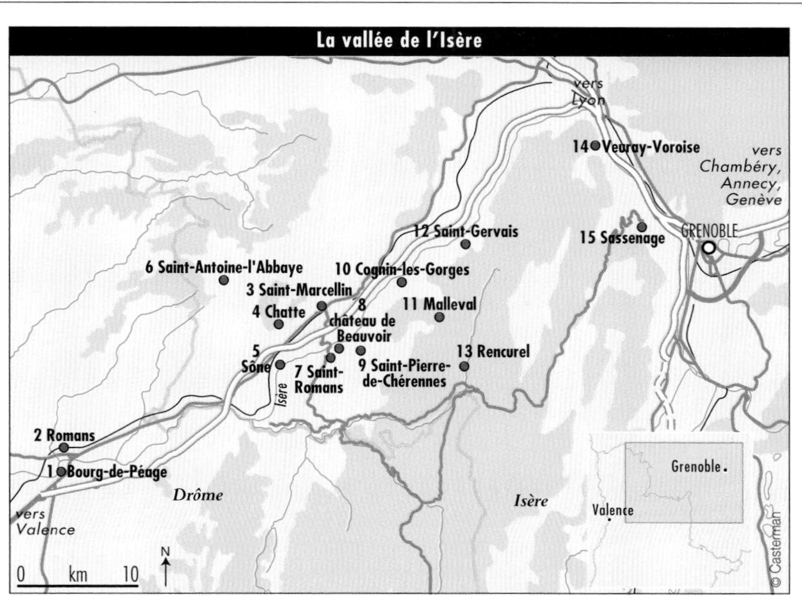

Marcellin, Louis XI séjourna au château. Depuis l'embarcadère, on peut naviguer sur l'Isère avec un bateau à roue à aubes (le *Royans-Vercors*), qui propose en saison une croisière d'une heure et demie pour découvrir l'Isère et la roselière du Creux, véritable réserve d'oiseaux, ainsi que, sous un angle original, tout le massif du Vercors jusqu'à Saint-Nazaire-en-Royans.

Saint-Antoine-l'Abbaye

Le passionné d'architecture peut aussi faire le détour jusqu'à Saint-Antoine-l'Abbaye ❻, à une dizaine de kilomètres de Chatte par la départementale 27. L'abbatiale est un petit chef-d'œuvre qui eut beaucoup à souffrir des Huguenots au XVIe siècle. L'église fut restaurée au XVIIe siècle, époque où l'on construisit aussi le clocher. L'intérieur abrite notamment des peintures du XVe siècle représentant la Résurrection du Christ, un paysage de montagne, des apôtres, des scènes de la vie de saint Antoine..., ainsi qu'un maître-autel, une châsse et des statues du XVIIe siècle. Les sacristies proposent (uniquement lors de visites organisées) quelques chefs-d'œuvre et, en particulier, un bouleversant Christ en ivoire (XVIe siècle), des vêtements sacerdotaux anciens, des châsses.

Les bâtiments de l'abbaye ont été sauvegardés malgré la Révolution française. Une communauté de l'Arche y a trouvé refuge tandis que d'autres bâtiments sont occupés par des antiquaires et des artisans. On peut compléter la visite par le musée départemental Jean-Vinay, peintre dauphinois. Saint-Antoine est encore un lieu d'activités culturelles très important avec des concerts, du théâtre, des expositions, des conférences...

Revenons vers Saint-Marcellin et, de là, traversons l'Isère en direction de Saint-Romans ❼; le village possède une belle église avec chœur et clocher roman. On prendra cette fois la nationale 532 en direction de Grenoble pour tourner très vite à droite et visiter les ruines du château de Beauvoir ❽ (XIIIe siècle). Sur sa colline, il offre une image très romantique avec, en arrière-plan, tout le massif des Coulmes. Non loin, un monastère de Carmes fondé en 1343 par le dauphin et dont les bâtiments furent reconstruits au XVIIe siècle, a été transformé en ferme. Un petit musée a été installé par les Amis du Vieux-Beauvoir.

Plus loin sur la route nationale, laissons à droite Saint-Pierre-de-Chérennes ❾ et la petite route qui serpente dans les bois et donne accès au plateau de Presles. La nationale reste ainsi au pied du Vercors jusque Grenoble et son agglomération. A Cognin-les-Gorges ❿, prenons à droite la petite route qui gagne le site extrêmement sauvage des gorges du Nant et celui de

Malleval ⓫, dont le maquis fut détruit le 29 janvier 1944.

De retour sur la nationale 532, quelques kilomètres plus loin, c'est le village de Saint-Gervais ⓬ et, montant à l'assaut de la montagne, la route du col de Roméyère qui, beaucoup plus haut, passe par l'étroit défilé des Ecouges, moyen de rejoindre le Vercors central ou les Quatre-Montagnes via Rencurel ⓭. Ensuite voici Saint-Quentin-sur-Isère et, sur la droite, la départementale 218 qui permettait d'accéder par Montaud vers Autrans et les Quatre-Montagnes avant sa fermeture à la suite d'un effondrement avant le tunnel du Mortier.

Vers Grenoble

La route tourne vers l'est puis brutalement vers le sud, dominée par le bec de l'Echaillon. A Veurey-Voroise ⓮ apparaît déjà l'agglomération grenobloise. On suivra la nationale 532 jusque Sassenage ⓯, célèbre pour son fromage. Elle possède une belle église romane et d'agréables possibilités de promenades sur des sentiers balisés, le long du Furon, et jusqu'aux grottes des cuves de Sassenage.

On peut alors rejoindre Villard-de-Lans par la départementale 531 et les gorges du Furon.

RENSEIGNEMENTS PRATIQUES

Beauvoir-en-Royans (38160)

• Musée delphinal
Place de l'Eglise
Tél. : 76.64.02.55.

Ouverture : en juillet-août, de 14 h à 18 h et le reste de l'année, de 14 h à 18 h.

Chatte (38160)

• Le jardin ferroviaire
Tél. : 76.38.54.55.

Ouverture : du 1er février au 30 novembre, tous les jours de 9 h à 18 h 30.

Romans (26100)

• Office de tourisme
Place Jean-Jaurès
Tél. : 75.02.28.72.

• Musée international de la Chaussure et musée d'Ethnographie régionale
2, rue Sainte-Marie
Tél. : 75.05.81.30.

Ouverture : en juillet-août, du lundi au samedi de 10 h à 18 h; le dimanche, de 14 h 30 à 18 h.
Du 2 janvier au 30 juin et du 1er septembre au 31 décembre, du mardi au samedi, de 9 h à 11 h 45 et de 14 h à 17 h 45.

• Centre historique de la Résistance en Drôme et de la Déportation
Même adresse que le musée de la Chaussure ci-dessus.
Tél. : 75.05.81.36.

Saint-Antoine-l'Abbaye (38160)

• Office de tourisme
Tél. : 76.36.44.46.

• Musée départemental et musée Jean-Vinay
Le Monastère
Place de l'Abbaye
Tél. : 76.36.40.68.

Ouverture : en juillet-août, tous les jours, sauf le mardi, de 14 h à 19 h.

Saint-Marcellin (38160)

• Office de tourisme et musée du Fromage
2, avenue du Collège
Tél. : 76.38.53.85.

Ouverture : tous les jours, sauf le lundi matin, de 9 h à 12 h et de 14 h à 18 h.

Sassenage (38360)

• Cuves de Sassenage
Tél. : 76.27.55.37.

Ouverture : du 1er mai au 31 octobre, tous les jours de 10 h à 18 h.

La Sône (38160)

• Bateau à roue *Royans-Vercors*
Tél. : 76.64.43.42.

Départs : en juillet-août, tous les jours, à 10 h 30, 14 h, 15 h 30 et 17 h et hors-saison sur rendez-vous.

DE LEONCEL AU PAYS DE GERVANNE

Une des routes les plus étonnantes que l'on puisse prendre dans le Vercors, mène de Léoncel au Pays de Gervanne qui fait déjà partie du Diois.

Le col de Tourniol

Partant de la plaine de Valence on prend d'assaut la montagne par le col de Tourniol ❶ aux nombreux virages en épingle à cheveux. La montée est saisissante et offre des perspectives spectaculaires sur les falaises de la montagne de l'Epenet. Pour rejoindre la base du col de Tourniol, on peut partir de la nationale 532 en prenant à droite aux Fouries, avant de parvenir à Saint-Nazaire-en-Royans, en direction de Saint-Maurice d'Hostun ❷ et Beauregard. La route suit de près la montagne de Musan, que l'on appelle aussi les monts du Matin. On ne manquera pas de distinguer des entailles profondes dans le roc – on les appelle ici "portails" – à Beauregard, puis à Rochefort-Samson ❸; ces portails donnent accès à une combe située en arrière dans la montagne même (on y observera des ruines de château fort). Ce phénomène s'explique par la présence d'une couche de calcaire dur urgonien, identique donc à celui des grandes falaises du plateau. Ces entailles correspondent au travail de scie exercé par des torrents autrefois très importants issus des combes creusées dans la face ouest des montagnes de Musan et de l'Epenet. A Barbières ❹, on franchit un portail de ce type, laissant à gauche les ruines d'un autre château fort, celui de Pellafol, pour rejoindre la route du col de Tourniol.

Léoncel, une abbaye cistercienne

Des 1145 m d'altitude au col, descendons à travers la forêt jusqu'à Léoncel ❺ nichée dans une vallée assez profonde, à 912 m d'altitude. En face se dressent les falaises du Grand-Echaillon. On distingue immédiatement l'église et son beau clocher de style roman. On est aussitôt saisi par le calme des lieux et l'impression d'isolement qui en émane. L'église et les bâtiments qui prolongent le transept sud sont ce qui reste d'une très ancienne abbaye fondée en 1137 par douze moines cisterciens venus de Bonnevaux dans le Bas-Dauphiné viennois. Le village se résume à quelques maisons autour de cette ancienne abbaye.

L'édifice mérite un arrêt prolongé car l'abbatiale, achevée vers 1210, est restée, malgré le temps et les vicissitudes de l'histoire, très proche de l'édifice d'origine, très proche donc de l'esprit cistercien. Ce fut autrefois un puissant monastère, tant par son rayonnement que par ses possessions. En saison, des visites guidées ont lieu régulièrement qui permettent d'apprécier en détail l'architecture de la nef centrale à voûtes d'ogives et deux étages, de ses collatéraux à voûtes en berceaux et sa croisée

Vers le col de Tourniol.

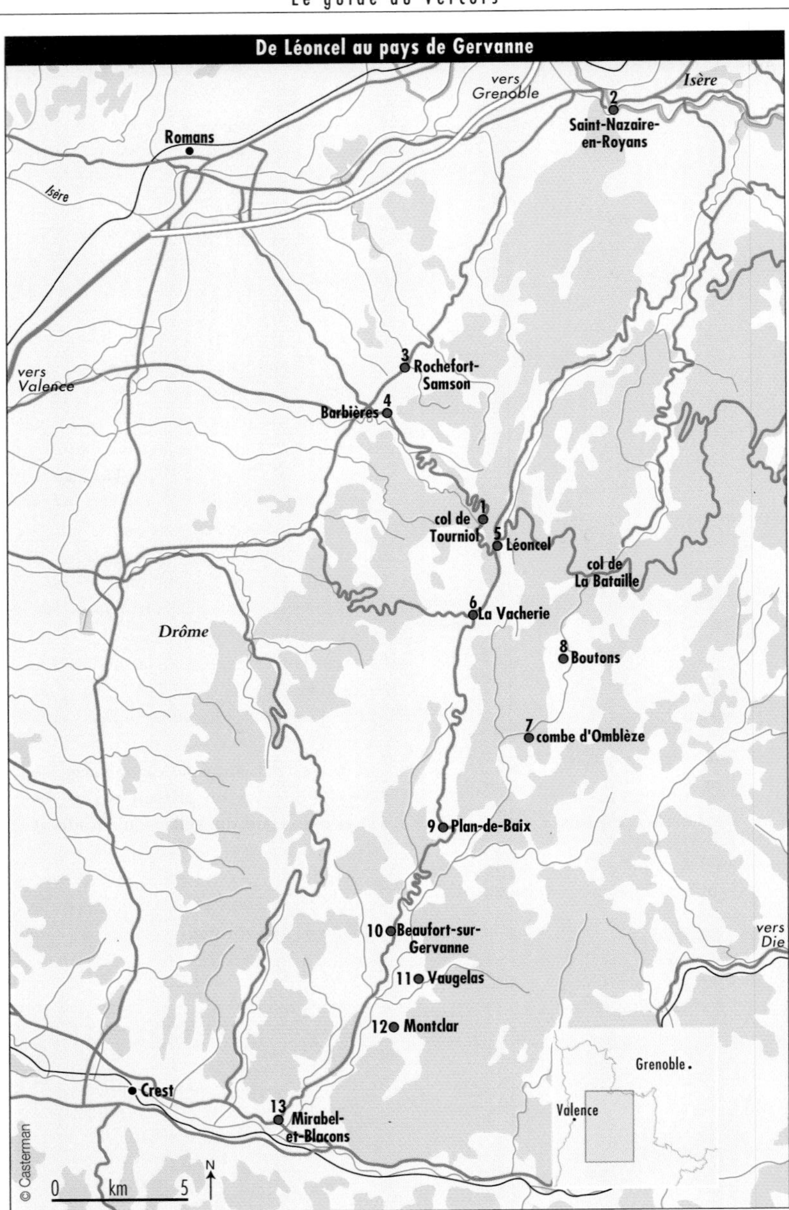

de transept coiffée d'une coupole octogonale et comportant une fenêtre ronde. L'église est aussi exceptionnelle par ses chapiteaux (32 au total dans la nef), ainsi que le clocher et le cloître où transparaît clairement la volonté de simplicité de saint Bernard.

L'abbatiale fut classée en 1840, alors que le village devenait une commune en 1854. Une association des Amis de Léoncel poursuit l'œuvre de restauration et s'attache à renouveler au regard de notre époque le rayonnement du lieu, comme en témoigne un autel d'allure futuriste qui se marie parfaitement à l'austérité cistercienne de la pierre. L'abbaye est aujourd'hui tenue par une religieuse qui accueille dans le cadre d'une pastorale adaptée les nombreux touristes s'arrêtant à Léoncel durant les vacances d'été.

La vallée de la Gervanne

Après Léoncel, prenons la départementale 70 en direction du col de Bacchus et de Plan-de-Baix. A La Vacherie ❻, on laisse à droite le col des Limouches, autre accès important à partir de la plaine de Valence. Le col de Bacchus est à 980 m d'altitude. Entre ce col et Plan-de-Baix, le paysage change très rapidement et l'on se retrouve bientôt dans une montagne d'aspect presque méditerranén.

A Plan-de-Baix, prenons sur la gauche vers les gorges d'Omblèze. La petite route descend assez rapidement vers le moulin de la Pipe. On entre alors dans des gorges creusées par la Gervanne et qui donnent accès à la combe d'Omblèze ❼. Cette traversée est particulièrement spectaculaire au printemps, lors de la fonte des neiges, lorsqu'une quantité de cascades coule des falaises, la plus célèbre étant celle de la Pissoire. La combe elle-même remonte jusqu'au col de la Bataille, reconnaissable aux flancs abrupts du roc de Toulau. Elle cache quelques hameaux typés : les Blaches, les Arbods...

On peut aller jusqu'au village des Boutons ❽ qui présente une modeste église appartenant autrefois à un prieuré d'Antonins dépendant du monastère de Sainte-Croix dans le Diois. Au retour, une fois sorti des gorges, on pourra se rendre au saut de la Gervanne, imposante cascade appelée la Druise.

L'église de Léoncel.

Plan-de-Baix ❾

Le site est remarquable car le village se trouve dominé par un plateau aux arêtes vives, la montagne du Vellan qu'encadrent deux vallons profonds dont l'un est emprunté par la Gervanne. Ce "Plan" fut un oppidum, ce qui ne saurait surprendre

Plan-de-Baix.

Beaufort-sur-Gervanne.

au vu des qualités défensives offertes par ce site. On le distingue et le reconnaît de très loin, une grande croix ayant été dressée juste au-dessus. L'église est du XIIe siècle.

Descendant vers Beaufort-sur-Gervanne ⑩, on appréciera la vue splendide qui s'ouvre d'ici sur toute la vallée de la Gervanne et le Diois. Derrière se dresse encore l'étonnante table de pierre qui domine Plan-de-Baix.

Beaufort-sur-Gervanne

Cet agréable bourg a conservé presque toute son enceinte de remparts du Moyen Age, plus ou moins intégrés aux habitations (on remarquera trois tours). Près de l'église s'élève un donjon du XIVe siècle. A travers les rues étroites (d'allure déjà presque provençale), tout en se promenant, on pourra aller jusqu'au portail du Nouveau Château qui est daté du XVIIe siècle. La localité fut très durement touchée par les bombardements en juillet 1944, ce qui lui valut la Croix de guerre.

La vallée de la Gervanne est agréable. On peut la remonter quelque peu afin de pénétrer plus au cœur de ce pays secret en prenant la direction de l'Escoulin, ainsi qu'en empruntant de modestes routes qui mènent à de vieux villages comme Vaugelas ⑪ qui possède une église romane ou encore à Montclar ⑫ où subsistent les restes d'enceintes et une porte fortifiée...

Nous voici dans la vallée de la Drôme, où s'achève la promenade par Mirabel-et-Blacons ⑬. Le vieux village de Mirabel (du nom de la famille des seigneurs du lieu) a conservé les traces de ses fortifications, quelques vestiges du donjon et des tours.

RENSEIGNEMENTS PRATIQUES

Beaufort-sur-Gervanne (26400)

- Syndicat d'initiative
  Tél. : 75.76.45.49.

Léoncel (26190)

- Abbaye
  Tél. : 75.41.02.35.

Accueil tous les jours, sauf le mardi, de 10 h à 12 h et de 14 h à 18 h.

- Association Les Amis de Léoncel
  Tél. : 75.41.04.68.

A lire

Léoncel, une abbaye cistercienne en Vercors, Parc naturel régional du Vercors, 1985.

LA RESERVE DES HAUTS-PLATEAUX

Les hauts plateaux forment dans leurs quasi-totalité la réserve naturelle du Parc du Vercors. L'automobile y est strictement interdite et des barrières en protègent bien entendu l'accès (place à la randonnée !). Il faut toutefois approcher des plateaux pour emprunter les différents chemins balisés qui les traversent. Un des endroits les plus fréquentés reste le parking de la Maison forestière de La Coche ❶. On prendra à gauche sur la départementale 518, à environ 1 km avant le village de Rousset ❷ lorsque l'on vient de La Chapelle ❸ et Saint-Agnan-en-Vercors ❹.

De là, les possibilités de randonnée sont multiples, vers le pas de la Ville, en laissant le Grand-Veymont ❺ à droite, vers la Fontaine-de-Gerland et la Grande-Cabane ❻, promenade assez facile, qui donnera cependant une belle idée de ce que sont les hauts plateaux du Vercors. De là, le randonneur peut aller vers le pas des Chattons ❼, laissant à gauche le Grand-Veymont. Du pas des Chattons, la vue est splendide sur le Trièves et le mont Aiguille ❽. De la Grande-Cabane, on peut de même prendre le GR 91 en direction du pas de Chabrinel ❾ par exemple, au-dessus du Diois. Il s'agit bien là de randonnée et la prudence s'impose, à commencer par celle d'emmener une bonne carte d'état major.

Depuis Archiane

Un autre moyen d'approcher les hauts plateaux, à partir du sud cette fois, peut être à l'occasion de la découverte du cirque d'Archiane ❿. Pour ce faire, empruntons la route du col de Menée pour prendre à gauche, au village de Menée, la départementale 224 qui conduit jusqu'à Archiane. De là, un petit effort et une magnifique promenade mènent sur le Glandasse ⓫ où l'on retrouve le GR 91.

On peut aussi aller jusqu'au bout de la route du vallon de Combeau ⓬ qui laisse sur la droite, après le village de Benevise ⓭, le grand rocher du même nom. Une brève promenade à pied permet d'accéder au bord des hauts plateaux (côté est) et si le temps est clair, on sera assuré d'une vue extraordinaire sur toutes les crêtes du massif, sur le mont Aiguille, le Trièves et même au-delà, vers l'est, en direction de la chaîne des Alpes.

Déjà en 1410 !

On peut aussi accéder aux hauts plateaux par le nord, à partir de Corrençon-en-Vercors ⓮ où l'on pourra prendre le GR 91 en direction de l'abri de Carrette ⓯. Ce faisant, on passe par le lieudit Champ-de-bataille. C'est là que les troupes de l'évêque de Die furent vaincues par

Sur les hauts plateaux (dans le fond, le mont Aiguille).

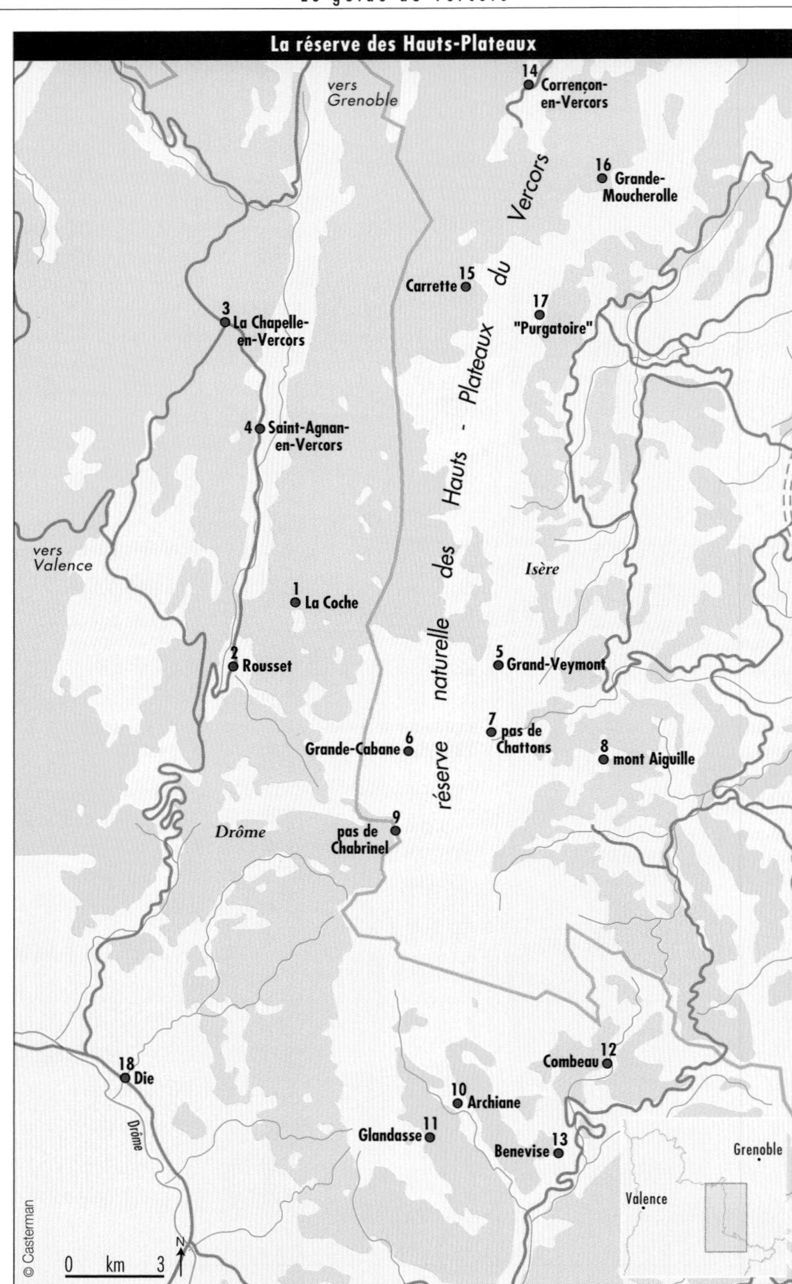

celles du seigneur de Sassenage en 1410. Sur la gauche s'élève la Grande-Moucherolle ⓰, tandis que la montagne de Lans se poursuit au sud par une zone redoutable de lapiaz qui est appelée “Purgatoire” ⓱, allusion on ne peut plus claire aux efforts qu'il convient de déployer si l'on veut y passer... Mais là, à nouveau, c'est le domaine de la randonnée et non plus de la simple promenade.

Le GR 91

Les amateurs de marche n'hésiteront pas, en tout cas, à suivre ce GR qui permet la traversée de part en part des hauts plateaux du Vercors de Corrençon, dans les

Les hauts plateaux.

Quatre-Montagnes, à l'extrême pointe du Glandasse, avant que le chemin ne redescende vers Châtillon-en-Diois après avoir longé, à partir du pas de Chabrinel ❾, une bonne partie des falaises au-dessus de Die ⓲. Des refuges et des abris permettent cette traversée qui convient aux bons marcheurs. Il est prudent de se renseigner auprès de l'association des Guides du Vercors, ou encore auprès des Maisons du Parc ou des syndicats d'initiative des communes du plateau. S'il ne s'agit pas d'escalade, il s'agit bien de montagne...

RENSEIGNEMENTS PRATIQUES

- Maison de l'aventure
  Avenue des Bruyères
  26420 La Chapelle-en-Vercors.
  Tél. : 75.48.22.38.
  Activités sportives de montagne.

- Association de développement touristique des Quatre-Montagnes (ADT)
  Place Mure-Ravaud
  38250 Villard-de-Lans.
  Tél. : 76.95.15.99.

- Centre permanent d'initiation à l'environnement
  Parc naturel régional du Vercors
  Maison du Parc
  38250 Lans-en-Vercors.
  Tél. : 76.94.38.38.

- Centre d'informations "Montagnes et sentiers" (CIMES)
  14, rue de la République
  38000 Grenoble.
  Tél. : 76.54.34.36.

- Comité départemental de la montagne et de l'escalade
  Maison des sports
  Côte des Chapeliers
  26000 Valence.
  Tél. : 75.70.10.49.

- Les Accompagnateurs du Vercors
  c/o Luc Mortier
  Les Gonnets
  38880 Autrans.
  Tél. : 76.95.70.76.

- Association des Accompagnateurs en montagne
  38880 Autrans.
  Tél. : 76.95.70.76.

A lire

Topoguides GR 9-91-93-94-95-E4 : *Les Hauts-Plateaux du Vercors* et *Cartoguides de randonnée du Parc,* éd. Parc naturel régional du Vercors.

Cartes IGN-Parc régional du Vercors, éd. Parc du Vercors/IGN.

L'ARCHEOLOGIE

Le Vercors et ses régions-sœurs sont riches en matière d'archéologie. Dès 1902, des recherches furent entreprises par Müller et Flusin dans le massif des Quatre-Montagnes et des silex furent retrouvés dans la petite grotte de l'Olette non loin de Lans-en-Vercors ❶. D'autres fouilles eurent lieu par la suite, en 1907 notamment, non loin de la Chapelle-en-Vercors ❷, à l'entrée des Grands-Goulets. Dans la grotte de Bobache furent retrouvés quatre niveaux de foyer et en 1912, dans le plus profond de ces niveaux, on retrouva une pièce exceptionnelle : un harpon en bois de renne provenant des chasseurs magdaléniens, pièce qui valut tout de suite une belle notoriété scientifique au site. De célèbres préhistoriens y vinrent, dont l'abbé Breuil. Il s'agit-là d'outils et armes dits "aziliens" du nom de la grotte ariégeoise du Mas-d'Azil. Par la suite Müller fit d'autres découvertes sur cette même période azilienne vieille d'environ 10 000 ans.

La Bourne à la sortie des grottes de Choranche.

On pensait alors en avoir terminé avec la préhistoire dans le Vercors mais d'autres découvertes, faites tardivement, attestèrent la présence de l'homme bien avant cette période azilienne. Il est maintenant établi que le Vercors fut fréquenté il y a environ 120 000 ans, comme le montrent des trouvailles faites en surface près de Villard-de-Lans ❸. Le paléolithique moyen est avéré également, grâce à des découvertes faites aux grottes de Bury et de Prélétang ❹ dans le massif des Coulmes, près de Méaudre ❺ à la grotte de La Passagère, et auusi près de Saint-Nizier-du-Moucherotte ❻. La période magdalénienne n'est pas moins représentée (-10 000 ans à -7000 ans environ) à l'abri Bobache près de La Chapelle comme nous l'avons vu, mais aussi à l'abri Campalou et à la grotte de Thaïs à Saint-Nazaire-en-Royans, à la grotte de la Freydières près de Saint-Agnan-en-Vercors ❼, aux grottes de La Passagère et Colomb à Méaudre. La période néolithique est présente à la grotte du Coufin à Choranche et aussi à Bouvante dans le Royans. Des traces de néolithique moyen ont également été retrouvées à Saint-Loup et à La Balme-de-Glos. C'est enfin le paléolithique récent, 2000 ans environ avant J.-C., avec le très important gisement de plein air de Vassieux-en-

Hippolyte Müller lors des fouilles de "La Passagère" à Méaudre (début du siècle).

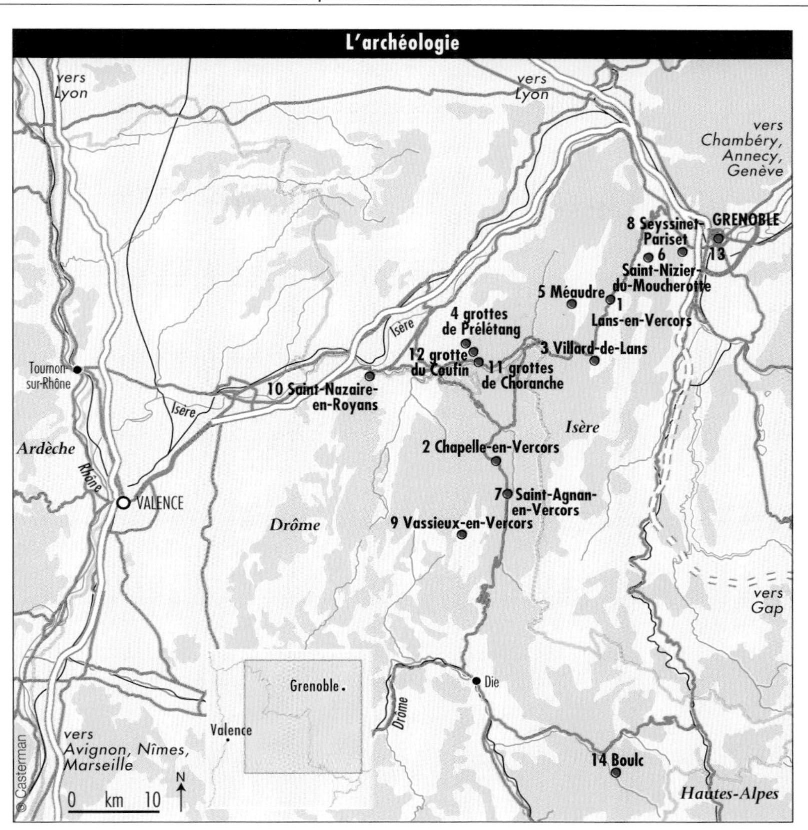

Vercors et celui de la grotte de Seyssinet-Pariset ❽ à l'extrême nord des Quatre-Montagnes, où l'on a retrouvé des céramiques de l'âge du bronze, datées de 1600 à 1000 ans avant J.-C. D'autres découvertes viennent encore d'être faites très récemment qui confirment une présence humaine nombreuse et régulière dans le Vercors, bien avant notre ère.

Le musée de site de Vassieux

Le passionné d'archéologie visitera forcément les musées de la région qui accueillent en dépôt certaines pièces rares retrouvées dans le Vercors. A Vassieux-en-Vercors ❾, un "musée de site" a été édifié au-dessus du gisement en plein air découvert en 1970 entre le col de Vassieux, au-dessus du Diois, et le bourg. C'est un grand atelier de taille de silex qui couvre 80 m^2 environ et qui est resté en l'état, n'ayant donc subi ni dégradation ni vol. Ce site a été classé en 1984 et on y a découvert un important matériel, tandis que les fouilles minutieuses se poursuivent encore. La visite permet à la fois la découverte du site et celle des outils, armes et objets mis au jour; on y apprend également les méthodes de fouilles utilisées par les archéologues. On ne peut que constater et admirer ici le formidable métier de nos lointains ancêtres en matière de taille de silex, la spécialité de Vassieux ayant été la taille de lames fines, typiques de cette civilisation

Nucleus long (livre de beurre) provenant de l'atelier de taille P51 de Vassieux-en-Vercors.

pressignienne datée d'environ 2000 ans avant J.-C. dont on retrouve des traces nombreuses en France et en Belgique.

Le musée se complète de présentations d'objets et d'une exposition didactique permettant une bonne approche de la préhistoire. On ne manquera pas la démonstration de taille de silex exécutée régulièrement par les guides et qui permet de comprendre la technique mise au point à partir de l'onde de choc sur des rognons de silex pour obtenir ces étonnantes et souvent magnifiques lames de pierre, aussi coupantes qu'un rasoir et dont ces hommes avaient fait un artisanat totalement maîtrisé et un commerce florissant. En fait, on peut penser que les pièces retrouvées à Vassieux – et souvent fort belles – ne leur étaient pas destinées puisqu'ils les laissèrent sur place.

La grotte de Thaïs

On pourra également trouver une exposition d'archéologie très intéressante à la grotte de Thaïs, à Saint-Nazaire-en-Royans ⓾, où furent découverts des outils, des parures, des sagaies, des bois de rennes et des os gravés datant des époques magdalénienne et paléolithique (environ 13 000 ans avant notre ère). De nombreuses pièces sont visibles à la grotte. De même, une exposition permanente est proposée aux grottes de Choranche ⓫ avec des objets magdaléniens trouvés à la grotte du Coufin ⓬.

On peut encore découvrir outils divers et autres trouvailles préhistoriques dans les musées des environs, au musée dauphinois à Grenoble ⓭ et au musée d'Histoire et d'Archéologie de Die avec, notamment, des lames, des pointes de flèches, des céramiques, des haches de bronze... un important matériel découvert pour l'essentiel dans le Diois. Les amateurs noteront aussi, dans le Diois non loin de Châtillon, à Boulc ⓮, la "Tune de la Varaime", grotte à gravures datée du tout début de notre ère.

RENSEIGNEMENTS PRATIQUES

Choranche (38580)

- Grottes de Choranche
  Accès par les gorges de la Bourne (route Pont-en-Royans-Villard-de Lans)
  Tél. : 76.36.09.88.

Ouverture : toute l'année. Visites guidées du site et des alentours.

Die (26150)

- Musée d'Art et d'Archéologie
  Tél. : 75.22.03.03.

Ouverture : tous les jours en juillet-août, sauf le dimanche, de 15 h 30 à 18 h 30.

Grenoble (38000)

- Musée dauphinois
  30, rue Maurice-Gignoux
  Tél. : 76.85.19.00.

Ouverture : tous les jours, sauf le mardi, de 10 h à 19 h (jusqu'à 18 h du 1er novembre au 30 avril).

La Chapelle-en-Vercors (26420)

- Grotte de la Draye-Blanche
  Tél. : 75.48.27.81.

Saint-Nazaire-en-Royans (26190)

- Grotte de Thaïs
  Tél. : 75.48.45.76.

Ouverture : du 1er juin au 30 septembre, tous les jours, de 10 h à 12 h et de 14 h à 17 h.

Vassieux-en-Vercors (26420)

- Musée de la Préhistoire en Vercors
  Tél. : 75.48.27.81.

Ouverture : du 1er avril au 30 septembre, tous les jours, de 10 h à 18 h (jusqu'à 17 h le reste de l'année). Fermé du 15 octobre au 15 novembre.

A lire

La Préhistoire dans le Vercors, Parc naturel régional du Vercors, 1983.

LES SPORTS

Un royaume pour le ski de fond

La pratique du ski de loisir s'est développée dans le Vercors dès le début du XXe siècle, et d'abord dans le massif des Quatre-Montagnes, Villard-de-Lans devenant rapidement une station réputée avec, dès 1931, les premiers téléskis. Ce fut ensuite, dans les années '50, une télécabine et enfin l'aménagement de pistes à 2000 m et plus. Progressivement, d'autres communes des plateaux et du Trièves s'intéressèrent aux sports d'hiver en aménageant pistes et domaines skiables, ainsi de Lans-en-Vercors, Autrans, Méaudre, Saint-Nizier-du-Moucherotte (avec stade de neige) dans les Quatre-Montagnes, ainsi encore, il y a plus de vingt ans maintenant, de Gresse-en-Vercors, Prélenfrey dans le Trièves, du col de Roméyère dans les Coulmes et de Font d'Urle et du col de Rousset dans le Vercors central.

Depuis une vingtaine d'année la mode du ski de fond a donné au Vercors des possibilités de développement totalement neuves, les Jeux olympiques de 1968 étant sans doute pour beaucoup dans la découverte de ce sport de neige. Toutes les stations déjà citées ont créé des domaines pour les fondeurs qui totalisent maintenant des centaines de kilomètres de pistes tracées et entretenues : à Gresse-en-Vercors, Prélenfrey, Autrans et Méaudre (les domaines skiables étant liés pour totaliser quelque 250 km de pistes sur lesquelles se court chaque année la "Foulée blanche"), Corrençon, Villard, Lans... A cela, il faut maintenant ajouter d'immenses domaines de ski nordique comme le plateau d'Herbouilly entre Saint-Martin-en-Vercors et Villard-de-Lans, la zone de Font-d'Urle et de la forêt de Lente...

Ski de fond à la route de la Coche.

Ski de fond sur les hauts plateaux.

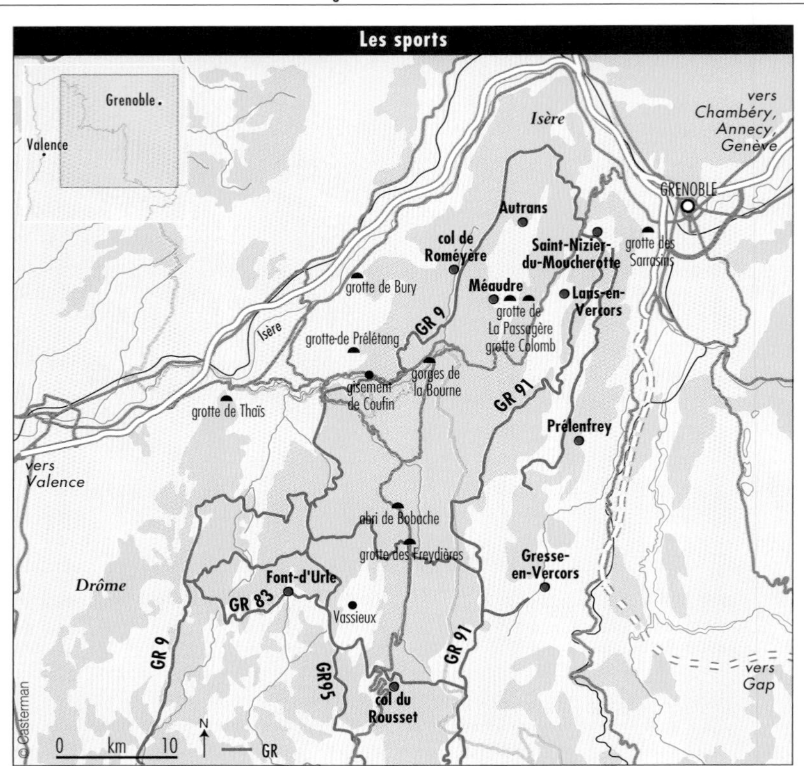

De nombreux foyers de ski de fond se sont installés, comme à Presles, offrant de belles possibilités de randonnée dans le massif des Coulmes, à Vassieux-en-Vercors, Lente, Saint-Julien-en-Vercors ou encore au col de Roméyère... Dès que la neige est bien installée, ce sont donc des centaines de kilomètres de pistes qui ouvrent la voie de l'aventure à tous les fondeurs. Le ski de fond est vraiment devenu la marque spécifique du Vercors dans le domaine des sports d'hiver français.

La traversée du massif est désormais un grand classique; elle joint le col du Rousset à Corrençon-en-Vercors à travers les hauts plateaux : montagne de Beure, plateau du Veymont, canyon des Erges sous la zone du Purgatoire et prairie de Darbounouze, pour rejoindre ensuite Corrençon par l'abri de Carrette. Ce tracé est sensiblement celui du GR 91. Un tel parcours demande six à sept heures d'effort pour un fondeur de moyenne force, sachant que le dénivelé total est de 400 m environ dans le sens de la descente. Abris et refuges permettent par ailleurs des randonnées sur plusieurs journées.

Mais il y a bien d'autres possibilités, pour tous les niveaux, du Glandasse au plateau de Lente, aux Coulmes et aux Quatre-Montagnes, sachant que cette dernière zone reste enneigée plus longtemps.

Les grottes et les gouffres

Le Vercors est terre de spéléologie mais, fort heureusement pour l'amateur et le curieux, certaines grottes ont été aménagées car la spéléologie n'est pas accessible à tout le monde : elle exige une forme parfaite au plan sportif et des guides compétents, car une exploration souterraine est toujours un risque, tout spécialement en Vercors.

Il sera difficile de faire en une seule journée un circuit du "monde souterrain" car les grottes aménagées sont assez éloignées l'une de l'autre. Au nord, au pied du massif des Quatre-Montagnes et dans ce qui est déjà la banlieue lointaine de Grenoble, il y a d'abord les cuves de Sassenage, résurgence vauclusienne correspondant à un réseau très actif qui se trouve pratiquement sous le Furon, torrent qui descend de Lans-en-Vercors à la rencontre de l'Isère. C'est une des plus importantes percées hydrologiques de France. C'est aussi un lieu de légendes et l'on parle volontiers ici des belles larmes cristallisées, versées un jour par la fée Mélusine et qui donnèrent ainsi aux grottes leurs célèbres pierres ophtalmiques. Stendhal lui-même venait, dit-on, dans ces lieux étonnants (l'entrée des grottes se trouve près du château de Sassenage et on y parvient par un joli chemin suivant le Furon). On en visite le dédale avec un guide, et chaque salle a un nom.

Cette résurgence correspond à un réseau situé sous le plateau du Sornin, juste au-dessus, plateau sur lequel se trouve le gouffre Berger à 1460 m d'altitude. C'est un des plus grands du monde, avec ses quelque 1198 m de profondeur et un développement en longueur de plus de 20 km. Ce réseau actif n'est accessible, cela va de soi, qu'à des spéléologues très confirmés.

Pas très loin de là, à Engins, s'ouvre également la grotte de la Fromagère qui descend à -902 m, à Méaudre le "Trou qui souffle" qui développe 13 km, à Corrençon le gouffre de la Combe-de-Fer qui descend à -582 m et le scialet Moussu à -536 m. Le territoire de la commune de Corrençon est pour le moins riche en grottes : le scialet de Malaterre en forêt de la Loubière et la grotte de la Glaciaire située plus près de la station. Dans cette cavité, eau glacée et neige des hivers se sont accumulées et,

Pont-en-Royans : la galerie du Siphon de la grotte de Choranche.

Spéléologie

Explorateur et sportif, le spéléologue se doit d'être les deux à la fois. C'est que le monde souterrain n'est pas de tout repos et qu'il requiert une forme parfaite. Une galerie souterraine, ce n'est pas un chemin facile et il y a aussi tous ces puits qui font fréquemment 50 m de profondeur et plus. Si l'on descend à la corde en rappel, il faut aussi être capable de remonter... à l'échelle de cordes ou de câble.

Dans le Vercors, la spéléologie naquit dès la fin du XIXe siècle grâce à deux précurseurs originaires de Pont-en-Royans : Mellier et Descombaz. Ils débutèrent à la bougie... et explorèrent ainsi les grottes du Bournillon. Mais ces pionniers furent vite arrêtés dans leurs recherches par le manque de moyens techniques. Ils ne pouvaient en effet franchir les siphons ou descendre dans certains puits trop profonds.

C'est dans les années '50 que se développa vraiment la spéléologie et c'est à cette époque que des équipes parfaitement entraînées entreprirent l'exploration de toutes les cavités connues et de toutes celles que l'on continua alors de découvrir sur les plateaux du Vercors, au cœur même des immenses forêts, souvent modestes trous au creux d'une falaise ou au fond d'une doline. La grotte de la Luire est ainsi, explorée en 1952, et dès 1956 on descendit à -1122 m au gouffre Berger. Durant ces mêmes années les équipements firent beaucoup de progrès et permirent de franchir en scaphandre les siphons, ce qui favorisa une meilleure connaissance de réseaux comme ceux du Brudour, par exemple, ou encore de Gournier-Choranche...

La verticalité fut vaincue elle aussi grâce à des systèmes de freins que l'on plaça sur la corde : on remontait de la sorte sur la même corde qui vous avait permis de descendre.

Le plus grand puits du Vercors (le "Pot 2") fait plus de 300 m à pic et il se trouve sur le territoire de la commune de Saint-Andéol, dans la zone des hauts plateaux du Purgatoire.

Le karst du Vercors reste incontestablement un des hauts lieux de la spéléologie pour toute l'Europe.

VTT sur les hauts plateaux, vers la Grande-Cabane (Grand-Veymont).

comme la chaleur de l'été ne parvient pas jusque là, la glace subsiste toute l'année (les habitants venaient y extraire de la glace pour leur usage personnel). Dautres grottes-glacières existent dans le Vercors. Ainsi, toujours dans les Quatre-Montagnes, en forêt de Chaumes à Autrans ou encore sur le Font-d'Urle au plateau d'Ambel...

Non loin de Corrençon, dans les gorges de la Bourne, s'ouvrent encore d'autres grottes, notamment la Goule-Blanche qui est une des nombreuses résurgences que compte le Vercors. Dans le massif des Coulmes s'ouvre aussi la grotte de Bary, et il y a en a bien d'autres encore à explorer, plus ou moins difficiles. Il s'agit là, de toute façon, de spéléologie et non de tourisme...

Non loin de la grotte du Bournillon, autre résurgence s'ouvrant sur la vallée de la Bourne, à Choranche, se trouve ce qui est sans doute une des plus belles grottes de tout le massif, si ce n'est la plus belle : celle de Coufin, à quelques kilomètres au-dessus de Pont-en-Royans. Cette cavité accueillit les hommes du paléolithique et du mésolithique (il y a 70 000 ans) et, plus tard, les agriculteurs du néolithique. Elle fut découverte en 1875, puis explorée par Oscar Decombaz, un des pionniers de la spéléologie. La grande particularité de Choranche, ce sont les longues stalactites qui tombent de la voûte de la grande salle, tubes de 4 mm de diamètre environ, longs parfois de plus de 3 m, l'ensemble formant une admirable barrière minérale et translucide, toute de finesse et que mettent en relief des éclairages fort bien faits. C'est un pur rêve. D'autres concrétions viennent compléter ce somptueux tableau, qui se mirent dans un lac souterrain aux eaux tellement claires... On peut également visiter sur place une exposition archéologique et faire la connaissance du protée, animal carvernicole le plus grand au monde. En voie de disparition, il est élevé ici en aquarium. A l'extérieur, des chemins aménagés permettent de découvrir la grotte de Gournier et les cascades de tufs. En effet, les grottes de Choranche developpent au total un réseau de 16 km qui ne se visite pas.

Une autre grotte, non moins belle, est celle de la Draye-Blanche en Vercors central, au bord de la route qui va de La Chapelle à Vassieux-en-Vercors. Elle fut découverte en 1918 par un habitant de ce lieu alors perdu, F. Rey surnommé "Marseille". Cet amoureux de la nature très original ne dit rien de sa découverte jusqu'en 1970, gardant, semble-t-il, ces merveilles pour lui tout seul et protégeant du même coup cette splendeur des visiteurs mal intentionnés. La grotte est donc comme au jour de sa découverte et rien n'y a été cassé, sauf en de rares endroits pour permettre le passage. Depuis 1990, un tunnel facilite l'accès qui se faisait autrefois par un puits muni d'escaliers. La percée de ce tunnel a d'ailleurs permis de découvrir un site paléontologique étonnant qui a été fouillé et où l'on a retrouvé quelque 10 000 ossements représentant une bonne quarantaine d'espèces animales ! Cette découverte devrait également permettre d'en savoir plus sur la faune du Vercors il y a 10 000 ans environ. La grotte elle-même se visite très facilement; le spectacle est superbe qu'illuminent des éclairages subtils. Les formes en draperies des stalactites et des stalacmites défient l'imagination. On trouve ici, par exemple, de très rares "excentriques", sorte de stalactite se développant apparemment au mépris des règles de la pesanteur. La grotte consiste pour l'essentiel en une vaste salle en forme de dôme.

Autre grotte aménagée, mais foncièrement différente, la Luire se trouve non loin du hameau de La Bruitière, sur la route de La Chapelle au col du Rousset. Le vaste porche fut le théâtre d'un atroce massacre en août 1944. Il servait, en effet, d'hôpital aux maquisards. Ayant découvert le lieu, les SS montèrent à la Luire. Ils achevèrent sur place quatorze des blessés grièvement atteints; les onze autres furent abattus au village de Rousset. Les médecins, l'aumonier et les infirmières furent emmenés vers Grenoble, ces dernières étant déportées à Ravensbrück et les autres fusillés dans la préfecture de l'Isère.

La grotte de la Luire est "active", on n'y trouve donc pas de concrétions et la roche – si l'on peut dire – y est nue. On visite de grandes galeries et une immense salle haute de 80 m environ qui mènent à un profond scialet donnant accès aux étages inférieurs qui n'ont, du reste, pas encore été entièrement explorés. On en connaît pour le moment plus de 11 km permettant de descendre à la cote -510 m environ. Des crues spectaculaires transforment parfois le porche de la Luire en un impressionnant et sauvage torrent. On parle du reste de cette grotte comme d'une Vernaison souterraine. En crue, ses eaux remontent des cavités pour déborder en débits souvent énormes vers la vallée de la Vernaison, grotte aérienne celle-là... Les gens d'ici disent que la Luire "crève".

Pas très loin de là, en forêt de Lente, les amoureux de nature pourront aller jusqu'à la grotte du Brudour (elle n'est pas aménagée et se trouve fermée au fond du porche) au terme d'une agréable promenade pédestre dans la forêt, en longeant le petit torrent qui en surgit. Selon les pluies ou la fonte des neiges, ce cours d'eau disparaît plus ou moins loin du porche dans le sous-sol. En cas de crue, il peut être très abondant et couler ainsi jusque Lente, et même

Marcheurs sur le balcon est du Vercors.

Du Vercors à la glace

Janot Lamberton est explorateur et il s'est même fait une spécialité de l'exploration des glaciers, notamment au Groënland. Mais pour cet enfant de La Chapelle, le Vercors reste la terre qui l'a vu débuter : "Il y a deux personnages importants dans ma vie : mon instituteur de La Chapelle, M. Paturel, qui m'a fait découvrir la spéléo et Haroun Tazieff qui m'a fait aimer le monde des glaciers..."

Sa première grotte, il l'a faite à l'âge de quatre ans, alors même que les enfants éteignaient les bougies pour mieux se faire peur. Pour Janot Lamberton, le Vercors reste un pays "tout vert ou tout blanc", c'est le pays des contrastes permanents, un pays qu'on peut utiliser aussi bien pour sa beauté que pour ses passions : on peut le faire à pied, à ski, à cheval, en l'escaladant ou en descendant dans ses cavités, histoire de bien prendre conscience de l'énorme travail effectué par la nature et l'érosion, du gouffre à la falaise !

"C'est un pays qui est plus fort que l'homme". En clair : on pratique le Vercors mais c'est lui qui fait la loi. On utilise ce qu'il veut bien vous offrir... "Les jeunes qui viennent ici s'en vont ensuite partout dans le monde. Le Vercors reste à mes yeux une formidable école de "prêt à partir" car c'est un résumé de tout ce que l'on peut trouver ailleurs sur terre...". Une véritable initiation à la vie en quelque sorte.

au-delà en direction de Combe-Laval, remplissant une à une toutes les dolines qui se trouvent sur son parcours et donnent accès au même cours d'eau (mais souterrain cette fois). Au bas de Combe-Laval, les eaux ainsi drainées par les réseaux souterrains forment le Cholet qui rejoint, dans le Royans, la Lyonne puis la Bourne.

N'oublions pas non plus la grotte de Thaïs à Saint-Nazaire-en-Royans. C'est un réseau de galeries sur trois étages. Celui du milieu est aménagé et permet d'admirer des parois travaillées en force par les eaux souterraines et colorées de façon superbe par différents oxydes de fer, de l'ocre au rouge. Ces grottes furent habitées par l'homme préhistorique. On y a retrouvé des outils de pierre et d'os, également une côte gravée de diverses incisions et qui fait penser à un calendrier ou encore à des notations. On trouve là, également, une intéressante reconstitution de ce qui devait être un campement de l'âge de pierre. La visite est enfin complétée par la présentation d'animaux cavernicoles : araignées, sauterelles et poissons dépourvus d'yeux...

Le sport, jusqu'à l'extrême...

Paradis du randonneur ou du fondeur, le Vercors est en passe de devenir le royaume des sports que l'on qualifie aujourd'hui d'extrêmes, sans pour autant oublier les autres, plus traditionnels.

Il en est ainsi de l'escalade, et des quantités de sites peuvent être pratiqués. Le Vercors est en effet riche en parois et falaises de tous les niveaux d'escalade, du Diois à la vallée de l'Isère. Parmi ces sites réputés : les aiguilles de Benevise, les gorges d'Omblèze, les rochers de l'Epenet, Archiane, les falaises de Presles, les Petits-Goulets, les roches de Prélenfrey-du-Guà et, d'une manière générale, toutes les falaises dominant le Trièves. De nombreuses voies sont équipées. On obtiendra tous les renseignements auprès des clubs spécialisés ou encore des guides de montagne qui sont installés dans le Vercors et alentour.

La spéléologie représente aussi parfois, dans le Vercors, un des ces sports extrêmes si l'on pense au gouffre Berger ou encore aux 300 m en à-pic du "Pot 2" de Saint-Andéol, mais d'autres cavités sont toutefois plus faciles : grottes du Gournier à Choranche, du Brudour en forêt de Lente, de la Cheminée sur le plateau d'Herbouilly, et bien d'autres encore. Il convient là aussi de se renseigner auprès des clubs ou des professionnels.

Le VTT se développe de façon étonnante dans le Vercors (attention toutefois : certains chemins sont réglementés). La traversée des hauts plateaux est possible (uniquement sur l'itinéraire balisé GTV) et constitue une splendide balade sportive de quelques heures au cœur de paysages grandioses. On peut également traverser le massif du nord au sud en suivant le tracé de la Grande Traversée du Vercors.

La descente de canyons est également devenue en quelques années très recherchée et le Vercors en offre d'intéressantes possibilités, du canyon des Ecouges au nord-ouest au Rio Sourd dans le Diois et du ravin de Combeau aux Grands-Goulets. Là encore, les guides du Vercors pourront en dire plus et même proposer du matériel... et des émotions fortes.

Dans le Diois, Bez et Drôme attendent les amateurs de canoë-kayak; les degrés de difficulté varient surtout selon le débit des rivières et ce qui est facile en été devient fréquemment difficile au printemps. Des loueurs d'embarcations se sont installés dans la vallée, notamment autour de Saillans. Ils peuvent, par exemple, vous emmener jusque Pontaix et il suffira alors de suivre la Drôme au gré de ses courants et rapides pour découvrir des paysages absolument somptueux. Les loueurs assurent bien entendu l'acheminement jusqu'au lieu de départ choisi (si l'on n'est pas très expérimenté on mettra beaucoup plus de temps qu'on ne le croit généralement...).

Le parapente figure aussi, maintenant, parmi les sports extrêmes que l'on peut pratiquer dans le Vercors. De nombreux sites s'y prêtent : au site de Courtet dans le Trièves par exemple, au Glandasse au-dessus du Diois, au But de Saint-Genix au-dessus du pays de Quint ou au roc Cornafiou dans les Quatre-Montagnes...

L'escalade.

N'oublions pas le cheval (le département de la Drôme est actuellement le premier de france pour la randonnée équestre), sport moins extrême sans doute, mais moyen privilégié de découverte de la nature en Vercors. Les possibilités de randonnée sont multiples. Quelques gîtes équestres dynamiques existent, qui peuvent intéresser les cavaliers, à Villard, Malleval et Lente. Il est bien sûr prudent de se renseigner auparavant.

RENSEIGNEMENTS PRATIQUES

- Maison de l'aventure
  26420 La Chapelle-en-Vercors.
  Tél. : 75.48.22.38.
- Maison du Parc et de l'escalade
  Prélenfrey
  38450 Le Guà.
  Tél. : 76.72.34.41.
- Association de développement touristique du Vercors-Quatre-Montagnes (ADT)
  Place Mure-Ravaud
  38250 Villard-de-Lans.
  Tél. : 76.95.15.99.
- Directions départementales de la Jeunesse et des Sports
  - Quartier Brunet
  BP 2106
  26021 Valence cedex.
  Tél. : 75.42.19.33.
  - 11, avenue Paul-Verlaine
  38000 Grenoble.
  Tél. : 76.33.73.73.
- Maison des sports
  Côte des Chapeliers
  26000 Valence.
  Tél. : 75.55.06.73.
- La Drôme à cheval
  26000 Valence.
  Tél. : 75.45.78.79.
- Vercors-Accueil
  Maison du Parc
  38250 Lans-en-Vercors.
  Tél. : 76.94.11.11.
- Office de tourisme du Vercors-Sud
  26420 La Chapelle-en-Vercors.
  Tél. : 75.48.22.54.

Les communes du massif du Vercors

Découverte de 83 communes du massif du Vercors (classées par ordre alphabétique).

Pour chacune d'elles, vous trouverez un bref historique, une description de tous les aspects qui justifient une visite et tous les renseignements pratiques (plans, mairie, gare, manifestations...) pour réussir votre visite (une liste des hôtels, golfs, centres équestres, autres adresses utiles... et des accès se trouve en page 180).

Pont-en-Royans : les maisons suspendues au-dessus de la Bourne.

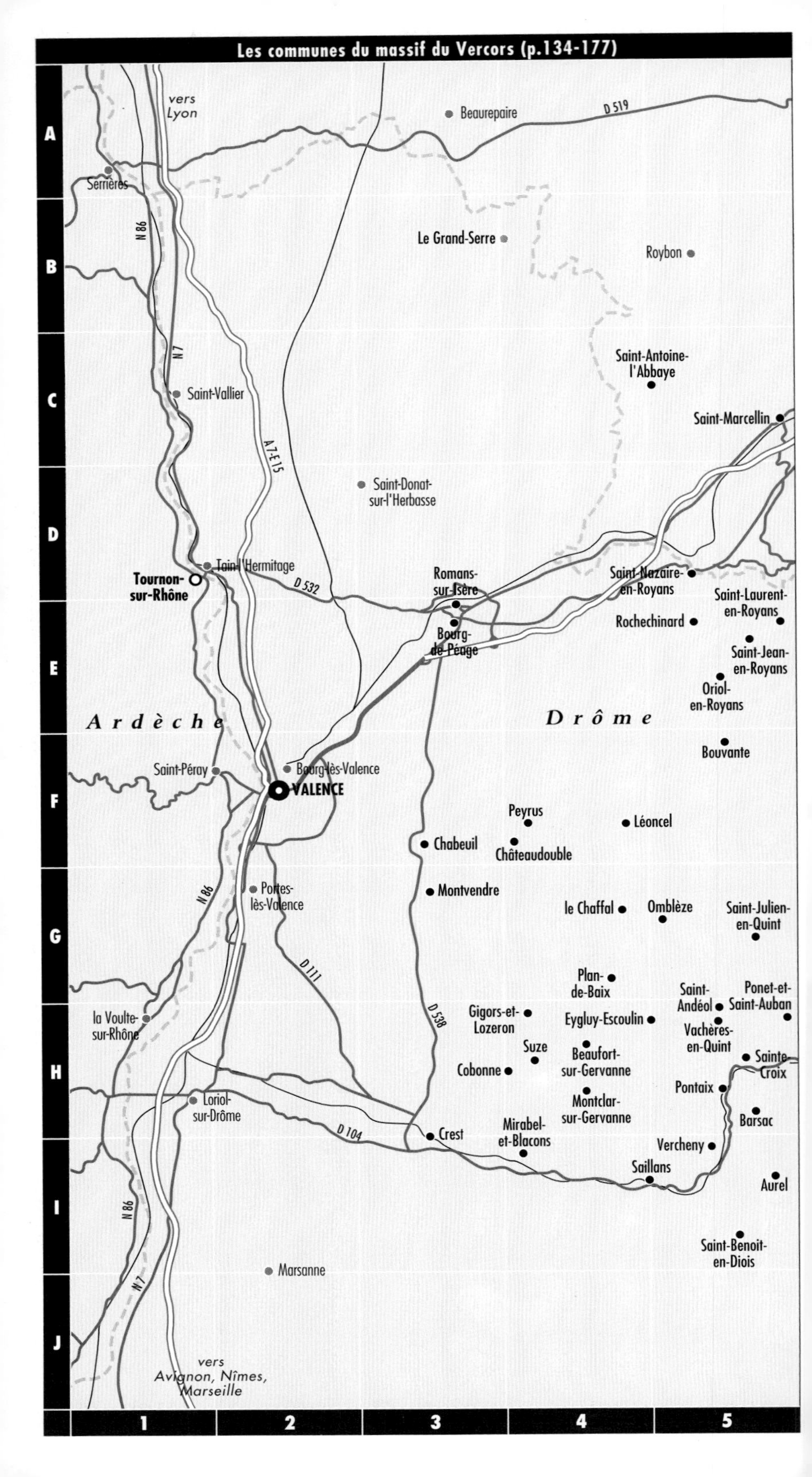

Les communes du massif du Vercors (p.134-177)
vers Lyon
Beaurepaire
D 519
Serrières
N 86
Le Grand-Serre
Roybon
N 7
Saint-Antoine-l'Abbaye
Saint-Vallier
Saint-Marcellin
A7-E15
Saint-Donat-sur-l'Herbasse
Tain-l'Hermitage
Tournon-sur-Rhône
D 532
Romans-sur-Isère
Saint-Nazaire-en-Royans
Saint-Laurent-en-Royans
Rochechinard
Bourg-de-Péage
Saint-Jean-en-Royans
Oriol-en-Royans
Ardèche
Drôme
Bouvante
Saint-Péray
Bourg-lès-Valence
VALENCE
Peyrus
Léoncel
Chabeuil
Châteaudouble
N 86
Portes-lès-Valence
Montvendre
le Chaffal
Omblèze
Saint-Julien-en-Quint
D 111
Plan-de-Baix
Saint-Andéol
Ponet-et-Saint-Auban
Gigors-et-Lozeron
Eygluy-Escoulin
la Voulte-sur-Rhône
D 538
Vachères-en-Quint
Suze
Beaufort-sur-Gervanne
Sainte-Croix
Cobonne
Pontaix
Loriol-sur-Drôme
Montclar-sur-Gervanne
Barsac
Mirabel-et-Blacons
D 104
Crest
Vercheny
Saillans
Aurel
N 86
Saint-Benoit-en-Diois
Marsanne
N 7
vers Avignon, Nîmes, Marseille
A
B
C
D
E
F
G
H
I
J
1
2
3
4
5

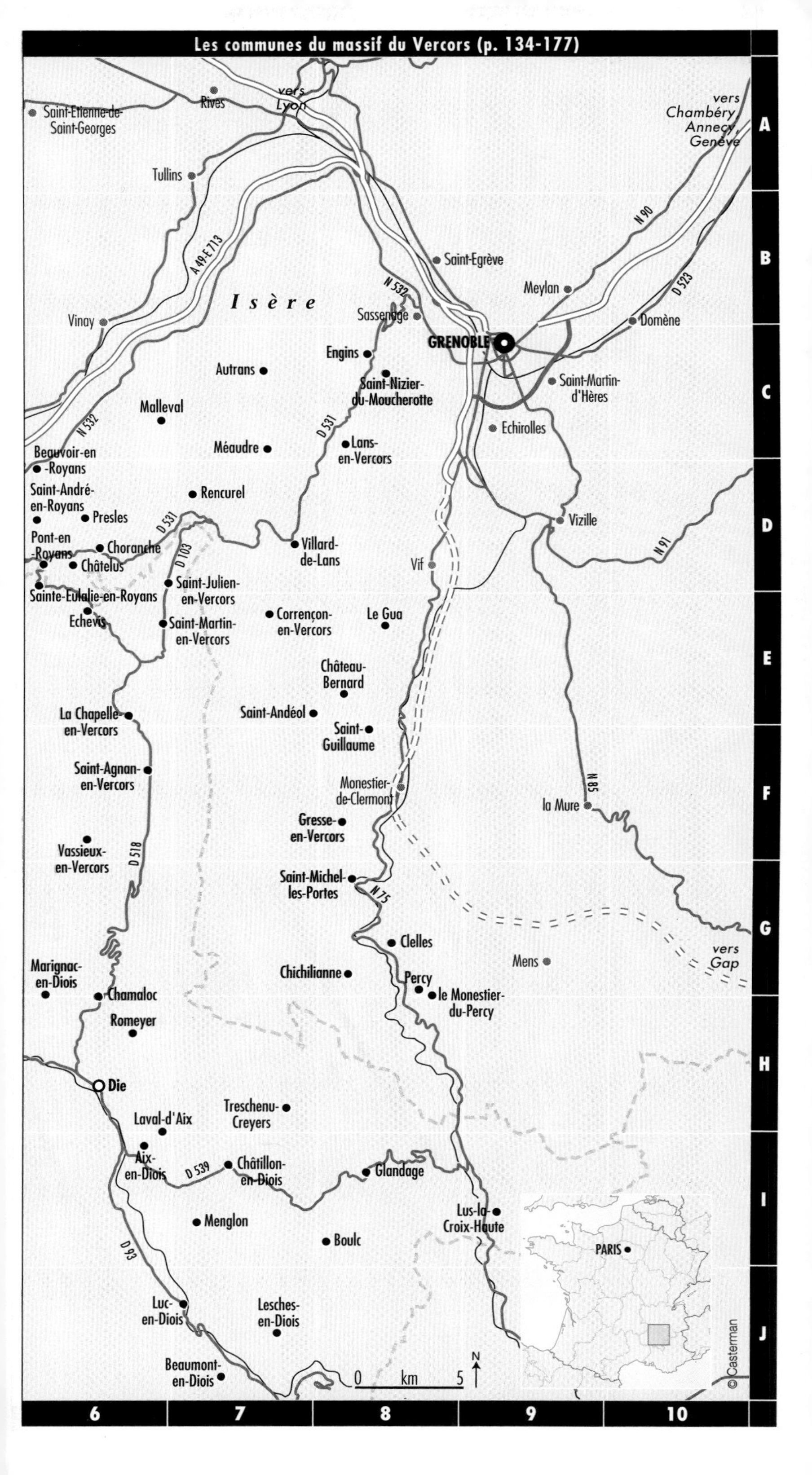

Les communes du massif du Vercors (p. 134-177)
vers Lyon
Rives
Saint-Etienne-de-Saint-Georges
vers Chambéry, Annecy, Genève
Tullins
A 49-E 713
N 90
Saint-Egrève
Meylan
D 523
Isère
N 532
Sassenage
Domène
Vinay
GRENOBLE
Engins
Autrans
Saint-Nizier-du-Moucherotte
Saint-Martin-d'Hères
Malleval
N 532
D 531
Echirolles
Méaudre
Lans-en-Vercors
Beauvoir-en-Royans
Rencurel
Saint-André-en-Royans
Presles
D 531
Vizille
Pont-en-Royans
Choranche
D 103
Villard-de-Lans
N 91
Châtelus
Vif
Saint-Julien-en-Vercors
Sainte-Eulalie-en-Royans
Echevis
Saint-Martin-en-Vercors
Corrençon-en-Vercors
Le Gua
Château-Bernard
La Chapelle-en-Vercors
Saint-Andéol
Saint-Guillaume
Saint-Agnan-en-Vercors
Monestier-de-Clermont
N 85
la Mure
Gresse-en-Vercors
Vassieux-en-Vercors
D 518
Saint-Michel-les-Portes
N 75
Clelles
vers Gap
Mens
Marignac-en-Diois
Chichilianne
Percy
le Monestier-du-Percy
Chamaloc
Romeyer
Die
Treschenu-Creyers
Laval-d'Aix
Aix-en-Diois
D 539
Châtillon-en-Diois
Glandage
Lus-la-Croix-Haute
Menglon
Boulc
PARIS
D 93
Luc-en-Diois
Lesches-en-Diois
Beaumont-en-Diois
0 km 5
N
© Casterman
A
B
C
D
E
F
G
H
I
J
6
7
8
9
10

AIX-EN-DIOIS

26150 • I-6 • 209 hab.

Mairie Tél. : 75.21.81.03.

Il y a deux villages dans cette commune : Pont-de-Quart et Aix-en-Diois. Le premier tire son nom de la présence précoce, dès les temps gallo-romains, d'un pont situé à 4 milles romains de Die, d'où le "quart" accolé à Pont. C'est à cet endroit aussi que se séparent les routes qui vont en direction de Luc-en-Diois pour l'une, et Châtillon-en-Diois pour l'autre. C'étaient des voies romaines qui menaient vers le nord de l'Italie via Gap pour la première et vers le Trièves via le col de Menée pour la seconde. C'est à Pont-de-Quart d'ailleurs qu'avait été aussi installée, à la fin du XIXe siècle, la gare de transbordement entre la ligne de chemin de fer de Valence à Veynes et la ligne d'intérêt local vers Châtillon-en-Diois.

Aix-en-Diois est un village très ancien. Sur une colline subsistent les ruines

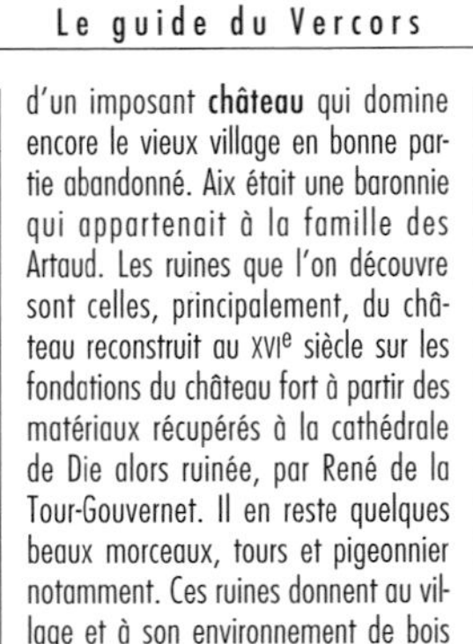

d'un imposant **château** qui domine encore le vieux village en bonne partie abandonné. Aix était une baronnie qui appartenait à la famille des Artaud. Les ruines que l'on découvre sont celles, principalement, du château reconstruit au XVIe siècle sur les fondations du château fort à partir des matériaux récupérés à la cathédrale de Die alors ruinée, par René de la Tour-Gouvernet. Il en reste quelques beaux morceaux, tours et pigeonnier notamment. Ces ruines donnent au village et à son environnement de bois et de vignes, une allure singulière.
La campagne est moins bosselée vers Pont-de-Quart, dans la vallée même de la Drôme sur les bords de laquelle il est possible d'observer hérons et castors.

Aix-en-Diois : la colline avec les ruines du château.

AUREL

26340 • I-5 • 204 hab.

Mairie Tél. : 75.21.73.84.

Le vieux village est rassemblé sur une butte autour d'une **église romane** datée du XIe siècle. D'un lointain passé subsistent également une borne milliaire et les ruines d'un prieuré... Le lieu fut très disputé entre les seigneurs féodaux au XIIe siècle. Plus haut que le village, à quelques kilomètres vers le sud, s'élève la tour de Rimon, perchée à 1134 m d'altitude.
Aurel est spécialisé dans la production de la clairette. Ce peut être le point de départ de belles randonnées pédestres vers la forêt domaniale d'Aup ou de Solaure, ou encore vers la tour de Rimon.

AUTRANS

38880 • C-7 • 1406 hab.

Mairie Le Village
Tél. : 76.95.32.22.

Office de tourisme
Route de Méaudre
Tél. : 76.95.30.70.

Maison du Parc et des Quatre-Montagnes
Tél. : 76.95.35.01.

ESF
Le Claret
Tél. : 76.95.33.19.

Manifestations
Foire à l'ancienne (septembre).
Festival Neige et Glace (d'octobre à décembre).

Nous sommes ici dans un des plis synclinaux de direction nord-sud qui marquent le massif. C'est un lieu isolé, tout particulièrement en hiver où les relations se font avec Lans-en-Vercors via le col de la Croix-Perrin à 1218 m d'altitude ; quant à la relation directe avec la vallée de l'Isère, elle est fermée l'hiver. Il est donc logique que se soit développée ici une vraie mentalité de montagnards, c'est que la vie y fut très dure. Au XVe siècle, les habitants obtinrent de leur seigneur une charte de commune mais leur esprit frondeur finit par provoquer un drame : en 1848, ils voulurent, en effet, retrouver les mêmes droits sur la forêt qu'avant la Révolution française, contre l'avis bien sûr de l'Office national des forêts. L'idée était même de partager les forêts... Finalement, les soldats montèrent de Grenoble pour rétablir l'ordre républicain et tuèrent cinq personnes... Elevage et exploitation du bois ont toujours été à la base de l'économie locale et, au Moyen Age, ces bois étaient même montés jusqu'aux pas dominant la vallée de l'Isère puis confiés à la gravitation le long de longues descentes... Souvenir de ces temps lointains : la base du clocher de l'**église Saint-Nicolas-et-Sainte-Marguerite** datée du Moyen Age, le reste ayant été reconstruit au XIXe siècle.

Le tourisme l'a, depuis, largement emporté sur les activités traditionnelles, ceci dès avant la dernière Guerre mondiale avec des séjours climatiques puis de sports d'hiver à la faveur des Jeux olympiques de 1968. Autrans accueille désormais autant l'hiver que l'été. On y trouve entre autres une dizaine d'hôtels, quatre maisons d'enfants, trois villages-vacances... L'été, on pratique ici la randonnée, le VTT et de nombreux sports, collectifs ou non. On peut aussi s'y adonner à la spéléologie, l'escalade, l'équitation, la pêche, le parapente, le tennis...
L'hiver n'est pas moins attrayant avec un **stade de neige**, 18 km de pistes de ski alpin, quinze remontées mécaniques, un télésiège, le dénivelé maximum étant de 400 m. On y trouve encore une école de ski alpin et de ski de fond. En ski nordique, c'est le rêve de tous les fondeurs avec quelque 160 km de pistes tracées et 250 km si l'on ajoute les parties reliées à Méaudre, le village voisin. Ajoutons une centaine de kilomètres pour randonnée nordique et pour chiens de traineau, un stand de tir pour biathlon... Bref, une station vraiment complète.

BARSAC

26150 • H-5 • 116 hab.

Mairie Tél. : 75.21.71.58.

Ce modeste et pittoresque village est tourné entièrement vers le sud, ce qui fait de lui un endroit idéal pour accueillir les meilleurs vignobles. C'est un des berceaux de la clairette de Die, comme le prouvent les caves des producteurs. Ce site privilégié fut repéré très tôt dans l'histoire puisqu'on y trouve une **borne milliaire gallo-romaine** datée du IVe siècle.

BEAUFORT-SUR-GERVANNE

26400 • H-4 • 256 hab.

Mairie Route de la Suze
Tél. : 75.76.44.41.

Syndicat d'initiative du Pays de Gervanne
Le Village
Tél. : 75.76.45.49.

Manifestation
Fête des moissons (juillet).

Une enceinte, trois tours, un donjon, Beaufort-sur-Gervanne a gardé en partie son allure de place forte au cœur de la riante vallée de la Gervanne. Dès l'époque gallo-romaine, les lieux furent peuplés et on y relevait plusieurs villas cultivant probablement vignes et céréales. Au XIIe siècle, les moines de Léoncel y installèrent un cellier. Le village dès lors s'agrandit progressivement, placé qu'il était sur un axe reliant Lyon à Marseille en évitant la vallée du Rhône. Trois foires et un marché hebdomadaire y furent créés par François Ier, en 1544. C'était presqu'une petite ville prospère lorsque survinrent les guerres de Religion. Beaufort fut pris et repris à cinq reprises en une quinzaine d'année. Le château fut finalement démantelé en 1581, tandis que la fin du XVIe siècle était marquée par la peste. Beaufort, en grande majorité acquis à la Réforme, eut encore à souffrir après la révocation de l'édit de Nantes en 1685, et une femme fut même pendue devant sa maison en 1687.

Beaufort-sur-Gervanne.

Beaufort comptait environ 600 habitants en 1872 mais l'exode rural marqua profondément le village et la région, faisant disparaître nombre d'activités traditionnelles. Elle eut enfin à subir deux bombardements et un pillage en juin et en juillet 1944, ce qui lui valut la croix de guerre en 1950. Le village fut entièrement reconstruit par l'Etat. C'est maintenant une modeste commune vivant d'agriculture et d'une brève saison touristique.

On s'y arrêtera volontiers pour visiter les quelques petites rues autour de **l'église Saints-Barthélémy-et-Sébastien** et son clocher double avec horloge, ainsi que pour aller jusqu'au portail du nouveau château situé un peu en arrière. Les restes du **donjon** donnent sur la place où l'on pourra garer sa voiture. La vue est belle sur l'enceinte et ses tours se sont intégrées aux habitations au fil des siècles. Au-dessus de la vallée de la Gervanne, cette enceinte est beaucoup plus haute et imposante. On peut aussi aller jusqu'à la rivière et suivre un moment la verdoyante vallée en direction de l'Escoulin.

BEAUMONT-EN-DIOIS

26310 • J-7 • 58 hab.

Le village se trouve au-dessus de la plaine du Grand-Lac, en amont du chaos du Claps, rive gauche de la Drôme. Il est dominé par les ruines d'un **château fort** dit château des Tours et situé au sommet d'une lame de calcaire dur. On trouve aussi dans cette localité les restes d'un prieuré dédié à saint Martin.

On peut apprécier à Beaumont et dans les environs de multiples possibilités de randonnée à pied, à cheval ou à VTT. C'est aussi un lieu d'initiation pour le parapente que l'on peut pratiquer, notamment, dans les sites de la montagne de Clamenta; une école professionnelle de parapente agréée est installée là. Une association appelée "Autre espace", basée à Beaumont-en-Diois, se propose par ailleurs d'initier à l'escalade, au canyoning et au tir à l'arc.

BEAUVOIR-EN-ROYANS

38160 • D-6 • 59 hab.

Mairie Tél. : 76.38.06.21.

Dans cette modeste commune à la lisière du Royans et de la vallée de l'Isère, on trouve les belles **ruines** d'un château : donjon, porte fortifiée, fenêtre d'une chapelle gothique... Ce château fut acquis par les dauphins en 1251 et Humbert II vint y habiter au début du XIVe siècle après avoir succédé en 1333 à Jean II, son père. Il y vint accompagné d'un luxe rare auquel il s'était accoutumé en Italie, à la cour de Naples. C'est lui qui entreprit de transformer en palais ce qui était un château fort. On évalue la cour qui gravitait autour de lui et son épouse à près de 2000 personnes ! C'est lui aussi qui invita les Carmes à venir implanter à Beauvoir un monastère tout à côté du château, en 1343. Ce monastère fut détruit lors des guerres de Religion puis rebâti en 1666. Les bâtiments sont aujourd'hui intégrés à une ferme suite à leur rachat comme biens nationaux en 1791. Le château était alors à l'abandon depuis longtemps.

Un petit musée des Amis du vieux-Beauvoir existe près des ruines, qui permet d'en savoir bien davantage sur ce passé glorieux et fastueux.

- *Musée delphinal*
  Place de l'Eglise
  Tél. : 76.64.02.55.

Ouverture : en juillet et août, tous les jours, de 14 h à 17 h et de mars à octobre, les week-ends de 14 h à 18 h.

BOULC

26410 • I-8 • 74 hab.

Mairie Tél. : 75.21.15.69.

Cette commune regroupe une douzaine de hameaux répartis dans les vallées du Haut-Diois, autant de sites particulièrement sauvages. Lors d'importantes inondations la route d'accès habituelle, la départementale 148 a été emportée à partir des gorges des Gâts. On accède actuellement à Boulc par une piste qui part de Miscon, village que l'on peut rejoindre à partir de Luc-en-Diois (D 174). Pas très loin de Boulc se trouve la Tune de la Varaime, grotte-bergerie où la présence de l'homme est attestée depuis 6000 ans. Le site est classé Monument historique et on ne peut y accéder qu'avec un guide et après une marche.

La **grotte** comporte des centaines de gravures datées du tout début de notre ère et les archéologues y ont retrouvé les traces du passage aux diverses techniques : pierre, cuivre, bronze puis fer. Ils ont pu également, à partir de fouilles, établir la pratique en ces temps très reculés de formes de transhumance.

- *La Tune de la Varaime*
  Tél. : 75.22.23.98-
  75.21.34.25-75.22.14.71.

Visite sur rendez-vous avec guide.

BOURG-DE-PEAGE

26300 • E-3 • 9248 hab.

Mairie Rue du Docteur-Eymard
Tél. : 75.72.74.00.

Syndicat d'initiative
Pavillon de tourisme
Boulevard Alpes-Provence
Tél. : 75.72.18.36.

La ville regarde Romans, de l'autre côté de l'Isère, mais les deux cités sont restées longtemps rivales. A l'origine simple hameau où l'on devait s'acquitter d'un péage si l'on n'était pas du pays, Bourg-de-Péage dépendait de l'évêque de Valence pour l'église et du comte de Valentinois, tandis que Romans dépendait de l'archevêque de Vienne et du dauphin. Ce n'est qu'en 1419 que Bourg-de-Péage fut rattaché à la France, soit 70 ans après Romans, une frontière qui ne pouvait pas ne pas laisser de traces... Romans racheta Bourg-de-Péage au seigneur de Pizançon en 1634 mais, après procès, les deux villes se séparèrent.

Au plan économique, la rivalité n'était pas moindre ; on ne fit pas de chaussures à Bourg-de-Péage avant l'installation des ateliers Charles Jourdan entre les deux guerres et la spécialité fut la chapellerie, industrie qui se développa à partir du milieu du XIXe siècle avec, en particulier, la maison Mossant. Il y avait ici dans les années 1860 une quinzaine de fabriques pour 400 salariés environ, puis les effectifs grimpèrent de façon très sensible, la maison Mossant ayant eu jusqu'à 1200 employés. Mais la concurrence frappa durement la chapellerie en même temps que les modes changeaient. En 1978, il n'y avait plus rien.

Datant d'un passé plus lointain, il subsiste à Bourg-de-Péage une seule **maison médiévale**, au n° 1 de la Grande-Rue.

BOUVANTE

26190 • F-5 • 219 hab.

Mairie Bouvante-le-Bas
Tél. : 75.48.57.85.

Foyer de ski de fond
Hameau de Lente
Tél. : 75.48.26.55.

ESF
Font d'Urle-Chaud Clapier
Tél. : 75.48.28.14.

La commune, située dans le haut Royans en direction de la vallée de la Lyonne et du Val Sainte-Marie, reprend le vaste territoire de la forêt de Lente et des alpages du Font-d'Urle et du serre Montué, la haute vallée butant, par-delà Bouvante-le-Haut, sur le col de la Bataille.

Au XIIe siècle des Chartreux s'installèrent ici, une terre leur ayant été donnée en 1144 par le dauphin dans le val Sainte-Marie. Dans ce vallon assez resserré et dominé par le belvédère de la Portette, les moines vécurent longtemps de l'élevage des brebis et de la forêt puis, en 1673, ils firent construire un haut-fourneau, non loin de la correrie. L'énergie de la soufflerie était fournie par le ruisseau de Chaillard; le minerai de fer venait d'Allevard via l'Isère et le port de Saint-Nazaire-en-Royans pour être finalement acheminé à Bouvante par charrette; le charbon de bois était fourni quant à lui par la forêt de Lente. Sur la Lyonne furent aussi ins-

Bouvante : le domaine skiable de Font-d'Urle.

tallés trois martinets d'une centaine de kilos qui permettaient de travailler la fonte sortie du haut-fourneau. De tout cela il ne reste presque rien, si ce n'est une arche d'un aqueduc à Chaillard et quelques noms de lieudits comme le Martinet ou la Ferronière...

L'abbaye eut un puissant rayonnement durant tout le Moyen Age mais elle eut beaucoup à souffrir des guerres de Religion. Elle prospéra pourtant et c'est la Révolution française qui eut raison d'elle. Elle fut en effet vendue comme bien national. Les superbes boiseries partirent à Saint-Jean-en-Royans où on peut encore les admirer dans l'église paroissiale, ainsi que l'autel. La correrie, qui abritait les frères devint une ferme et la **chapelle** une grange qui est en cours de restauration. L'abbaye fut quant à elle détruite. Les différents domaines furent vendus, l'Etat conservant l'ensemble de la forêt de Lente, massif de quelque 3000 ha.

Le village de **Lente** ne date que d'une centaine d'années environ et il accueille des forestiers. Ce domaine immense ne fut vraiment ouvert au monde extérieur qu'à la percée des routes venant du Royans et, en particulier celle de Combe-Laval. La forêt abrite cerfs et mouflons et bien d'autres espèces.
Le nombre de randonnées possibles y est considérable, ne serait-ce qu'en suivant les routes et pistes forestières. On pourra aller jusqu'aux jolies gorges de la Lyonne, plus bas cette fois et déjà dans le Royans, jusqu'au lac de Bouvante-le-Haut, village qui s'enorgueillit d'une église du XIe siècle, ou jusqu'au val Sainte-Marie.

Sur les plateaux, on peut aller jusqu'à **Font-d'Urle** et la porte d'Urle qui domine le pays de Quint, jusqu'à la grotte de la Glacière, ou encore, lorsqu'on redescend vers Lente, jusqu'à la grotte du Brudour au porche magnifique d'où s'écoule un torrent qui souvent disparaît entre les cailloux de son lit. On le retrouve bien plus loin, au fond du cirque de Combe-Laval, au pied des falaises, après un long parcours souterrain dont les spéléologues n'ont pas, tant s'en faut, découvert tous les secrets. Il existe à Lente un centre équestre qui propose de magnifiques randonnées à cheval.

A Bouvante même on peut aussi pratiquer la pêche tandis que sur les plateaux, une fois la neige tombée, s'ouvrent d'immenses domaines de ski nordique avec 150 km de pistes dans le secteur de Lente et du col de Carri en direction de La Chapelle-en-Vercors, et aussi 75 km de pistes dans le secteur de Chaud-Clapier. Il y a un foyer de ski de fond à Lente. A Font-d'Urle on peut pratiquer le ski de descente entre 1730 et 1450 m d'altitude; on y compte 7 téléskis.

CHABEUIL

26120 • F-3 • 4790 hab.

Mairie 1, place de Génissieu
Tél. : 75.59.01.70.

Office de tourisme
Porte Monumentale
Quai de la République
Tél. : 75.59.28.67.

Manifestation
Fête des Rameaux (avril).

Nous sommes ici dans la plaine de Valence, au pied de la partie sud-ouest du Vercors. L'active petite ville a conservé son plan circulaire, souvenir des remparts du Moyen Age, ainsi que la base d'un imposant **donjon** et une belle **porte** construite à la fin du XIVe siècle. Pour rester dans la note médiévale, la mairie fut reconstruite au XIXe siècle dans un style plus ou moins "troubadour" avec tour et mâchicoulis. La vieille ville présente un réseau serré d'étroites rues où le curieux se promènera avec plaisir.

CHAFFAL (LE)

26190 • G-4 • 42 hab.

Mairie La Vacherie
Tél. : 75.44.77.22.

La commune consiste en quelques hameaux dont celui de Chaffal à l'abandon depuis 1924 et celui de La Vacherie sur la route de Plan-de-Baix à Léoncel, et qui accueille aujourd'hui la mairie. C'est sur le territoire de cette localité qu'a lieu le changement

Chabeuil : la porte du Donjon (XIVe siècle).

de climat si marquant entre Vercors-Nord-Royans et Vercors-Sud-Diois, aux alentours du col de Bacchus. Les territoires oscillent entre 660 et 1380 m d'altitude, le hameau de La Vacherie correspondant à peu près à la ligne de partage des eaux entre les bassins de la Drôme et de l'Isère, le ruisseau de Comberoufle allant vers la Gervanne et donc la Drôme, la Lyonne descendant vers le Royans.

Au plan historique, le territoire fut longtemps partagé : terre de Chaffal avec le prieuré bénédictin de Saint-Robert dont on trouve trace dès 1220, dépendant de la Chaise-Dieu et qui devint fief au XVIIe siècle, terre de La Vacherie, hameau probablement créé par les moines de Léoncel. La commune dans sa forme actuelle date de 1854 et c'est l'année suivante que s'ouvrait la route du col de Limouches; celle menant à Plan-de-Baix ne s'ouvrit qu'en 1865.

La commune abrita un groupe de maquisards durant la dernière Guerre mondiale et le hameau de La Vacherie fut bombardé en juillet et août 1944.

On pourra aller jusqu'au village abandonné de Chaffal où subsistent encore quelques **ruines du prieuré de Saint-Robert**, ainsi que jusqu'au canyon des Gueulards qui descend vers les gorges d'Omblèze. A noter aussi, à l'ouest, une vaste zone de lapiaz sous taillis.

CHAMALOC

26150 • H-6 • 93 hab.

Mairie Tél. : 75.22.22.85.

Ce village d'allure très méditerranéenne est installé dans une sorte de cuvette à l'abri des grands vents du nord grâce au Vercors. C'est le premier village que le voyageur rencontre en Diois après l'impressionnante descente en lacets du col du Rousset. Quelques champs, quelques bois, de la garrigue, des prés, des vignes, de la lavande... l'agriculture locale s'est aussi fait une spécialité de l'élevage des chèvres et des moutons.

Ce lieu a été habité, semble-t-il, très tôt dans l'histoire si l'on en juge par les sépultures datées des débuts de la chrétienté et retrouvées ici. Au Moyen Age, le village était implanté plus haut mais il fut détruit lors des guerres de Religion. Il en subsiste quelques **ruines** ainsi que celles d'un château. Le village actuel, avec son église, est pour l'essentiel du XVIIIe siècle.

Des promenades agréables sont possibles le long de la Comane. Il existe par ailleurs, à Chamaloc, une **maison du Parc et de la flore**.

- *Maison du Parc et de la flore*
  Tél. : 75.22.25.52.

CHAPELLE-EN-VERCORS (LA)

26420 • E-6 • 628 hab.

Mairie Tél. : 75.48.20.12.

Office de tourisme Vercors-Sud
Tél. : 75.48.22.54.

Manifestations

L'Alpi-Rod (janvier).
La grande traversée du Vercors en ski de fond (février) et en VTT (septembre).
Marché (le jeudi et le samedi en été).

Chef-lieu de canton du Vercors drômois

La petite ville s'est installée sur une hauteur regardant au sud. Elle se trouve sensiblement au milieu du massif du Vercors et les routes créées à la fin du XIXe siècle en ont fait un carrefour. Dès le Moyen Age, il y eut ici un village comme le rappellent notamment les ruines d'un château fort daté du XIe siècle au lieudit La Bâtie, et dont la fonction était de défendre l'accès du Haut-Vercors tout comme le château de Saint-Julien. Le village trouva son emplacement actuel au XVIIe siècle, les défenses de pierre une fois devenues inutiles ; il s'organisa dès lors autour de l'église dont le clocher est du XIIIe siècle. Toutefois, les événements de juillet 1944 ont considérablement modifié l'aspect de La Chapelle-en-Vercors, le bourg ayant été complètement reconstruit après les bombardements et l'incendie subis. Seul le clocher en réchappa. Près du bureau de Postes, quelques pans de **murs anciens** rappellent le sacrifice de seize jeunes gens du pays abattus sommairement par les Allemands en représailles le 25 juillet 1944 dans cette cour qui a pris depuis le nom de "cour des Fusillés".

La Chapelle-en-Vercors est devenue une cité touristique agréable; on y trouve quelques hôtels et restaurants de qualité et de bonnes possibilités d'accueil. C'est un lieu central bien équipé avec piscine et tennis l'été et qui offre d'excellentes possibilités de balades de découverte du Vercors dans toutes les directions, que ce soit vers les **Grands-Goulets** tout proches, les hauts plateaux, le col du Rousset, la forêt de Lente par le col de Carri, la **grotte de la Draye-Blanche** (Tél. : 75.48.24.96)... L'hiver, les domaines de ski de fond ne sont jamais loin et on en trouve d'ailleurs un au col de Carri (6 km) (Tél. : 75.48.11.38). Le bourg accueille également la **maison du Parc et de l'aventure**.

• *Maison de l'aventure*
Tél. : 75.48.22.38.

CHATEAU-BERNARD

38650 • E-8 • 134 hab.

Le site de ce village du Trièves est tout à fait exceptionnel et impressionnant, dans un vaste cirque sous les hauteurs rocheuses de la Grande-Moucherolle. C'est un ensemble de hameaux disséminés et souvent très isolés les uns des autres. Le nom de la commune se serait fixé au XVIIe siècle, mais on ne trouve ici aucune trace de château...

Les lieux restent très sauvages et la station est de création récente. En hiver, on compte vers le col de l'Arzilier une dizaine de pistes de ski alpin dévalant sous les rochers et le col des Deux-Sœurs. Il convient d'y ajouter des pistes de ski de fond intéressantes grâce à l'environnement prestigieux qui est le leur. La randonnée d'été est non moins passionnante en direction des hauts plateaux ou même de Corrençon-en-Vercors. Le col des Deux-Sœurs est, quant à lui, facilement accessible grâce à un télésiège. De là-haut, la vue sur les différentes crêtes du Vercors est splendide.
C'est au-dessus de Château-Bernard que se trouve ce qu'on appelle le **"mur des Sarrasins"**, curieux tas de pierres accumulées à l'évidence par des hommes et que l'on dit être les restes d'un système de défense, une légende voulant que les Sarrasins soient passés par le pas de la Balme au cours du IXe siècle et qu'ils aient été accueillis à coup de pierres...

La Chapelle-en-Vercors : l'église (clocher du XIIIe siècle).

CHATEAUDOUBLE

26120 • F-4 • 414 hab.

Mairie Tél. : 75.59.81.09.

Le nom de cette localité provient du fait qu'il y avait là un château riche de deux donjons. Ce "château rompu", qui se résume à quelques vestiges aujourd'hui, fut ruiné pendant les guerres de Religion. Un nommé Laprade, sinistre voyou, le tenait et menaçait les paysans, quand il ne les massacrait pas simplement, aidé de ses sbires. Les paysans se constituèrent en une ligue qui entreprit le siège du château sous la direction de Paumier, le gouverneur du Dauphiné, qui apportait son concours à l'affaire en engageant son artillerie en avril 1579. Finalement, les hommes de Laprade se rendirent dès les premiers coups de canon et le château fut démantelé. Il reste toutefois

Château-Bernard.

un **château**, daté celui-là du début du XVIIe siècle (propriété privée).

CHATELUS

38680 • D-6 • 95 hab.

Mairie Tél. : 76.36.04.68.

Ce village consiste en une série de hameaux répartis dans les prés sous les rochers du Bournillon, sur la rive gauche de la Bourne, entre le resserrement de Pont-en-Royans et les gorges de la Bourne. On trouve sur le territoire communal de belles sources. C'est aussi par Châtelus que passait autrefois la voie muletière entre Royans et Vercors central par le pas de l'Allier, randonnée que l'on peut encore faire aujourd'hui sur les traces des "charbonniers" qui descendaient, à raison d'une centaine de mules par jour, le charbon de bois vers les hauts-fourneaux de la vallée de l'Isère. Une autre belle balade mène au porche du Bournillon et à la splendide **cascade** du même nom, puis vers le pas de l'Echarasson.

CHATILLON-EN-DIOIS

26140 • I-7 • 545 hab.

Mairie Le Village
Tél. : 75.21.14.44.

Office de tourisme
Rue des Reclus
Tél. : 75.21.10.07.

Manifestations
Fête de la vigne et des vignerons (août).
Marché (le vendredi).

Bibliographie
Beaumier (Séverine), *Un village.*
Chevallier (Denis), *Un village des ronces*, éd. Curandera.

Situé sous les falaises du Glandasse, gros village ou toute petite ville et chef-lieu de canton, Châtillon-en-Diois doit son nom au château qui, autrefois, dominait le bourg. Il en reste sur le rocher des fondations dont certaines ont été réutilisées pour construire des maisons. Au sortir de la partie étroite de la vallée du Bez (on écrit aussi Bès), Châtillon se trouve sur le tracé de la voie romaine qui reliait Die au Trièves par le col de Menée et Chichilianne. Très tôt il dut y avoir ici un village et un système de défense car les lieux s'y prêtaient : un rocher, le torrent du Bez en bas, deux ruisseaux, celui de Baïn lorsqu'on vient de Pont-de-Quart et celui de Lagier, aujourd'hui canalisé souterrainement, à l'opposé.
Dans cet espace modeste de 150 m sur 130 environ, se trouve la partie la plus ancienne du vieux Châtillon. Le bourg se présente comme une sorte de verrou au débouché même de la vallée sur la partie large menant au confluent avec la Drôme.

Châtillon-en-Diois.

On peut penser que les lieux furent fréquentés plus anciennement encore si on en croit les découvertes archéologiques faites non loin, comme dans la vallée des Gâts pour le paléolithique moyen, à Creyers dans la grotte de Pellebit pour le moustérien, à Charoussielle pour le chasséen. Les Celtes Voconces habitaient la région lorsque vinrent les Romains, la colonisation s'intéressant plus particulièrement à la plaine. Divers vestiges de cette période gallo-romaine ont été découverts : sarcophage, urne, tombes, médaille marquée Trebonianus Gallus (251-253 après J.-C.), clochette de bronze...

Au quartier de Guignaise, avant de parvenir au vieux village, se trouvait un **prieuré** qui peut avoir été fondé dès le VIIe siècle, peut-être en même temps que l'abbaye des Dames du Val-de-Combeau. Des tombes mérovingiennes ont, du reste, été découvertes sous la route. Le prieuré portait le nom de Saint-Julien-de-Guignaise et on en trouve trace dans une bulle du Pape datée de 1165. Il en reste une voûte et un écusson dans un mur, les granges ayant été vendues comme bien national lors de la Révolution française.
Le bourg était fortifié et il eut à souffrir des passages de routiers conduits par Olivier Du Guesclin en 1379. Mais c'est en 1573 que le gouverneur de Dauphiné les fit abattre, ainsi que le château, de crainte de voir les protestants en faire une forteresse.

Lorsqu'on vient de Pont-de-Quart, la route départementale, après l'ancienne gare, laisse à gauche une autre route qui passe sous le cimetière et monte vers le village. C'est là l'ancienne voie romaine, tandis que la route qui passe au pied de la ville est récente, datant de 1864. L'ancienne

voie emprunte un pont situé plus haut sur le Baïn et redescend le long du rocher. Elle porte aujourd'hui le nom de rue des Rostangs. De part et d'autre s'ouvrent de **petites ruelles** qu'on appelle ici "viol", du patois "viao" lui-même dérivé du latin "via" qui veut dire rue ou route.
Le premier qui se présente sur la gauche est le viol Saint-Nicolas qui mène à l'emplacement d'une ancienne chapelle construite au bord du rocher, et qui peut être s'appuie même dessus. La chapelle fut détruite en 1705; une maison en a d'ailleurs intégré une partie. Un peu plus bas, la rue des Rostangs tourne sur la gauche. La route qui s'ouvre sur la droite et mène directement au champ de foire a été percée en 1864. Tout de suite à droite, c'est le viol des Bernards qui mène à la placette, centre du village jusqu'au XVIe siècle. C'est là qu'avaient lieu foires et marchés. Remontons par le viol de Trempesaure pour reprendre la rue des Rostangs; un peu plus loin à gauche, c'est la maison consulaire que l'on reconnaît à sa fontaine. Le conseil s'y réunissait au premier étage de la maison tandis qu'au rez-de-chaussée se trouvait le four appartenant au prieur de Saint-Julien-de-Guignaise. C'est là que s'ouvrit la première classe d'école de Châtillon, en 1685, et ce jusqu'en 1738.

On poursuit la rue jusqu'à l'**Horloge**, tour construite en 1725 pour pallier l'absence de clocher à Châtillon. Au-delà, c'est la place Reviron, créée en 1523 pour permettre la manœuvre d'attelages. Une fontaine y a été installée à la même époque et porte aujourd'hui une statue de Marianne après avoir été ornée d'un buste de l'Empereur... Les curieux peuvent prendre le viol du Roux, juste à droite avant de passer la porte de l'Horloge; plus bas se trouve la seule maison en encorbellement qui soit à Châtillon-en-Diois.
Après la porte de l'Horloge, une rue pentue mène au temple, laissant tout de suite à gauche la mairie installée dans une vieille maison du XVIIe siècle. L'**église Saint-Julien**, située dans le prolongement de la rue des Rostangs, a été construite à la fin du XVIIe siècle et, souvenir de la Révolution, porte encore l'inscription "Temple de la Raison" tout comme on trouve sur le temple l'inscription "An II de la Liberté".

Chichilianne : l'église (XVIIIe siècle).

Châtillon-en-Diois dispose d'un plaisant camping non loin des berges du Bez, d'une piscine et d'équipements sportifs de qualité qui amènent beaucoup de monde à la belle saison.
La commune se situe également sur la Route des **villages botaniques** de la Drôme : de petits panneaux discrets permettent ainsi de s'initier à la botanique; à Châtillon il s'agit plus spécialement de plantes grimpantes et de fontaines. Les saisons conseillées pour pouvoir apprécier ces plantes sont l'été et le début de l'automne.

- *Village botanique*
  Tél. : 75.21.14.44 (mairie).

Visites guidées sur rendez-vous.

Châtillon-en-Diois est également le nom de l'appellation d'origine contrôlée des **vins** qui sont produits dans la vallée du Bez, ces vignobles figurant parmi les plus hauts de France, plantés pour la plupart au pied du Glandasse, sur la droite en descendant vers Pont-de-Quart; un chemin permet une agréable promenade en ces lieux. Ce sont des vins légers et parfumés. On en produit 300 000 bouteilles par an en rouge, 250 000 en blanc et 40 000 en rosé.

- *Découverte du vignoble*
  en petit train
  Tél. : 75.21.18.81-75.21.18.77.

CHICHILIANNE

38930 • G-8 • 159 hab.

Mairie Tél. : 76.34.40.13.

Le village s'est caché depuis des temps très anciens dans une sorte de cuvette bien séparée du reste du Trièves. Les hautes falaises des rochers du Parquet, à plus de 2000 m, dominent la localité tandis qu'au nord s'élève, majestueux, le mont Aiguille. Chichilianne était autrefois très lié avec le Diois via le pas de l'Aiguille et les hauts plateaux, puis par la voie romaine qui franchissait le col de Menée vers Die. L'ouverture d'une route importante dans ce même col au XIXe siècle renforça encore son ouverture au sud faisant de Chichilianne une localité charnière en lien constant avec les hauts plateaux et la transhumance.

C'est aujourd'hui un joli village d'allure encore dauphinoise, groupé autour de son église reconstruite au XVIIIe siècle. On trouve également sur le territoire communal deux **châteaux**, aux hameaux de Ruthières et de Passières.
Chichilianne peut être le point de départ de multiples randonnées, vers le **pas de l'Aiguille** notamment où un mémorial rappelle les événements dramatiques de juillet 1944 lorsque les maquisards défendirent chèrement le pas contre les troupes de montagne allemandes.

Le mont Aiguille
Il domine sereinement tout le pays de ses 2087 m. Il fut gravi pour la première fois en 1492 et on y trouve aujourd'hui de multiples voies dont certaines sont bien équipées. Peu d'alpinistes résistent à son attrait...
L'hiver, Chichilianne propose de belles pistes de ski de fond. Sur place, la **maison du Parc et du mont Aiguille** peut fournir de multiples renseignements.

- *Maison du Parc et du mont Aiguille Tél. : 76.34.44.95.*

CHORANCHE

38680 • D-6 • 130 hab.

Mairie Tél. : 76.36.01.65.

Dans une cluse formée par la Bourne avant le resserrement de Pont-en-Royans, le village s'est groupé autour de son église se donnant ainsi une allure plus royannaise que montagnarde. On peut encore, de la route, distinguer les restes de terrasses autrefois cultivées. On y travaillait d'ailleurs la vigne avant que le phylloxéra ne vienne mettre un terme définitif à ces productions ; l'exposition plein sud du village explique cette présence de vignes autrefois et le climat reste ici particulièrement doux malgré la présence de montagnes aussi hautes. L'homme préhistorique avait d'ailleurs apprécié les lieux puisqu'on a retrouvé dans les **grottes du Couffin** des traces d'habitat remontant à 70 000 ans. L'âge du bronze et l'âge du fer sont également présents en ces lieux qui servirent encore longtemps d'abris, notamment lors des invasions qui suivirent l'effondrement de l'Empire romain.
La localité connut par la suite, dans les années 1880-1920, et comme l'indique son nom de Choranche-les-Bains, une activité balnéaire utilisant les eaux sulfureuses d'une source.

La grotte de Choranche
Choranche offre de multiples possibilités de promenades et de randonnées, vers l'impressionnante route du plateau de Presles par exemple. On peut aussi y pratiquer la pêche mais on n'oubliera surtout pas d'aller visiter les grottes de Gournier et du Couffin où l'on trouve un **musée archéologique** et, surtout, un des plus beaux spectacles possibles dans toute l'Europe : des concrétions très rares et très fines, sortes de rais figés de calcite.

- *Grotte de Choranche Tél. : 76.36.09.88.*

Ouverture : toute l'année.

CLELLES

38930 • G-8 • 319 hab.

Mairie Le Bourg
Tél. : 76.34.40.89.

Gare
Tél. : 76.34.42.42.

Légèrement en dehors de la nationale 75 qui fut ouverte en direction des Hautes-Alpes en 1825, Clelles (chef-lieu de canton) reste un beau village du Trièves, concentré autour de son église de montagne (XIIe siècle) avec pour toile de fond le mont Aiguille qui dresse sa masse à la fois élégante et imposante face aux crêtes du Vercors. La localité se trouve en fait sur l'ancienne voie romaine allant de Mens au col de Menée, en direction donc de Die. Le fief fut cédé au premier des dauphins, Guigues de Marges, tandis que les derniers dauphins indépendants, les La Tour du Pin, y possédèrent un château. Comme tout le Trièves, Clelles eut à souffrir de diverses bandes qui sévirent au XIVe siècle puis des guerres de Religion au XVIe ; le temple fut détruit au lendemain de la révocation de l'édit de Nantes au siècle suivant. Clelles prit toutefois de l'importance à la fin du XIXe siècle à la faveur de l'ouverture de la voie ferrée de Grenoble à Veynes en 1878, et connut alors une belle prospérité.

On pratique ici la pêche, la chasse, et surtout la randonnée de moyenne montagne. Le cadre très vert s'y prête, il est vrai, vers le **torrent de l'Ebron** par exemple ou encore sur les pentes de la **forêt de Clelles**. Ici domine l'élevage qui permet la fabrication de fromages frais mais aussi de tommes spécifiques au village.

COBONNE

26400 • H-4 • 119 hab.

Mairie Tél. : 75.25.24.77.

Le pays fut peuplé dès avant la conquête romaine et, au Moyen Age, le fief relevait du comte du Valentinois qui le donna ensuite à la famille de Quint, en 1291; ce fief aboutit finalement à la famille des Clermont-Montoison qui le conserva jusqu'à la Révolution française de 1789. C'est un village qui fut fortifié au XIVe siècle, probablement suite aux troubles amenés dans la région par les routiers. Il subsiste quelques ruines de l'enceinte, dont une **tour** et une courtine ainsi qu'un gros **donjon** rond haut de 25 m qui s'appuie sur l'**église Saint-Pierre** datée du début du XIIe siècle. A découvrir également, la **porte de la Herse** avec son arc brisé, une fontaine et un four communal. Le village était sur une des voies de passage de la transhumance en direction du col de la Bataille.
Cobonne fut bombardé et incendié par les Allemands en juin et juillet 1944. Le village faillit bien disparaître, mais il reprend vie depuis les années '70.

CORRENÇON-EN-VERCORS

38250 • E-7 • 259 hab.

Mairie Tél. : 76.95.82.88.

Office de tourisme
Tél. : 76.95.81.75.

ESF
Clos de la Balme/Rambins
Tél. : 76.95.83.46.

Centre d'accueil de fond
Tél. : 76.95.80.41.

Manifestations
Fête de la montagne et de l'agriculture (août).
Départ de la Traversée du Vercors (début février).

C'est le dernier village des Quatre-Montagnes en direction des hauts plateaux. Il se trouve tout entier sous la domination des deux Moucherolles, la petite et la grande, à 2254 m d'altitude. On y passait autrefois pour joindre Villard-de-Lans à Saint-Martin-en-Vercors par le pas de l'Ane, avant que ne soit percé au XIXe siècle l'essentiel du réseau routier du Vercors. Corrençon était donc déjà une zone de rencontre, pour le bien comme pour le pire il est vrai, et le

Corrençon-en-Vercors.

lieudit Le-Champ-de-Bataille vient rappeler les luttes que se livrèrent les évêques de Die et les seigneurs de Sassenage. Les troupes de l'évêque furent vaincues ici en 1410. On se disputait également, en ces temps anciens, l'exploitation des forêts. L'attachement des habitants de Corrençon à la forêt explique que, sur le territoire communal, les trois quarts en soient des propriétés privées, et cela au terme d'une longue bataille juridique qui eut lieu au début du XIXe siècle, lorsque la ville de Villard-de-Lans voulut prendre possession des dites forêts. On fit même appel à des droits jadis accordés par le seigneur de Sassenage, en l'an 1484 ! Les habitants gagnèrent leur procès et, dans le même temps, Corrençon devint une commune indépendante. C'était en 1857.

A Corrençon, le tourisme fit une arrivée plus tardive, dans les années '60, ce qui ne l'empêcha nullement de devenir une **station d'hiver** comme d'été vivant, maintenant que les vieilles histoires sont oubliées, en lien étroit avec Villard-de-Lans avec, entre autres, des domaines skiables immenses : 130 km de pistes de ski alpin et 36 remontées mécaniques ; 160 km de ski de fond. De plus, Corrençon est le point de départ du grand itinéraire de la traversée du Vercors (du nord au sud), soit une cinquantaine de kilomètres entre Corrençon et le col de Rousset, un trajet à faire rêver tout fondeur passionné. L'été, ce sont des centaines de kilomètres de sentiers balisés qui s'ouvrent en toutes directions. On ira volontiers jusqu'au **col des Deux-Sœurs** par exemple, au-dessus du Triève, ou encore vers les hauts plateaux en direction de la difficile zone du "Purgatoire", étonnant et rude paysage. N'oublions pas une curiosité, à proximité du village de Corrençon : la **grotte de la Glacière**.

- *Grotte de la Glacière*
  Accessible par un sentier balisé (à 45 mn du centre d'accueil des Hauts-Plateaux).

CREST

26400 • H-3 • 7583 hab.

Mairie 18, rue de la République
Tél. : 75.76.61.10.

Office de tourisme
8, quai Maurice-Faure
Tél. : 75.21.11.38.

Gare
Tél. : 75.25.05.81.

Manifestations
Fête de la laine (février).
Corso de la Saint-Pierre (juin).

La ville – chef-lieu de canton – n'appartient pas à l'évidence au massif du Vercors mais elle est un point de passage essentiel pour accéder au Diois, avant qu'on ne quitte complètement la plaine de Valence et qu'on ne commence à remonter la vallée de la Drôme. La vue sur les montagnes encore lointaines du Diois est des plus belles lorsqu'on se trouve sur les quais dominant la Drôme. La ville a un aspect méridional plaisant avec ses rues étroites, ses places et quais bordés de platanes...

La situation stratégique de Crest, au débouché de la Drôme dans la plaine de Valence, justifie l'énorme donjon qui domine toute la ville de ses 52 m de hauteur. Le château alentour a toutefois disparu. De là-haut, la vue est exceptionnelle sur la ville, les premiers contreforts du Vercors, le Diois, sur la forêt de Saoû et les Trois-Becs et aussi sur la vallée du Rhône et les montagnes de l'Ardèche.

Dès le XIIe siècle, un château fut édifié à cet endroit et, en 1217, Simon de Montfort s'en servit comme base avant d'attaquer les Albigeois. La tour fut élevée au cours du XIIIe siècle, l'évêque de Die en étant chassé à la fin du siècle par le comte de Valentinois. Le château fut démantelé après 1632 sur ordre de Louis XIII, mais l'énorme donjon échappa à la destruction. Il servit de prison du XVe au XIXe siècle.

Le donjon
Sa visite permet de découvrir l'évolution de l'architecture militaire du Moyen Age en même temps que les cachots où furent enfermés, notamment, de nombreux protestants puis des libertins.

Crest : le donjon.

- *Donjon*
  Tél. : 75.25.32.53.

Ouverture : du 1er juin au 30 septembre, tous les jours, de 9 h 30 à 19 h; le reste de l'année, tous les jours de 14 h à 18 h (fermé en janvier).

On peut encore voir à Crest, outre l'église et le plaisant centre-ville, le **musée minéralogique**, qui présente des minéraux, des fossiles, des insectes et des papillons.

- *Musée minéralogique*
  Tél. : 75.40.64.89-75.25.41.26.

Ouverture : tous les jours, sauf le mardi, de 10 h à 12 h et de 14 h à 18 h (le week-end, de 14 h à 17 h).

DIE

26150 • H-6 • 4230 hab.

Mairie Place de la Mairie
Tél. : 75.22.06.19.

Office de tourisme
Place Saint-Pierre
Tél. : 75.22.03.03.

Gare
Tél. : 75.22.05.42.

Manifestations
Fête de la transhumance (juin).
Fête de la Saint-Marcel (juillet).
Foire aux béliers (août).
Marché (mercredi et samedi).

On reconnaît de loin la tour de la cathédrale et son campanile de fer forgé qui émergent en un dessin très particulier des toits de tuiles romaines. Depuis dix-neuf siècles environ, il y a dans ce site à l'évidence privilégié une ville historique qui est d'ailleurs chef-lieu d'arrondissement de la Drôme.

Une des capitales de l'Empire romain

Les estimations faites donnent à penser qu'elle avait, dès les premiers siècles de notre ère, sensiblement la même population qu'aujourd'hui. C'était déjà la capitale d'une région correspondant à la moyenne vallée de la Drôme et de ses affluents comme le Bez.
Une colline en pente douce au-dessus de la Drôme et regardant au sud, les murailles du Glandasse la protégeant au nord, d'autres hauteurs l'enveloppant à l'est comme à l'ouest grâce à un coude effectué par la rivière en direction du nord, les Romains trouvèrent là le site idéal selon leurs critères et c'est entre 70 et 110 de notre ère que Die devint chef-lieu. La ville supplantait ainsi Luc-en-Diois qui tenait jusque-là ce rôle militaire important dans le cadre de l'Empire romain. On peut cependant penser qu'il y avait déjà en ces lieux une forme d'agglomération autour d'un pont permettant le passage de la route de Valence à Gap et à l'Italie, et cela dès avant la conquête romaine.
Dea Augusta Vocontiorum (déesse auguste du peuple des Voconces), tel était le nom de cette ville. Cette déesse devait être la mystérieuse divinité d'origine celtique Andareta. Au IIIe siècle, la ville se développa, se vit attribuer le titre honorifique de "colonie" et, finalement, accueillit le culte de Cybèle, ainsi que de Bacchus et Isis. La ville disposait de tout le confort cher aux Romains : égouts, thermes, rues pavées se coupant à angle droit organisées autour de l'axe principal Valence-Gap. On y trouvait également des temples, divers édifices publics et un amphithéâtre pour les jeux du cirque. On notait encore la présence de deux portes monumentales sur l'axe principal, dont la porte Saint-Marcel qui ouvrait à l'est. Ce dernier monument existe toujours mais il a été intégré à la fin du IIIe siècle aux remparts, et donc démonté puis remonté pierre à pierre à l'endroit où on peut le découvrir aujourd'hui encore, orné d'un superbe travail de frises et de sculptures symboliques : taureaux, musiciens, lionnes, danseurs... La fin du IIIe siècle fut en effet très troublée et marquée par le début des grandes invasions. Die s'entoura alors d'une puissante enceinte de pierre et, dans leur hâte à s'enfermer et à se protéger, les habitants de l'époque n'hésitèrent pas à intégrer dans les remparts des éléments de constructions, colonnes, corniches ou encore monuments funéraires, que l'on découvre de nos jours à la faveur d'un éboulement. Les plus belles pièces ainsi retrouvées sont au musée de Die.

Tout cela fait que l'on connaît assez bien le mode de vie de ces premiers Diois ; en revanche, on ignore le plan précis de la ville romaine, sauf pour l'amphithéâtre qui se trouvait dans le quartier Pallat (côté droit de la rue

Camille-Buffardel lorsqu'on va vers Crest). La ville actuelle est donc bâtie sur l'ancienne qui se trouve 3 à 4 m plus bas. Il n'est pas de travaux importants à Die qui n'apportent leur lot de découvertes...

Des remparts romains du Bas-Empire

Il en subsiste quelques beaux morceaux au nord-ouest, notamment vers l'hôpital de Die. La **porte Saint-Marcel** ❶ se trouve à l'opposé, à l'est, en contrebas du viaduc qui prolonge la rue principale. Retenons aussi de cette époque lointaine le nom de Nicaise, premier évêque connu de Die, qui assista en 325 au concile de Nicée. Die resta toujours cité épiscopale mais on sait toutefois peu de choses des périodes d'invasions burgondes (v^e^ et vi^e^ siècles) et franques (vi^e^ et viie siècles), peu de choses non plus de la vie et des événements dans le Diois sous l'empire carolingien, ni même sous le royaume de Bourgogne qui dura jusque 1032. Aux xie et xiie siècles, les évêques vont se libérer peu à peu du pouvoir féodal jusqu'à devenir eux-mêmes comtes de Die et seigneurs du Diois.

La chapelle Saint-Nicolas

De cette période date la chapelle Saint-Nicolas ❷, autrefois chapelle privée des évêques qui était intégrée au palais épiscopal devenu aujourd'hui la mairie de Die et le tribunal. Sa décoration est typiquement romane. On remarque les morceaux peints avec des carrés à pointes de diamant. On y trouve aussi, singulière rencontre à travers les siècles, des papiers peints datés du début du xviiie siècle. On peut penser que la chapelle eut un usage non religieux à cette époque. Mais le chef-d'œuvre reste sans conteste la mosaïque qui s'étendait devant l'autel. Elle est datée du xiie siècle. Elle représente les quatre fleuves symboliques arrosant le monde dont l'axe est figuré par l'étoile polaire. Les points cardinaux sont matérialisés, dont deux par des personnages représentant des vents en train de souffler. Partout l'eau fait naître la vie : poissons, arbres, animaux plus ou moins fantastiques... Mais l'eau, c'est aussi le baptême... On notera l'influence évidente dans cette mosaïque romane des œuvres antiques dont les habitants de l'époque avaient sans doute déjà pu voir quelques originaux.

Le Glandasse au-dessus de la ville de Die.

- *Chapelle Saint-Nicolas et mosaïque Mairie*

Ouverture : du lundi au vendredi, de 9 h à 12 h et de 13 h 30 à 16 h.

La cathédrale

Les xiiie et xive siècles furent marqués par la construction de la cathédrale, dont la consécration eut lieu en 1250 alors que la nef était terminée. De l'édifice précédant subsiste la sacristie datée du xie siècle. Le **portail** de la cathédrale ❸ se trouve sous le clocher-porche. Les quatre colonnes du narthex dont on admirera la pureté des voûtes, sont des récupérations d'origine romaine. D'étonnants chapiteaux romans sont à remarquer; on y reconnaît le *Sacrifice d'Abraham* ainsi que *Cain* et *Abel*.
Le tympan du portail est malheureusement très abîmé. On y distingue la scène du Calvaire et les symboles des

Die : les vestiges des remparts romains.

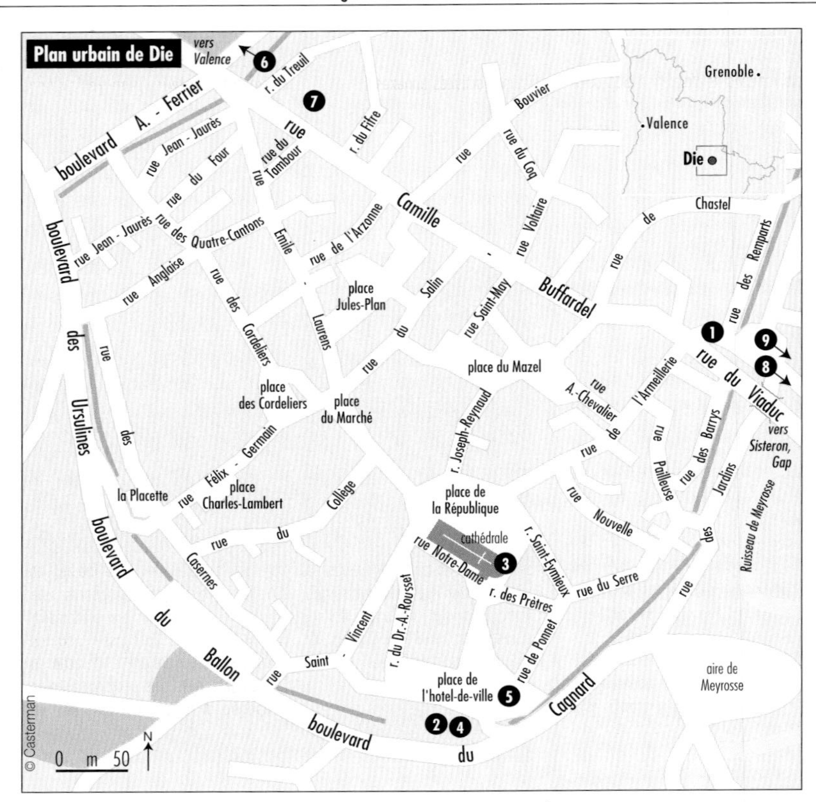

Evangélistes. La nef est unique, large et s'élève à 17 m du sol. Au moment de sa consécration, l'édifice fut complété d'un cloître, une salle capitulaire, un réfectoire et de logements à l'usage des chanoines attachés à l'église. Tout cela a disparu depuis, si ce n'est quelques beaux chapiteaux que l'on peut voir au musée. Le clocher-porche fut pour sa part entièrement remanié à la fin du XVe siècle.

La mosaïque de la chapelle Saint-Nicolas.

Les guerres de Religion

Mais la cathédrale eut beaucoup à souffrir des événements liés à la Réforme et aux guerres de Religion du XVIe siècle. C'est que l'histoire de Die fut très agitée, et d'abord à la fin du XIIIe et durant le XIVe siècle avec des rivalités féodales dégénérant souvent en guerre entre les évêques de Die, les comtes de Die et la famille de Poitiers devenus comte de Diois. Les sièges épiscopaux de Die et de Valence furent unis par le pape en 1276, toutefois la paix ne s'installa véritablement qu'au moment du rattachement au royaume de France, en 1450. Mais la seconde moitié du XVIe siècle fut terrible, Die étant passée entièrement à la Réforme en 1562. Le cloître de la cathédrale fut détruit en 1568. Les murs de l'église furent même utilisés en guise de carrière de pierre. La tour subsista uniquement parce qu'elle était utile...

Il y eut à Die une académie protestante avec université et collège dont les professeurs venaient de Lausanne, d'Italie du Nord, de Lyon... Une émulation s'ensuivit après ces guerres entre les deux communautés et jamais la ville de Die ne retrouva par la suite semblable brio intellectuel. Le règne de Louis XIV et la révocation de l'édit de Nantes mirent fin à tout cela à travers diverses tracasseries et persécutions et, en particulier, la pendaison devant la cathédrale de Die du pasteur Louis Ranc, en 1745. Le retour à la tolérance eut lieu dans les années 1774-75.

La nef fut reconstruite en 1673, d'après l'ancienne mais assez maladroitement, comme le montrent certains détails. En 1687, le siège épiscopal redevint indépendant mais il disparaîtra définitivement avec le concordat de 1801. Le titre reste aujourd'hui porté à titre honorifique par l'évêque de Valence. De la reconstruction datent les boiseries et toiles, ainsi que la chaire de 1698 et le maître-autel.

A la découverte de la vieille ville

La ville consiste en un dédale de petites rues étroites très méridionales d'aspect et organisées de part et d'autres de la rue principale, ancienne voie romaine de Valence à Gap devenue de nos jours la rue Camille-Buffardel. S'y promener réserve bien des surprises et des beautés inattendues : façades anciennes comme celle de la maison de Pennes (XVe siècle). L'ancienne chapelle des Jésuites (1697), non loin de la cathédrale, est devenue temple, les vantaux en sont d'époque Louis XIV; la chapelle de l'hôpital (rue Bouvier) est l'ancienne église des Dominicains datée de 1761; la maison Perdrix (rue de l'Armellerie), possède une porte du XVe siècle décorée d'une cordelière et d'un blason; la maison La Tour-Gouvernet (place Maze), date du début du XVIe siècle...

On ira bien sûr jusqu'à la **mairie** ❹, ancien palais épiscopal; dans les murs ont été intégrés divers éléments dont un sarcophage chrétien (IVe siècle) et, côté tribunal, un autel taurobolique (IIIe siècle). Sur la **place** ❺ on peut voir le buste de la comtesse de Die qui, au XIIIe siècle, fut une poétesse de langue occitane très apprécié. Non loin de là, au-dessus de la route qui contourne la ville, on notera des morceaux de l'ancienne enceinte avec une tour à sept pans et une autre semi-circulaire. D'autres vestiges encore s'élèvent ici ou là, qui furent intégrés progressivement par la ville au cours des siècles. On s'en rend bien compte lorsqu'on se trouve sur le viaduc qui passe au-dessus de l'ancienne voie, après de la porte Saint-Marcel.
A l'opposé, côté ouest, on remontera à pied les remparts romains en arrière desquels se développe un admirable paysage en direction du Vercors. Il reste cependant difficile de proposer un circuit rigoureux de visite et il paraît plus judicieux d'aller un peu au hasard, au gré de sa fantaisie. On y trouve des rues et ruelles pleines de charme, parfois même joliment fleuries...

La ville actuelle est sortie de ses remparts au cours du XIXe siècle à la faveur de la venue du chemin de fer et d'une modeste industrialisation : tanneries, textile, ateliers de mobiliers, en particulier le long de la Meyrosse qui rejoint plus bas la Drôme. La partie la plus moderne de la ville s'organise plutôt aujourd'hui autour de la **cave-coopérative de clairette** ❻, principal employeur de la région et qui reste l'élément économique fort en cette fin de XXe siècle, suscitant diverses activités annexes.

- *Cave coopérative*
  Avenue de la Clairette
  Tél. : 75.22.02.22.

Découverte d'un petit musée de la Clairette et dégustation-vente.

Le musée d'Histoire et d'Archéologie

Le musée ❼ de Die naquit de la découverte en 1883 de pièces d'argent et d'or, trésor caché par un inconnu lors des guerres de Religion, et c'est en 1949 que les collections accumulées jusque là furent installées où nous les découvrons aujourd'hui, au musée municipal, 11, rue Camille-Buffardel, axe principal de la vieille ville, dans un hôtel des XVIIIe et XIXe siècles. Les locaux sont bien plus vastes que ne le laisserait supposer la façade sur rue. Le choix muséographique est avant tout local : il s'agit de rester un musée de pays, en l'occurrence celui du Diois.

Die : chapiteau de la cathédrale.

On y découvre une riche collection d'archéologie locale réunie par un savant amateur, Jean-Denis Long (1776-1866), collection qui fut acquise par la ville de Die en 1966 : belles pièces du néolithique chasséen avec de grandes céramiques vers 3000 avant J.-C.; lames et pointes de flèches du calcholithique (2000 avant J.-C.); trésor de Charens (800 avant J.-C.), ensemble de pièces de l'âge du bronze et, de la même époque, de superbes haches de bronze, mais peu de choses de l'âge du fer, un peu comme si l'on était passé brutalement de l'âge du bronze à la conquête romaine...
De la période romaine, le musée conserve de superbes pièces : base de marbre de cyclades, chapiteaux corinthiens, morceaux d'une statue colossale, épitaphes de monuments funéraires, nombreux autels dont trois autels tauroboliques... de même des urnes en plomb, des amphores, une tuile de tombe du IVe siècle représentant une scène de chasse... toutes choses qui permettent d'approcher la mentalité des Diois à cette lointaine époque. A noter, côté chrétien, un beau sarcophage consacré à Adam et

Die : le musée d'Histoire et d'Archéologie.

Eve, du IVe siècle également. On verra encore ici des bornes milliaires, quelques belles statues, souvent mutilées malheureusement et des mosaïques dont une représente le *Bélier à la toison d'or.*

On trouvera, en revanche, peu de choses sur ce qu'on appelle les siècles obscurs et on en vient au Moyen Age, période où le musée de Die redevient d'une richesse remarquable avec, notamment, des chapiteaux d'églises ou de cloîtres disparus. Quelques têtes sculptées des XIIe et XIIIe siècles sont splendides et quelques éléments de la période gothique méritent aussi l'attention. On trouve même, datant de cette période, ce qui est rare, des sculptures profanes dont des scènes de mariage assez curieuses. Ajoutons-y des "pégans", sortes de récipients qui étaient posés dans les sépultures, des vases de verre, etc.
D'époque plus récente, on retiendra diverses écritures, un trésor de pièces du XVIe siècle qui rappelle l'âpreté des guerres de Religion dans le Diois. On trouvera de même des objets d'étude ethnographique : outils des champs, outils du travail de la soie, un cheval grandeur nature ayant servi à un bourrelier et bien d'autres éléments, comme cette remarquable série de photographies datées de 1882 à 1885, où l'on constate par l'image que le Diois était alors une contrée plus peuplée certes, mais aussi bien moins boisée... N'oublions pas, entre autres souvenirs, un étonnant tableau qui montre la classe 1875 des appelés du canton de Die...

- *Musée d'Histoire et d'Archéologie*
  Tél. : 75.22.03.03.

Ouverture : du 1er juillet au 31 août, tous les jours, sauf le dimanche, de 15 h 30 à 18 h 30; en juin et en septembre, deux après-midis par semaine.

L'abbaye de Valcroissant
Dans le vallon de Valcroissant ❽ (en direction de Châtillon-en-Diois, à 6 km de Die), dans le somptueux paysage des falaises du Glandasse, parmi la verdure où bruisse un petit torrent issu du Vercors, les restes de l'abbaye de Valcroissant valent le détour rien que pour le site et l'extérieur des bâtiments (propriété privée).
L'abbaye fut fondée en 1188 par l'ordre de Cîteaux et les bâtiments que l'on peut voir encore de nos jours servirent longtemps de ferme agricole. Ces bâtiments furent élevés à la jonction des XIIe et XIIIe siècles, charnière de style car l'ensemble reste d'esprit roman tout en empruntant des éléments architecturaux gothiques, comme les ogives surbaissées de la salle capitulaire. En revanche, le vaste réfectoire reste en berceau brisé sur doubleaux. Un charme certain, malgré son austérité, émane de cet ensemble aujourd'hui fondu dans une nature quasi luxuriante à la belle saison.
Au plan historique, on notera que le système de la commende imposé dès la fin du XVe siècle, réduisit rapidement l'abbaye au rôle de simple ferme ; les guerres de Religion précipitèrent les choses suite au pillage et à la dispersion des moines... L'abbaye se trouve à l'inventaire supplémentaire des Monuments historiques depuis 1932 (classement définitif en 1971). Elle est en cours de restauration et les travaux ont déjà permis de retrouver, dans la mesure du possible par suite des nombreuses transformations subies à travers les siècles, des aspects intéressants de l'architecture cistercienne.

- *Abbaye de Valcroissant*
  Tél. : 75.22.03.03
  (office de tourisme).

Visites guidées sur rendez-vous en juillet et en août, les mardis, jeudis et dimanches à 15 h.

Le jardin des Découvertes
Les amateurs de nature, et plus particulièrement de nature exotique, iront volontiers jusqu'au jardin des Découvertes ❾ (route de Gap, à 2 km environ de Die). Ici, les plantes exotiques poussent grâce à la technique hydroponique consistant à les nourrir par l'intermédiaire de sérums liquides dans des serres fermées. De la sorte a été créé un véritable écosystème. La présence en liberté de splendides papillons dans une partie des serres et d'oiseaux exotiques dans d'autres, accentue encore l'effet dépaysant de cette visite, tandis que couleurs et parfums sont totalement neufs pour nous, habitants de la vieille Europe...

- *Jardin des Découvertes*
  Tél. : 75.22.17.90.

Ouverture : du 1er mai au 30 septembre, tous les jours, de 10 h à 12 h et de 14 h à 19 h (en juillet-août, de 10 h à 22 h).

ECHEVIS

26190 • E-6 • 47 hab.

C'est un tout petit village fait de quelques hameaux et fermes dispersés dans les prés qui montent jusqu'au pied des falaises dans la vallée de la Vernaison, entre Petits et Grands-goulets. Site naturellement protégé, il fut peuplé très tôt et probablement dès le début de notre ère comme l'ont montré des découvertes archéologiques.
La randonnée se pratique ici dans des paysages très diversifiés, sous l'ombre des hautes falaises des rochers de l'Allier et de l'Arps. C'est également

un pays de pêche qui devrait séduire ceux qui veulent taquiner la truite. A défaut d'en pêcher soi-même, on peut aller jusqu'à la pisciculture qui en vend d'excellente qualité...
Avec son **église** du XVIe siècle, ses **fermes** éparpillées, ses prés, ses bois, ses bosquets de peupliers d'Italie, dans la lumière du soir, Echevis est un des plus beaux villages qui se puisse trouver dans le Vercors.

ENGINS

38360 • C-8 • 352 hab.

Mairie Combe-Pélerin
Tél. : 76.94.49.82.
L'Olagnier
Tél. : 76.94.49.13.

Nous sommes ici à l'extrémité nord du massif, à la jonction avec la vallée de l'Isère. Le village s'est installé à la sortie des **gorges du Furon**, passage fort étroit appelé "portes d'Engins". Malgré la proximité de Grenoble, Engins a conservé une vocation agricole et pastorale. Le plateau du Sornin qui culmine à plus de 1600 m d'altitude domine le village et recèle dans sa masse de roches le **gouffre** le plus profond d'Europe, le Berger, qui descend à -1198 m et se développe sur plus de 20 km.

EYGLUY-L'ESCOULIN

26400 • H-5 • 40 hab.

Mairie Tél. : 75.76.44.06.

La commune, dans sa forme actuelle, date de 1971 mais dès avant l'époque gallo-romaine les lieux furent fréquentés comme l'attestent de nombreuses découvertes archéologiques. Le nom même d'Eygluy veut dire forteresse de l'aigle et il est cité au début du XIIIe siècle. Le XIVe siècle est marqué par le terrible passage des routiers qui s'installèrent d'ailleurs au château d'Eygluy. Leur départ fut monnayé et le château détruit ensuite. Au XVIIe siècle, le fief fut acheté par Antoine de La Baume-Pluvinel, écuyer de Louis XIV.
Le village de l'Escoulin ne prit ce nom qu'en 1920; il s'appelait auparavant Le Cheylard, le château donc, dont il reste quelques belles ruines dans un site très sauvage sur le côté de la route qui mène au col de la Croix. L'Escoulin fut incendié le 5 août 1944 par les Allemands lors des opérations menées contre le maquis du Vercors.
De belles randonnées sont possibles ici, toute la région se trouvant dominée par les pentes très boisées qui vont au **Bec Pointu** culminant à 1342 m d'altitude. On ira volontiers également jusqu'à l'**église Saint-Pierre de Sépie**, ancien prieuré Antonin, non loin d'Escoulin.
Dans la localité, on trouve une grande activité touchant aux plantes aromatiques : **Sanoflore**, spécialiste des cultures aromatiques et médicinales biologiques, propose à la curiosité un jardin botanique doublé d'un musée et d'un restaurant. On y retrace toute l'histoire des arômes, de leur culture à leur élaboration technique.

- *Sanaflore-jardin botanique et musée des Arômes Tél. : 75.76.46.61.*

Ouverture : du mercredi au dimanche, de 11 h à 20 h.

GIGORS-ET-LOZERON

26400 • H-4 • 135 hab.

Mairie Tél. : 75.76.41.39.

Cette commune est à la fois du Diois par la vallée de la Sye et du Vercors par le plateau de Combovin et la crête de Raye. Les lieux furent habités dès l'occupation romaine. Un **château** fut construit au Moyen Age par la famille Lantelme sur le rocher de Savel et on peut encore admirer aujourd'hui ses restes implantés sur ce site puissant. Gigors entra dans le domaine royal en 1419. L'église Saint-Pierre était pour sa part rattachée à Cluny. Il y eut jusqu'à 680 habitants ici dans les années 1820, mais l'exode rural sévit sévèrement. Lors de la dernière Guerre mondiale, la localité fut attaquée par les Allemands, car sur le plateau de Combovin se trouvait un poste de liaison radio des maquisards. Le 27 juillet 1944, les Allemands, remontant la vallée de la Sye, furent arrêtés par les résistants.

Il y a de belles promenades à faire en ces lieux, jusqu'aux ruines du château au rocher de Savel et jusqu'au **rocher de l'Aigle** où l'on peut observer divers rapaces, à l'église Saint-Pierre datée du XIe siècle, au village de Gigors qui conserve quelques vestiges de son enceinte... et, bien sûr, au plateau de Combovin et aux crêtes de la Raye qui dominent la plaine de Valence.

Echevis.

GLANDAGE

26410 • I-8 • 111 hab.

Mairie Tél. : 75.21.10.22.

La commune de Glandage regroupe les hameaux de Borne, Grimone et La Vière. Nous sommes ici dans le Haut-Diois, déjà loin de l'ambiance un peu méditerranéenne des environs de Die et de Châtillon; l'altitude explique cela tout autant que les gorges des Gâts qui furent longtemps un obstacle difficile à franchir sur le Bez. La route actuelle, qui a aplani toutes ces difficultés, ne date que de 1865. Au fur et à mesure que l'on monte en direction de Grimone la transition se fait avec le Trièves.

Glandage fut un village dès le Moyen Age comme en témoignent les ruines d'un château fort au-dessus de la localité, installé dans un site difficilement accessible et parfaitement protégé. Durant les guerres de Religion le chapitre de la cathédrale de Die s'y est réfugié. Ici comme ailleurs dans le Diois, les guerres de Religion ont en effet sévi, cependant que la population de Glandage restait pour l'essentiel catholique. Le village et les hameaux furent autrefois bien peuplés puisqu'on y comptait pas loin de 800 habitants au début du XVIIIe siècle, mais l'exode rural faillit avoir raison de cette localité dont parle Giono dans ses livres, notamment *Les Ames fortes,* mais en modifiant le nom; il l'appelle "Clostre" et justifie ce choix dans une lettre de 1963 par des raisons d'euphonie. Il parle de la même façon du col de Grimone. L'écrivain avait lui-même dressé une carte de la route, celle de l'ancienne voie avant les tunnels qui furent creusés en 1910. Il évoque encore à propos de Glandage la maison Borel qui "loge à pied et à cheval...". Atteignant à peine une centaine d'habitants dans les années '70, Glandage a retrouvé un peu de vie grâce à une politique très active d'accueil. On comptait 111 habitants au dernier recensement. Les hameaux de Borne et de Grimone ont repris un peu de vie.

En arrivant à Glandage en venant de Châtillon-en-Diois, on verra sur la droite un **château** à deux tours carrées qui dispose d'un centre équestre ("Le ranch du château"), d'où l'on peut partir pour des randonnées à cheval ou, plus simplement, s'initier dans un cadre superbe. A Glandage même, on s'arrêtera pour apprécier l'**église** du XIIIe siècle avec son portail de style roman soutenu par deux colonnes à chapiteau sculpté de façon naïve, ainsi que pour un autre portail situé immédiatement à côté et qui ouvre sur la petite mairie. Le beau village de pierre est resserré autour de son église.

On trouve également, au hameau de Grimone dominé par le Jocou à 2051 m, une petite **église** de montagne tandis que le col, à 1318 m d'altitude, se trouve dans un vaste et impressionnant paysage d'alpages. Le hameau de Borne se trouve plus bas, dans une sauvage vallée dominée par les montagnes de Pinchenet à l'est, de Belle-Motte au nord et le serre Chamille et la tête du Sapet à l'ouest. Montant vers le hameau et sa jolie **chapelle** à campanile, on passera dans le site des **aiguilles de Borne**, surnommées en raison de leur forme "sucettes de Borne". Ce site étrange est considéré comme une des merveilles du Diois. La plus haute des aiguilles mesure 80 m.

Borne et Glandage peuvent être les points de départ de splendides randonnées vers le Jocou, au-dessus des gorges des Gâts, à la corniche des Gâts, vers le col de Jiboui, etc.

GRESSE-EN-VERCORS

38650 • F-8 • 265 hab.

Mairie Place du Docteur-Cuynat
Tél. : 76.34.31.94.

Office de tourisme
Tél. : 76.34.33.40.

Centrale de réservation
Tél. : 76.34.34.34.

ESF
Tél. : 76.34.32.33.

Ski de fond
Tél. : 76.34.31.27-76.34.30.04.

Maison du Parc
Tél. : 76.34.30.98.

Manifestation
Fête de l'alpage (août).

Bibliographie
Duclos (Jean-Claude), *Gresse-en-Vercors, un village de montagne face à son destin*, 1988.

Le château de Glandage.

Gresse-en-Vercors.

S'étendant au pied des falaises du versant est du Vercors que le Grand-Veymont domine de ses 2341 m, Gresse est la plus haute commune du massif. Nous sommes ici dans le Trièves et, plus précisément, dans la vallée de la Gresse perchée entre les hauts plateaux et la montagne de La Chaux, dernière marche avant la vallée du Drac en direction de l'est.
Ici, l'histoire est ancienne : la paroisse est citée dès le VIIIe siècle, l'église est du XIIIe siècle, le clocher datant quant à lui des XVIe et XVIIe siècles. Cependant, Gresse ne prit le nom de Gresse-en-Vercors qu'en 1952, après avoir payé, comme bien d'autres communes du Vercors, le prix du sang dans la résistance à l'envahisseur (un habitant sur vingt y laissa la vie). Mais la commune est et reste davantage dauphinoise, l'architecture et la forme des toits suffisent à nous convaincre.

La commune comprend divers hameaux dont celui de La Bâtie, situé au sud, au-delà du col d'Allimas qui passe à 1352 m d'altitude. On trouve à La Bâtie une des rares granges qui ait gardé son toit de chaume ; de l'autre côté de la route se dressent un vieux calvaire de pierre et une chapelle d'une simplicité toute montagnarde. Le paysage est de forêts et d'alpages, le tout dominé par la forte présence des falaises et crêtes du Vercors. Les randonnées possibles sont multiples dans le pays lui-même mais aussi vers les hauts plateaux par différents pas comme celui de la Ville, au pied du Grand-Veymont...

Pays d'élevage – il y eut ici une coopérative fromagère dès 1879 – Gresse-en-Vercors est devenue une importante station avec des hôtels, un village-vacances, des centres familiaux, des gîtes, un camping... C'est une station ouverte à de multiples sports, été comme hiver : du tennis à la natation, de l'équitation au canyoning, du parapente à l'escalade... L'hiver s'ouvrent une vingtaine de pistes de **ski alpin** avec seize remontées mécaniques dont deux télésièges, le dénivelé maximum étant de 480 m. La station est également équipée de canons à neige, d'un stade de slalom et d'une école de ski. Pour le ski de fond, il existe 70 km de pistes tracées et un bel itinéraire nordique. On trouve à Gresse-en-Vercors tous les équipements sportifs et de loisirs possibles.

GUA (LE)

38450 • E-8 • 1505 hab.

Mairie Rue de la Mairie
Tél. : 76.72.38.13.

La commune de Guà regroupe plusieurs hameaux au dessus de Vif, dans la basse vallée du Drac, et jusqu'au pied du Vercors où dominent les crêtes du Gerbier à 2109 m d'altitude. Le principal de ces hameaux est Prélenfrey où s'est concentrée notamment l'activité touristique venue s'ajouter depuis quelques dizaines d'années à une économie traditionnelle de montagne tournée vers l'élevage et la forêt. Les éleveurs n'hésitaient d'ailleurs pas, autrefois, à gravir les rudes pentes des différents pas menant à Villard-de-Lans pour les foires à bestiaux. Le col Vert n'est-il pas à 1766 m d'altitude ? On imagine mal cela de nos jours.

Prélenfrey

Ce lieu est surtout connu des alpinistes pour les parois que présente le Gerbier. Dès la fin du XIXe siècle, ils vinrent ici nombreux accomplir des exploits sur des falaises d'une rare verticalité. Il est vrai que leur exposition permet l'escalade au printemps ou à l'automne et pas seulement l'été. Le site est réputé dans l'Europe entière auprès des spécialistes de la varappe.

- *Maison du Parc et de l'escalade*
  Tél. : 76.72.34.41.

Hormis l'escalade, Prélenfrey offre de multiples possibilités de randonnées vers les hauts plateaux, par le pas de l'Œil par exemple, ou vers le col de l'Arzilier. L'hiver, un vaste domaine skiable s'ouvre aux fondeurs avec quelque 25 km de pistes entretenues. L'esprit de cette petite station est avant tout familial.

LANS-EN-VERCORS

38250 • C-8 • 1451 hab.

Mairie Tél. : 76.95.40.44.
Office de tourisme
Place de l'Eglise
Tél. : 76.95.42.62.
CPIE-Maison du Parc
Tél. : 76.94.38.26.
Stade de neige
Tél. : 76.95.43.19.

Manifestations
Festival des couleurs (juin).
Festival de l'artisanat (août).
Festival du film pour enfants (d'octobre à décembre).

Lans est située dans un espace largement ouvert et plat; un lac glaciaire se trouvait en ces lieux au début du quaternaire et d'immenses glaciers occupaient l'actuelle vallée de l'Isère, débordant sur le Vercors. Les alluvions amenées par l'érosion se sédimentèrent peu à peu au fond de ce lac, ce qui explique, après retrait des glaciers, son fond plat ou presque et qui ne laisse de surprendre lorsqu'on débouche brutalement des gorges du Furon en montant de Sassenage par la départementale 531. La Bourne prend alors des allures de calme rivière en allant vers Villard-de-Lans, et ce n'est qu'après qu'elle deviendra un vrai torrent de montagne en courant vers le Royans.

L'homme vint très tôt dans les environs comme l'ont montré bien des découvertes faites dans des grottes ou même en surface. Le village naquit, semble-t-il, au hameau de Peuil, peut-être d'une implantation monastique. La paroisse est citée dès 1090 puis un prieuré est fondé par les chanoines augustins de Saint-Martin-de-Miséré au cours du XIIIe siècle; ce prieuré se trouvait juste à côté de l'église. Lans est en quelque sorte la paroisse-mère du plateau.

Ce rôle religieux donna à Lans durant des siècles le premier rôle dans le massif des Quatre-Montagnes. C'était aussi, il est vrai, le premier village rencontré sur les hauteurs lorsqu'on montait de Sassenage, et le tourisme s'y manifesta dès la fin du XVIIIe siècle du fait de la proximité de Grenoble. La première route vraiment carrossable y parvint en 1823.

Mais n'oublions pas, à propos de Lans-en-Vercors, un nommé Jean Beyle, marchand-drapier dans la localité au XVIIIe siècle, et qui se trouvait être l'arrière-grand-père d'un certain Henri Beyle plus connu sous le nom de Stendhal.

Ce n'est qu'il y a deux siècles environ que Villard-de-lans prit le pas sur Lans, la ville devenant, surtout entre les deux guerres, la puissante station touristique que l'on sait.

Lans est une petite cité agréable. Sur la place s'élève un **clocher** qui – bien que remanié – date du XIe siècle. Tout à côté s'élève depuis 1991 un cadran solaire sculpté par des artistes français et canadiens, façon de rappeler le jumelage qui existe entre Lans-en-Vercors et Saint-Donat au Québec. On peut y lire l'heure qu'il est dans les Quatre-Montagnes et au Québec.

Lans est devenue une belle station qui s'est tournée plus particulièrement vers l'enfant. On y trouve quatre hôtels, des chambres d'hôtes, trois maisons d'enfants, un camping, des gîtes de France... On peut y pratiquer la randonnée sous toutes ses formes mais aussi le tir à l'arc ou la pétanque, et de nombreux autres sports : natation, escalade, spéléologie, parapente... ainsi que la pêche sur un parcours aménagé.

L'hiver, la station propose une **zone skiable** près du bourg au domaine de l'Aigle mais aussi un stade de neige avec navette gratuite. On trouve 24 km de ski alpin avec 450 m de dénivelé au maximum, un jardin d'enfants et deux domaines de ski de fond reliés entre eux totalisant 90 km de pistes tracées, 15 km d'itinéraires balisés, 6 km de pistes aménagées pour pulka et traîneaux, etc.

Près de Lans, on ne manquera pas d'aller jusqu'aux superbes **gorges du Bruyant**, défilé très étroit qui s'ouvre dans les gorges d'Engins, au nord de Lans-en-Vercors, en direction de Sassenage. On ira aussi volontiers jusqu'à la miellerie de Lans où l'on trouve un véritable petit musée vivant du miel et de l'abeille. On peut naturellement y goûter et acheter d'excellents miels de montagne (Tél. : 76.95.66.72.

Lans-en-Vercors : l'église.

Ouverture : en juillet-août, tous les jours, de 10 h à 12 h et de 15 h à 19 h 30; hors-saison, les jeudis, vendredis et samedis jusqu'à 19 h et sur rendez-vous).

Notons enfin que c'est à Lans-en-Vercors que se trouve le siège administratif du **Parc naturel régional du Vercors**.

- *Parc naturel régional du Vercors*
  Maison du Parc
  Tél. : 76.94.38.26.

Le musée des Automates

Alain Bardo est marseillais et voilà 25 ans qu'en tant qu'étalagiste, il met au point des automates destinés à animer et décorer des vitrines. Un jour, le virus du collectionneur le prend... et il y a cette maison acquise à Lans-en-Vercors, dont il tombe amoureux... C'est ainsi que naît ce musée, aujourd'hui animé par des centaines de personnages mus par une mécanique.

L'aventure a débuté vers 1982 sur une centaine de mètres carrés. Aujourd'hui ce sont 420 m^2 en intérieur et 1000 m^2 en extérieur. Trois cents automates sont exposés sur une collection qui en compte un millier environ. Cela permet à Alain Bardo de renouveler ses présentations et mises en scène et d'avoir aussi une clientèle de fidèles venus souvent de l'agglomération de Grenoble. Il se consacre désormais entièrement à son musée d'imagination qui séduit autant les enfants que les adultes. Le village des Ours — une quantité de petites maisons animées dans un vaste jardin — figure parmi ses dernières créations pleines d'humour. A l'intérieur, on retrouvera l'univers de Perrault et autres conteurs et de tous les contes d'enfants : Merlin, les sorcières, les musiciens, les artistes du cirque... et le Père Noël. Pur moment de fantaisie et de rêve où les détails s'enfilent les uns aux autres pour notre seul plaisir.

- *Le musée des Automates*
  Hameau du Père-Noël
  Tél. : 76.95.40.14.

Ouverture : tous les jours, de 10 h à 18 h.

LAVAL-D'AIX

26150 • H-7 • 83 hab.

Mairie Tél. : 75.21.83.23.

Situé sous la forêt domaniale du Glandasse, Laval-d'Aix est un village essentiellement **vigneron**. Les vignobles sont plantés au sud, au pied des **falaises du Glandasse** qui culminent ici, au Pié-Ferré, à 2041 m d'altitude.

Laval peut être le point de départ d'une belle randonnée pédestre en direction de l'abbaye de Valcroissant par le col de l'abbaye, ou encore vers le Glandasse par le GR 91 et Châtillon-en-Diois par le GR 95.

Léoncel : l'église abbatiale.

LEONCEL

26190 • F-4 • 67 hab.

Mairie Tél. : 75.41.04.68.

Foyer de ski de fond du Grand-Echaillon
Tél. : 75.40.10.44.

Manifestation

Colloque historique des Amis de Léoncel et marche commentée (1er week-end d'août).

Bibliographie

Léoncel, une abbaye cistercienne en Vercors, cahiers culturels du Parc naturel régional du Vercors, 1983.

Dans un profond vallon marécageux qui donne naissance à la Lyonne, descendant vers le Royans et dominé par le Grand-Echaillon, s'installèrent, en 1137, douze moines venus de Bonnevaux près de Vienne. L'église fut consacrée en 1188. L'influence de cette abbaye s'avéra considérable dès le XIIe et durant tout le XIIIe siècle. Ses domaines devinrent très importants et provoquèrent quelques rivalités. L'abbaye fut détruite une première fois par Raymond de Turenne et ses routiers en 1390 et une seconde fois par le baron des Adrets durant les guerres de Religion. L'abbaye connut le système de la commende royale à partir du XVIIe siècle et la vie religieuse se désagrégea alors peu à peu, l'abbé ne résidant plus sur place. A la Révolution française, il n'y restait plus que trois moines. Le domaine fut mis en vente tandis que l'Etat récupérait plus de 600 ha de forêts. La commune de Léoncel est née seulement en 1854 et elle recouvre, du point de vue administratif, d'immenses domaines forestiers.

Léoncel peut être le point de départ de splendides randonnées vers la forêt domaniale comme vers le col de Tourniol, le massif du Grand-Echaillon et l'ancien hameau de Fau. Le GR 9 traverse la commune... L'hiver, on trouve à Léoncel un foyer de ski de fond et on peut pratiquer aussi bien dans la forêt jusqu'aux hauteurs dominant Bouvante et le Royans que dans le massif.

L'église abbatiale

Elle constitue, avec la nature environnante, le plus bel ornement de la vallée de la Lyonne, avec son clocher carré et sa pointe de pierre couronnant la toiture de tuiles romaines qui coiffe la nef. Le mot simplicité vient immédiatement à l'esprit, mais qui n'empêche nullement une réelle présence, bien au contraire.

De l'abbaye, il reste une aile de bâtiment qui prolonge le transept sud de l'abbatiale. Malgré diverses réfections, l'église a gardé l'austère beauté de l'art cistercien. Elle est inscrite à l'inventaire des Monuments historiques depuis 1840 et c'est, dit-on, Prosper Mérimée lui-même, alors responsable des Monuments de France, qui a inscrit Léoncel.

La façade occidentale a été rhabillée au XVIIIe siècle. Elle possède trois portes : le portail central que l'on

ouvrit lorsque l'église devint paroissiale, la porte nord dite "porte des morts" car elle donne sur le cimetière et la porte sud dite "porte des vivants" par où passaient les frères convers.
La **nef** centrale est voûtée d'ogives tandis que les deux collatéraux sont à voûtes en berceaux. La nef comporte deux étages architecturaux, les arcades étant portées par de solides piliers carrés, tandis qu'au-dessus s'élève l'étage des claires-voies où l'on remarque de nombreux **chapiteaux à décor végétal** (fin XIIe siècle) couronnant des colonnes semi-cylindriques engagées et soutenant des consoles taillées en biseau. En haut de la nef, on trouve des arcs brisés et, au-dessus, un solin reposant lui-même sur un arc triomphal séparant la nef du chevet. On peut y voir la trace de l'église primitive à nef unique. Dans les bas-côtés, notons les murs relevés d'arcatures aveugles.
Une petite porte donne accès au croisillon nord et à une première absidiole dite en cul-de-four. La même existe en symétrie au croisillon sud. L'abside centrale comporte trois fenêtres. En se retournant on voit alors la belle **croisée de transept** couronnée d'une coupole octogonale reposant sur quatre voûtes elles-mêmes posées sur des consoles en biseau. Un oculus a été ouvert plus tardivement dans une des faces de la coupole. Il y a très peu de mobilier, si ce n'est un lutrin de bois peint du XVIIIe siècle, une crédence du XVIe et un autel de style résolument contemporain, lien voulu entre passé et modernité. Une icône a également été placée dans ce lieu de prières.

On poursuit la visite par l'autre transept qui donne sur le bas-côté sud. Il y subsiste un bénitier et c'est par la porte qui se trouve là que passaient les profès pour accéder au cloître aujourd'hui disparu. De l'autre côté de la porte se découvre un étonnant décor à base de fleurons et de swastikas, symboles de lumière et de bon augure.
Reprenant le bas-côté, on trouve un grand Christ en bois, qui est une magnifique copie exécutée au XIXe siècle d'après une œuvre plus ancienne vendue à la Révolution française. Un peu plus loin, on remarque les armes des abbés commendataires.
La visite se poursuit (les visites sont guidées) par ce qui reste des **bâtiments conventuels**. On découvre ainsi l'entrée de la salle capitulaire (Moyen Age) avec ses baies géminées. On peut encore faire le tour de l'église de façon à goûter pleinement cette simplicité qui se marie si bien à la nature environnante. On ne manquera pas de remarquer les chapiteaux du clocher soutenant les baies géminées; l'un d'eux est de pur style cistercien, reconnaissable à ses grandes feuilles d'eau, les autres sont plus récents. On retrouve cette même simplicité conforme à l'esprit de saint Bernard dans les chapiteaux de l'entrée de la salle capitulaire.
Une association (Les Amis de Léoncel) s'occupe de l'abbaye et a pour ambition de faire revivre ce lieu privilégié par des recherches historiques, la poursuite de la restauration de l'église abbatiale et une animation culturelle. Un passage à Léoncel ne peut laisser indifférent.

- *Eglise abbatiale*
  Tél. : 75.41.02.35.

Ouverture : du 15 mai au 15 septembre, tous les jours, sauf le mardi et le dimanche matin, de 10 h à 12 h et de 14 h à 18 h (le reste de l'année jusqu'à 17 h).

LESCHES-EN-DIOIS

26310 • J-7 • 49 hab.

Syndicat d'initiative
Le Village
Tél. : 75.21.46.70.

Manifestation
Fête de la lavande (août).

Modeste village dominé par la montagne du Puy qui culmine à 1055 m. Le plateau est bien exposé et on y cultive notamment la **lavande**. La petite église est dédiée à saint Martin.
C'est un lieu de randonnée très apprécié, à pied, à VTT ou à cheval. Depuis quelques années, la montagne du Puy est devenue un point d'envol tout aussi apprécié pour le parapente. Chaque année, le 15 août, y a lieu une fête de la lavande.

LUC-EN-DIOIS

26310 • J-7 • 478 hab.

Mairie Tél. : 75.21.31.01.

Gare
Tél. : 75.21.32.11.

Syndicat d'initiative
Place de la Croix
Tél. : 75.21.34.14.

Au sortir d'un resserrement de la vallée de la Drôme, entre le pic de Luc à 1084 m et la montagne de Clamonta à 1093 m, lorsqu'on descend du col de Cabre, Luc-en-Diois, chef-lieu de canton, ouvre la partie large de la vallée qui mène ainsi jusque Die. Luc fut, au tout début de notre ère, la capitale du pays des Voconces après la conquête romaine et c'est au cours du Ier siècle que Die supplanta Luc. On a ainsi retrouvé à Luc de nombreuses traces de ce passé glorieux. C'est aujourd'hui un bourg vivant à dominante agricole et touristique, centré sur sa place, sa fontaine et son église autour desquelles rayonnent d'agréables petites rues. Des artisans sont installés là, qui proposent des expositions intéressantes en saison.

Le site du Claps

Non loin de Luc-en-Diois en direction du col de Cabre, le chaos du Claps reste un endroit très impressionnant. Ici, au XVe siècle, un pan entier du pic de Luc, glissant sur le calcaire tithonique situé dessous, s'est effondré dans le lit de la Drôme. On voit encore très nettement sur la pente l'endroit où la couche de roches s'est détachée pour former un énorme chaos aux formes aiguës. Deux lacs s'étaient alors formés en amont, la Drôme effectuant depuis un saut de quelques dizaines de mètres vers Luc-en-Diois. Le plus petit se trouve au pied du pic de Luc, il est aujourd'hui un lieu de baignade apprécié des vacanciers à la belle saison. Le plus grand se trouvait plus en amont, à l'emplacement de la plaine de Beaumont, et il était profond d'une soixantaine de mètres environ. Au milieu du XVIIe siècle, ce lac fut vendu aux chartreux de Durbon, il avait alors déjà perdu de sa profondeur à cause de l'érosion et de la sédimentation s'ensuivant. Dès le milieu du XVIIIe siècle, un projet d'assèchement fut imaginé mais il fallut attendre 1887 pour le voir se réaliser. C'est aujourd'hui une plaine cultivée de 280 ha. On retrouve trace du lac plus haut vers Beaurières avec un marais abritant de nombreuses espèces végétales et animales, ce qui reste étonnant dans un tel site de montagne (une école de parapente est située à Luc : Haut-Diois-Parapente, qui est agréée par la Fédération nationale de vol libre. Tél. : 75.21. 34.47).

Luc-en-Diois.

LUS-LA-CROIX-HAUTE

26620 • I-9 • 428 hab.

Mairie Tél. : 92.58.55.13.
Syndicat d'initiative
Tél. : 92.58.51.85.
Gare
Tél. : 92.58.50.21.
Station de la Jarjatte-ESF
Tél. : 92.58.51.86-92.58.53.96.
Manifestation
Fête du pain (juillet).

Cette commune, qui fait partie du canton de Châtillon-en-Diois, se trouve de fait côté sud-est du massif du Vercors, au confluent du Buëch et du Lunel, au-delà du col de la Croix-Haute en direction d'Aspres-sur-Buëch. Le bourg, bien regroupé autour de son église dont certaines parties sont du XIIIe siècle, a un aspect dauphinois marqué. La commune est formée de nombreux hameaux répartis dans les vallées, tant côté Vercors et Diois que côté Dévoluy.
Les amateurs d'histoire peuvent aller à la découverte des **ruines** de deux châteaux qui attestent l'ancienneté de l'habitat dans cette région, les unes au hameau des Corréardes, en direction du vallon de Jarjatte, les autres au Pinier. On découvre aussi une chapelle du XIIe siècle, dite des Templiers au hameau de Toussière.

Lus peut être le point de départ de splendides **randonnées**, en particulier vers le vallon de Jarjatte où le Buëch prend sa source, vers le hameau des Amayères, vers le Jocou, pointe avancée au sud-est du Vercors, vers le Grand-Ferrand, etc.
Lus-la-Croix-Haute est aussi une station de **sports d'hiver** intéressante pour le ski de randonnée, avec un foyer de ski de fond proposant une trentaine de kilomètres de pistes, une compétition populaire annuelle, un encadrement et la location de matériel. Le ski alpin se pratique à la station de la Jarjatte de 1150 à 1550 m, on y trouve remontées mécaniques, école de ski... Le ski de randonnée et de montagne est possible en direction de Toussière à 1920 m par exemple ou encore vers le Grand-Ferrand à 2700 m, le départ se faisant de la Jarjatte... Chaque année a lieu en février une fête de la "Grande Trace". Ces possibilités sont complétées par des promenades à raquettes en direction des différents hameaux et sites remarquables de Lus-la-Croix-Haute (informations au syndicat d'initiative).

MALLEVAL

38470 • C-7 • 18 hab.

Mairie Tél. : 76.38.45.12.
Foyer de ski de fond
Tél. : 76.64.01.89.

Le village, très modeste, a été reconstruit après les tragiques événements de janvier 1944 pendant lesquels furent tués ici les résistants du maquis de Malleval et tous les habitants, les maisons étant toutes incendiées. On accède à ce village isolé à partir de Cognin-les-Gorges, au pied du Vercors dans la vallée de l'Isère, et en traversant le site sauvage des **gorges du Nan**. Ce fut longtemps le seul accès à Malleval, village situé dans une combe suspendue sur les pentes du massif des Coulmes. Désormais, une autre petite route permet d'y accéder à partir de Presles via le pas de l'Ane et le hameau du Fâ.

MARIGNAC-EN-DIOIS

26150 • G-6 • 95 hab.

Mairie Tél. : 75.22.10.49.

Depuis le village, joliment implanté sur une butte, on jouit d'une vue splendide sur tout le Glandasse. Alentour, dans un vaste paysage, quelques hameaux complètent le village. Ici la **lavande** est reine, cultivée avec soin avec les céréales ou le tournesol. La route qui mène à Saint-Julien-en-Quint par le **col de Marignac** traverse des espaces particulièrement sauvages où l'on peut parfaitement mesurer les effets de ravine que provoquent les pluies violentes d'été par exemple.
Ces lieux étaient habités dès le début de notre ère où ils s'appelaient Marignacum. Ce peut être le point de départ de belles randonnées pédestres mais aussi à vélo ou à VTT.

MEAUDRE

38112 • C-7 • 840 hab.

Mairie Place de la Mairie
Tél. : 76.95.20.16.

Syndicat d'initiative
Tél. : 76.95.20.68.

Foyer de ski de fond
Tél. : 76.95.21.89.

Manifestations

Journées de la forêt alpine (fin juin).
Journées art et produits du terroir (début juillet).
La Fête au village, tiercé de chèvres (août).

Le bourg s'est développé au cœur d'une clairière. L'homme vécut en ces lieux il y a déjà fort longtemps, comme en témoignent les découvertes archéologiques faites aux grottes de Collomb et de La Passagère. Les origines de Méaudre semblent être celtes et remonter au Ve siècle. La commune a vécu essentiellement de la **forêt** qui couvre aujourd'hui les deux tiers du territoire communal.

Méaudre vit encore de l'activité forestière et le tourisme est parvenu jusqu'ici dans les années '60. C'est aujourd'hui une station agréable dans un village qui a su garder en grande partie son **aspect montagnard**, sagement groupé autour de son église. On y compte quatre hôtels, des locations diverses, des gîtes. La randonnée d'été peut se pratiquer sur 65 km de sentiers balisés; on y trouve aussi une piscine et des tennis, on peut pratiquer le tir à l'arc ou la pêche sur un circuit implanté sur le Méaudret... L'hiver, on ne compte pas moins de 18 km de pistes de ski alpin avec un dénivelé maximum de 570 m et une centaine de kilomètres de pistes de ski de fond qui sont reliées à celles d'Autrans. Un foyer de ski de fond existe au village.

MENGLON

26410 • I-7 • 332 hab.

Mairie Tél. : 75.21.15.70.

La commune se compose de plusieurs hameaux et villages disséminés dans une belle campagne aux multiples buttes. Le site fut anciennement peuplé et on y a retrouvé des traces d'habitat préhistorique de même que divers vestiges gallo-romains. Il y subsiste par ailleurs un **château fort** transformé en ferme, Saint-Ferréol, avec trois tours et un portail, puis le **manoir de Perdryer** avec de belles fenêtres à meneaux et un portail à fronton daté du XVIe siècle.

Montvendre.

MIRABEL-ET-BLACONS

26400 • I-4 • 728 hab.

Mairie Tél. : 75.40.00.66.

Mirabel (en occitan : "voir loin") est le village le plus ancien du regroupement. Les Gallo-Romains s'installèrent nombreux dans les environs. Le village se développa autour du château au Moyen Age et s'entoura également d'une enceinte. Le fief devint propriété des évêques de Die au XIIe siècle.

Les guerres de Religion marquèrent ce village qui abrita en 1574 quelque 4000 mercenaires italiens dont beaucoup moururent du typhus. C'est à Mirabel également que fut fait prisonnier Charles du Puy-Montbrun, capitaine des protestants. L'enceinte fut démantelée en 1586.

Au XIXe siècle, la soie occupa une place importante dans la vie locale avec, notamment, deux moulinages installés sur la rivière. On y connut également une importante papeterie.

On peut aller jusqu'aux ruines de Mirabel dont on voit encore une partie de l'enceinte et quelques vestiges de l'ancien château des évêques de Die. Un **musée agricole et industriel** présente des outils et objets relatifs au métiers traditionnels : chaudronnerie, tissage, cordonnerie...

- *Musée agricole et industriel*
  Hameau des Berthalais
  Tél. : 75.40.06.07.

Ouverture : en juillet-août, tous les jours, sauf le mardi, de 14 h 30 à 18 h; en mai et juin, les week-ends.

MONESTIER-DU-PERCY (LE)

38930 • G-8 • 166 hab.

Mairie Tél. : 76.34.40.65.

Avant l'ouverture de la nationale 75 en 1825, Monestier-du-Percy était un très important poste de relais sur la route des Hautes-Alpes et on le surnommait "la grande halte". Le bâtiment existe encore dans le village. Il y eut ici, au XIIIe siècle, un prieuré dépendant de l'abbaye Saint-Marcel de Die, ce qui lui vaut le nom de Monestier. On remarquera l'**église** et son curieux clocher ainsi que des

moulins installés sur le petit torrent qui descend des hauteurs du mont Barral.

MONTCLAR-SUR-GERVANNE

26400 • H-4 • 154 hab.

Mairie Tél. : 75.76.42.27.

Montclar ou "mont clair", autant dire que la vue est superbe du village d'où l'on découvre toute la vallée. Plusieurs hameaux forment cette commune mais les lieux furent habités dès l'époque gallo-romaine, notamment à Vachère, près de la Gervanne et à Mourouze. Au Moyen Age, le nom est cité dès le XIIe siècle. Le fief appartint au XIIIe siècle aux évêques de Die puis il fut racheté par le comte de Valentinois. Au XVe siècle, ce fief entra dans le domaine royal et le château fut détruit. Montclar, situé sur le passage de Crest au Royans, connut un péage du XIVe au XVIIIe siècle. La localité fut aussi le théâtre, au XIXe siècle, d'une grande activité de sériciculture, et un moulinage de la soie était installé sur la Gervanne qui lui donnait sa force motrice.

Le promeneur pourra goûter bien des plaisirs à Montclar de par la diversité de ses paysages : vallées, vignes, bois, champs... On ira volontiers jusqu'à l'**église Saint-Marcel** qui est de style roman avec abside polygonale, tandis que de l'enceinte du village subsistent diverses ruines dont une belle porte fortifiée. On ira aussi jusqu'aux **chutes de la Gervanne** au pont de Vaugelas et jusqu'au hameau du même nom, quelque peu perdu dans la vallée de la Vaugelette et remarquable par ses vieilles maisons et son **église Saints-Jacques-et-Philippe** (XIIe siècle). Au hameau de Vachères, le **château** a gardé son plan féodal avec notamment des tours d'angle (propriété privée).

MONTVENDRE

26120 • G-3 • 743 hab.

Mairie Tél. : 75.59.06.13.

Cette modeste commune est installée sur la plaine du Valentinois. Du Moyen Age, la localité a conservé le **château** et une belle **porte**, car le village se trouvait autrefois ceint de remparts. Avec ses **vieilles maisons** de pierre couvertes de tuiles romaines, il a déjà une allure très méridionale.

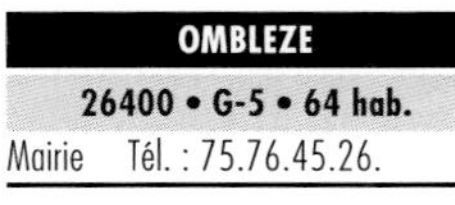

OMBLEZE

26400 • G-5 • 64 hab.

Mairie Tél. : 75.76.45.26.

D'admirables **gorges**, longues d'environ 4 km et creusées par la Gervanne, donnent accès à une vaste combe qui abrite quelques jolis hameaux. A l'est le plateau d'Ambel, au nord le roc de Toulau et ses 1581 m ainsi que le col de Bataille à 1313 m. Les environs furent habités tôt dans l'histoire de l'humanité si l'on en croit quelques découvertes faites à Anse, au-dessus des gorges. Le vallon semble avoir été occupé de façon suivie au Bas-Empire comme l'indiquent les monnaies romaines trouvées là. Bien abrité, il était partagé au Moyen Age entre l'abbaye de Léoncel et quelques seigneurs, ce qui ne manqua pas de soulever maints conflits. Deux prieurés s'étaient aussi installés en ces lieux : Saint-Jean-Baptiste d'Omblèze et Saint-Michel d'Anse. Il est attesté également que l'on pratiquait ici la transhumance dès le XIVe siècle. Les guerres de Religion épargnèrent les habitants d'Omblèze restés fidèles au catholicisme, il faut dire que la route des gorges n'existait pas à cette époque... Elle ne fut ouverte qu'au XIXe siècle alors que vivaient dans cette combe d'Omblèze pas loin de 500 habitants; on y comptait aussi cinq moulins.

Au **hameau des Boutons**, le dernier que l'on rencontre en remontant la combe, on peut découvrir une petite église toute simple et charmante. C'est ce qui reste du prieuré qui dépendait des antonins de l'abbaye de Sainte-Croix-en-Diois.

Omblèze : l'église.

De superbes **promenades** peuvent être faites à partir d'ici. C'est le cas vers le col de la Bataille dont le nom pourrait rappeler le souvenir d'un combat lors du passage des Routiers au XIVe siècle ou encore celui d'un règlement de comptes, à la fin du XIIe siècle, entre les bergers des moines de Léoncel et ceux des moines de Bouvante... C'est aussi le cas vers le **plateau d'Ambel** où l'on trouve, dans un site grandiose de forêt et d'alpages, un monument qui rappelle le souvenir du maquis du même nom.

Plus haut sur le plateau, au refuge de Tubanet, se trouve un **monument** qui rappelle qu'en ces lieux le dauphin de France, futur Louis XI, aurait été sauvé des griffes d'un ours par les nommés Bouillanne et Richauds.

Gorges et cascades

Plus près et dans les gorges, il y a aussi d'autres possibilités de promenade permettant d'apprécier, surtout au printemps, les nombreuses **cascades** dont la plus célèbre, intermittente, est dite de "La Pissoire". On pourra prendre aussi le chemin de Vitaterne en direction de la ferme du Pêcher. Le site des **falaises d'Anse** est également très recherché pour l'escalade et on y dénombre environ 250 voies équipées. Le canyoning se pratique aussi au canyon des Gueulards, très étroit. Au sortir des gorges, après le moulin de la Pipe, qui est une ancienne laiterie, on peut aller jusqu'à la **cascade de la Druise** (72 m de haut) où conduit un sentier.

ORIOL-EN-ROYANS

26190 • E-5 • 350 hab.

Mairie Tél. : 75.48.64.97.

On trouve ici des portions intactes de **voie romaine**, c'est dire l'ancienneté de ces lieux habités et leur agrément

dans un joli site au-dessus de la vallée de la Lyonne, sous la montagne de Musan, le tout bien ensoleillé. Ce village se trouve, de plus, sur la route ancienne qui faisait communiquer le Royans au Diois par Léoncel et la vallée de la Gervanne et par où passaient d'importants échanges commerciaux.
On ira volontiers jusqu'à la vieille **église** de style roman. Oriol-en-Royans peut être le point de départ de belles promenades dans le Royans ou encore vers la **montagne de Musan**. On peut pêcher dans la Lyonne.

PERCY (LE)

38930 • G-8 • 101 hab.

Mairie Tél. : 76.34.46.04.

La localité s'est installée au-dessus de l'Ebron qui descend en direction du Drac. Elle était avant l'ouverture de la nationale 75 en 1825 le point de passage obligé sur la route du col de Menée et vers le Diois, sur la route de Grenoble à Die. Par là avaient lieu de nombreux échanges commerciaux : agneaux, vins, toile, céréales... Cette situation valut au village bien des désagréments comme le passage des Routiers au XIVe siècle ou les guerres de Religion, le village étant incendié en 1563 par les catholiques...

Le site du Percy est splendide : ce peut être le point de départ de randonnées vers la **forêt de l'Esparron** et jusqu'à l'**ermitage** situé à 1140 m d'altitude et sa chapelle aujourd'hui restaurée après sa destruction due à l'attaque allemande de février 1944 contre les résistants qui s'y étaient installés. L'ermitage était né il y a bien longtemps suite à des apparitions de la Vierge Marie et à un pèlerinage connu dès le XIIIe siècle. La chapelle fut détruite par le baron des Adrets puis reconstruite en 1576 ; l'ermitage quant à lui avait été bâti en 1738, devenant monastère en 1864.

Plan-de-Baix : la table calcaire du Velan.

PEYRUS

26120 • F-4 • 423 hab.

Mairie Tél. : 75.59.81.82.

Juste au pied des premières hauteurs du Vercors mais regardant vers la plaine du Valentinois, ce village donne accès par le col de Limouches et la départementale 68 au Vercors à la hauteur de La Vacherie, non loin de Léoncel et Plan-de-Baix. On y trouve une **église** de style Louis XIII qui abrite un retable sculpté du XVIIe siècle et un panneau peint du XVIe siècle où l'on reconnaît la *Dormition de la Vierge*.

On trouve également ici une **chapelle** romane que l'on pense avoir été au centre d'un précédent village. On en remarquera la sobriété, le petit campanile et les puissants contreforts. Dans les environs de Peyrus, le tuf fut exploité dans des carrières jusqu'au début du XXe siècle.

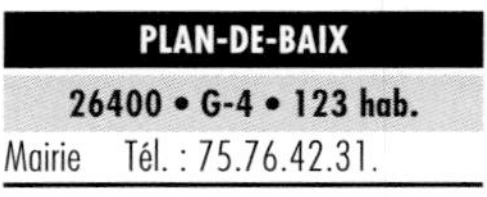

PLAN-DE-BAIX

26400 • G-4 • 123 hab.

Mairie Tél. : 75.76.42.31.

Il y eut ici, vers le milieu du XIXe siècle, jusqu'à près de 500 habitants répartis dans les hameaux, tous dominés par une très reconnaissable table calcaire, le **Velan**, à 900 m d'altitude et sur laquelle se dresse depuis 1934 une **croix** haute de 11 m. Le "plan" est délimité quant à lui par deux profondes vallées, la Gervanne et le Rieusec. D'ici, la vue est superbe sur toute la vallée de la Gervanne et celle de la Drôme; on reconnaîtra le massif de la forêt de Saou et les Trois-Becs.

Le site fut anciennement peuplé comme le prouvent des découvertes datées du néolithique et faites dans la grotte du Brudoux. Le Velan fut aussi un oppidum gaulois, ce qui ne saurait surprendre vu la configuration des lieux. Un village existait déjà aux temps gallo-romains, que quelques siècles plus tard les Sarrasins traversaient, laissant au passage leur nom attaché à une grotte.
Au Moyen Age, il y eut ici deux seigneuries : Baix et la Bâtie-de-Baix, l'une dépendant des évêques de Die, l'autre du comte de Valentinois. Elles furent réunies au XVIIIe siècle par la famille des Montrond. Le château de Baix fut détruit au XVe siècle lors d'un des multiples conflits féodaux de l'époque, tandis que les guerres de Religion sévissaient durement à la fin du siècle suivant. L'église fut incendiée puis le temple démoli après la révocation de l'édit de Nantes. Les protestants se réunirent alors dans une grotte qui s'appelle aujourd'hui encore la grotte des Protestants. Plan-

de-Baix eut également à souffrir de la dernière Guerre mondiale et le village fut le théâtre de durs combats en 1944; il fut bombardé par les Allemands le 22 juin 1944 et huit personnes furent tuées.

Plan-de-Baix offre à la curiosité une **église romane** du XIIe siècle particulièrement intéressante, à la charnière des influences du Nord et du Sud. Au sortir du village en direction d'Omblèze, on remarque le **château des Montrond**, reconstruit au XIXe siècle.

PONET-ET-SAINT-AUBAN

26150 • H-5 • 99 hab.

Mairie Tél. : 75.22.26.06.

Il y eut ici une villa romaine. Le village de Ponet aux maisons traditionnelles est bien groupé autour de sa petite place et sa fontaine sur un des versants d'une vallée dominée au nord-est par la montagne de Desse.
La **ferme** de Saint-Auban propose des promenades équestres. Sur la route de Die, les amateurs d'architecture pourront voir en passant le joli **château** à façade à fronton de Saint-Laurent daté du XVIIe siècle.

PONTAIX

26150 • H-5 • 151 hab.

Mairie Tél. : 75.21.23.37.

Le village s'est installé sur un véritable verrou naturel formé par la vallée de la Drôme, et sous une butte où se dressent les **ruines** d'un château fort. La partie la plus ancienne du village est située rive droite et consiste en une étroite rue ponctuée de vieilles façades et de nombreux escaliers, la rue étant fermée d'une porte.
Il y eut ici un pont dès l'occupation romaine, d'où le nom de Pontaix. En 1215, le château appartenait à la famille des Poitiers. Il fut assiégé à plusieurs reprises durant le Moyen Age et utilisé comme base par les protestants à la fin du XVIe siècle. Ce château fut démantelé en 1581 sur ordre du duc de Mayenne. Toutefois, les ruines restent imposantes.

Au-delà du vieux village s'ouvre le domaine agricole riche de nombreuses vignes. Une digue protège ces terres des crues de la Drôme depuis le XIXe siècle. Les maisons du vieux village sont situées au-dessus de la rivière, certaines datent de la Renaissance.

Pontaix : le temple et le château fort au-dessus de la Drôme.

On remarque une **chapelle** à l'architecture particulière dont les fondations plongent dans la Drôme et qui présente deux encorbellements. Elle est datée du XVe siècle. Cette chapelle est, depuis la Réforme, le temple de Pontaix, une église catholique ayant été construite sur la rive gauche au XIXe siècle.
Pontaix est souvent choisi comme point de départ des descentes de la Drôme en canoë-Kayak. On peut aussi y pratiquer la randonnée équestre.

PONT-EN-ROYANS

38680 • D-6 • 879 hab.

Mairie Tél. : 76.36.03.09.

Office de tourisme des Gorges-de-la-Bourne
Grand-Rue
Tél. : 76.36.09.10.

Manifestations
La foire au bois (juillet).
Son et lumière (12, 13, 14 août).

C'est une petite ville tout à fait étonnante, littéralement accrochée à la roche au-dessus de la Bourne, les rues se creusant à même la paroi, les maisons montant sur la montagne en un formidable escalier dominant le **pont** dit "Picard" qui enjambe le torrent à une trentaine de mètres de hauteur.
Pont-en-Royans, chef-lieu de canton, représenta longtemps le seul accès au Vercors central pour les échanges commerciaux et, notamment, le négoce des bois et charbons de bois. Le chemin muletier passait en effet par là, puis par Châtelus et le pas de l'Allier en direction de Saint-Julien-en-Vercors, Petits et Grands-Goulets n'étant à l'époque pas directement franchissables, si ce n'est à pied par d'acrobatiques passerelles. Le "pont" construit au débouché de la Bourne dans le Royans permettait donc le passage des bois, ce qui ne manqua pas de susciter commerce et négoce. Le lieu fut protégé par un château, semble-t-il, dès le XIIe siècle. Il aurait également possédé un prieuré.

Pont-en-Royans devint place forte au XVIe siècle, entièrement entourée de remparts, et fut le théâtre de maints combats durant les guerres de Religion. La ville fut prise et reprise huit

Pont-en-Royans : les maisons suspendues.

fois par les troupes de Montbrun, capitaine des huguenots, et Degordes, général des catholiques. L'église fut détruite et le château démantelé.

Au plan économique, le bois joua ici un rôle essentiel mais aussi le drap de laine et de bure, au cours du XVIIIe siècle. La bure en particulier était très réputée et Pont-en-Royans fournissait tous les monastères de Chartreux en Europe. Et puis il y eut la soie, comme partout ailleurs dans le Royans au XIXe siècle, en même temps qu'une prospère fabrique de clous...

Dans les années 1850 s'ouvrirent également des ateliers de tournerie-tabletterie, activité qui, très modernisée, prospère toujours.

L'ouverture de la route des **gorges de la Bourne** fut un événement majeur pour la ville qui en retire toujours le bénéfice au plan touristique. Pêche, baignade, randonnées, promenades et sports divers font de Pont-en-Royans un lieu de villégiature recherché.

PRESLES

38680 • D-6 • 96 hab.

Mairie Tél. : 76.36.01.86.

Foyer de ski de fond
Tél. : 76.36.06.06.

C'est l'exemple même du village loin de tout. On y parvient soit par l'acrobatique route du plateau de Presles que l'on prend près de Choranche dans la vallée de la Bourne, soit par une longue route forestière après être monté de la vallée de l'Isère par Saint-Pierre-de-Chérenne ou Malleval.

Ici dominent les pâturages qui s'étendent dans une grande clairière. La belle et simple **église** de montagne répond au joli nom de Sainte-Marie-des-petits-Prés. On a toujours en effet pratiqué l'élevage et, jusqu'au début du XXe siècle, s'y tenaient des foires agricoles assez importantes, ce qui ne peut que surprendre les citadins que nous sommes pour la plupart devenus.

On pratique ici l'**escalade** sur les vertigineuses falaises du plateau des Presles et, bien sûr, la randonnée dans tout le **massif des Coulmes** aujourd'hui très peu habité et qui en hiver offre 150 km de pistes nordiques, tracées pour l'essentiel sur les chemins du domaine forestier. On peut aussi y pratiquer des promenades en raquettes (Presles dispose d'un foyer de ski de fond).

RENCUREL

38680 • D-7 • 270 hab.

Mairie Tél. : 76.38.97.48.

Office de tourisme
Tél. : 76.38.97.48.

ESF
Col de Roméyère
Tél. : 76.38.97.43.

Foyer de ski de fond
Tél. : 76.38.96.61.

Ce joli village s'est installé à la croisée du long pli synclinal nord-sud du Vercors central et des gorges de la Bourne qu'il domine de quelque 400 m, tout comme il domine son hameau de La Balme-de-Rencurel installé à l'entrée même des **gorges** en direction de Pont-en-Royans. De ce fait, La Balme devint un lieu de marchés et de foires agricoles assez important lorsque la route des gorges fut ouverte.

Ainsi, installé plein sud, Rencurel est un village agréable et bien protégé des excès du climat. La Balme, située bien plus dans l'ombre, reste toutefois un carrefour ouvrant vers Villard-de-Lans et Lans-en-Vercors ou vers le Vercors central en direction de Saint-Julien-en-Vercors.

Les possibilités de promenades et de randonnées à pied, à cheval, à VTT, ne manquent pas vers les gorges de la Bourne, le massif des Coulmes et le col de Roméyère en direction de la route des Ecouges qui rejoint la vallée de l'Isère à Saint-Gervais. Aux Ecouges, on songera peut-être aux Chartreux venus de la Grande-Chartreuse en 1116 et qui installèrent dans cette vallée solitaire de la Drévenne un prieuré dont il reste quelques modestes ruines.

Au col de Roméyère, une petite station s'ouvre l'hiver pour le **ski alpin** avec trois téléskis et cinq pistes ainsi qu'une école de ski. De même s'ouvrent dans les environs 150 km d'itinéraires nordiques dans le massif de Coulmes et trois foyers de ski de fond. L'été, parmi les activités possibles, il convient de ne pas oublier la pêche et le canyoning.

ROCHECHINARD

26190 • E-5 • 121 hab.

Mairie Tél. : 75.48.65.87.

Des hauteurs où se dresse la belle **église Saint-Georges** (XIIe siècle), la vue est splendide sur tout le Royans, les falaises ouest du Vercors de Pont-en-Royans au cirque de Combe-Laval, vers la vallée de l'Isère et les collines de la Drôme au nord. On retrouve ici, dans les montagnes de Musan toutes proches, une ancienne carrière de marbre, mais le lieu se caractérise surtout par les imposantes **ruines** du château fort qui dominent le site à l'ouest, accrochées à flanc de montagne. Ce château date du XIIIe siècle et fut notamment propriété des dauphins. Il abrita également un îlot de résistance catholique durant les guerres de Religion et ne fut jamais pris malgré de nombreuses attaques. Il fut abandonné au cours du XVIIe siècle.

Le musée de la Mémoire

Près de l'église, l'ancien presbytère (XVIIIe siècle) est devenu un musée de la Mémoire du Royans où l'on retrouve à travers documents, photographies, objets, outils, mobiliers... tout un passé rural particulièrement attachant.

- *Musée de la Mémoire*
  Ancien presbytère
  Tél. : 75.48.62.53-75.48.62.74.

Ouverture : en juillet-août, tous les jours, sauf le lundi, de 15 h à 19 h.

De belles promenades sont à faire à partir de Rochechinard, en direction du château et de la **montagne de Musan** ou dans les campagnes avoisinantes.

ROMANS-SUR-ISERE

26100 • E-3 • 32734 hab.

Mairie Place Jules-Nadi
Tél. : 75.05.51.51.

Office de tourisme
17, place Jean-Jaurès
Tél. : 75.02.28.72.

Gare
Tél. : 75.02.31.75.

Dans des terres occupées dès avant la conquête romaine – on a en effet retrouvé dans les environs de nombreuses vestiges de villae, en particulier à Saint-Paul-les-Romans de splendides mosaïques – la ville de Romans est née de l'implantation en 858 d'une abbaye bénédictine fondée par l'archevêque de Vienne, Barnard. Cette abbaye était placée directement sous la protection de Rome, ce qui explique peut-être le nom de la ville. La simple bourgade devint ville au XIe siècle, car les conditions y étaient favorables au développement grâce à un site bien exposé et à la présence de rivières. A cette époque, l'abbé Léger transforma l'abbaye en chapitre de chanoines et un premier pont fut établi sur l'Isère, ce qui amena au plan commercial un apport immédiat. Toutefois, la période était trouble : le XIIe siècle fut celui des rivalités féodales entre seigneurs du Valentinois, évêques de Valence et seigneurs d'Albon. Les premiers remparts furent édifiés entre 1132 et 1174, tandis que l'empereur Frédéric Barberousse accordait à Romans des foires et deux marchés par semaine. Le XIIIe siècle renoua avec la paix, ce qui permit le développement de la ville grâce, notamment, à l'abbé Jean de Bernin. Un pont solide fut alors construit et l'église Saint-Barnard achevée. Puis la ville se mit à grandir au-delà des remparts, ce qui imposa la construction d'une seconde enceinte, il s'agissait en ce XIVe siècle de se protéger des bandes de Routiers issues de la guerre de Cent Ans.

Alors que les chanoines, seigneurs de Romans, étaient tout puissants, les bourgeois de Romans obtinrent une charte de communes en 1212. En 1280, les habitants se révoltèrent contre les chanoines et tout le clergé fut expulsé de la ville, sauf les Cordeliers qui avaient su se faire aimer... L'évêque de Valence assiégea vainement la ville et, en 1282, les libertés étaient confirmées.

Au XIVe siècle, les remparts de la deuxième enceinte étant terminés, le Dauphiné fut rattaché à la couronne de France après qu'Humbert II, dauphin sans descendance, eût vendu ses états au fils aîné du roi de France avec le titre de dauphin ; l'acte fut signé à Romans en mars 1349. Au XVe siècle, le Dauphin n'était autre que le futur Louis XI, roi de France. Il parvint à faire l'unité et à imposer la paix en

Rochechinard : l'église Saint-Georges.

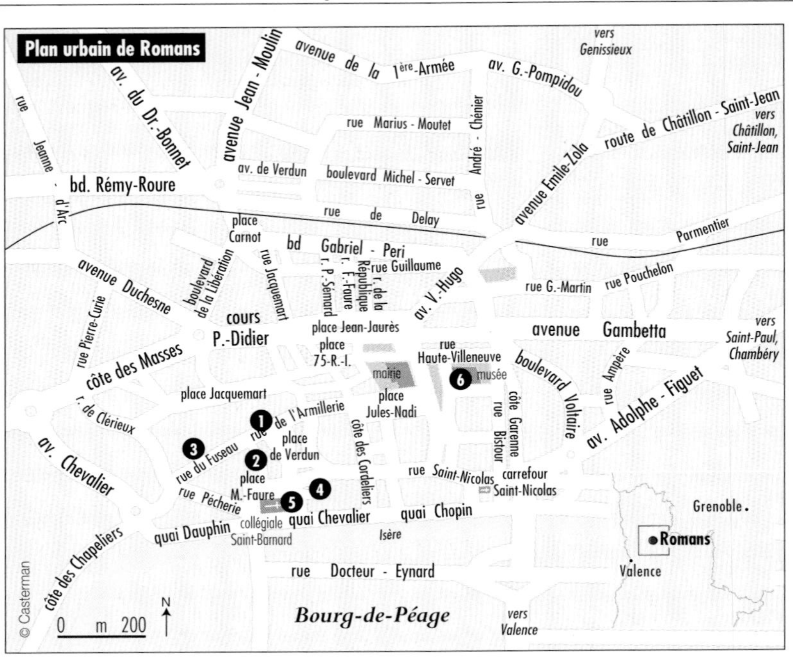

Dauphiné. Il favorisa le développement économique et créa des foires libres de taxes. Romans se mit alors au textile et devint une cité drapière pour plus de 200 ans. Elle bénéficia d'une incontestable prospérité, dont témoignent les nombreuses et belles maisons de style Renaissance qui subsistent à Romans et même dans maints villages des environs.

Cette belle période s'acheva dans le sang avec les sinistres guerres de Religion. Il y eut toutefois peu de réformés à Romans, ce qui n'empêcha nullement le baron des Adrets et ses hommes de sévir dans la région à partir de 1562. Ses bandes s'attaquèrent en particulier à l'abbatiale Saint-Barnard en brisant les statues et faisant s'effondrer les voûtes. En 1572 cette fois, les catholiques massacrèrent les protestants. En 1580 ce fut une révolte des paysans écrasés d'impôts contre leurs seigneurs. A Romans, la révolte gronda aussi, celle des commerçants et des artisans qui se regroupèrent autour de Jean Serve dit "Paumier". Cela finira dans un bain de sang au moment du carnaval de 1580, "Paumier" étant abattu à son domicile. Et puis il y eut la peste... Elle tua la moitié des habitants de Romans en 1586.

En 1598, l'édit de Nantes instaura enfin la paix, qui fut longue cependant à revenir ici car des bandes sévissaient encore, tuant et pillant. Aux XVIIe et XVIIIe siècles, la vraie paix revint enfin. A Romans, la Contre-Réforme amena la restauration de Saint-Barnard et l'ouverture de six couvents. Mais au XVIIIe siècle, Valence l'emporta peu à peu sur Romans grâce à la construction d'un pont qui, permettant le franchissement de l'Isère sans remonter à Romans, donnait toute son importance stratégique à la voie suivant le Rhône. 1788 fut également une année importante pour la ville, ainsi que pour la France, avec la tenue à Romans des états du Dauphiné. Dès janvier 1789, c'est ici que furent écrites les idées qui feront toute la Révolution de 1789...

Finalement, à Romans cette Révolution fut acceptée assez facilement, même la constitution civile du clergé, et il n'y eut pas d'excès. Le pape Pie VI, prisonnier du Directoire, passa par Romans en 1799 sur la route de Valence où il devait être enfermé.

En 1814, Romans fut occupée par les Autrichiens; l'année suivante, les Miquelets, troupes fidèles au roi de France, traversèrent la ville qui fut à nouveau investie durant l'été, après Waterloo...

Puis les grands événements ne touchèrent plus directement Romans jusqu'à 1940. En juin, on fit sauter les ponts sur l'Isère et les Allemands furent arrêtés; l'armistice était signé le 17 juin 1940. Romans se retrouva en zone libre mais, en novembre 1942, les Allemands envahirent la zone. Romans fut libérée le 22 août 1944 par les maquisards, reprise par les Allemands le 27 et libérée enfin par les Américains le 30 août.

L'industrie de la chaussure

Au plan économique, la vie de Romans est marquée à partir du milieu du XIXe siècle par les industries du cuir et de la chaussure. C'était auparavant des entreprises artisanales relativement marginales. La tannerie en premier lieu, dans le quartier de Presle, passa au stade industriel grâce à la venue du chemin de fer qui facilitait l'apport de peaux, matière première pour le cuir. La ville s'agrandît. Le sommet de cette activité se situe durant la Grande Guerre, grosse consommatrice de cuir. La tannerie connut par la suite des hauts et des bas pour pratiquement disparaître en 1960, victime de la concurrence des pays à main-d'œuvre bon marché ; il n'en subsiste que le secteur haut de gamme.

Ces tanneries permirent, toujours au XIXe siècle, l'installation de l'industrie de la chaussure. Ce furent en premier lieu des fabriques de galoches bon marché et, à partir de 1868, de chaussures dont l'industrie se mécanise toujours plus à partir de la fin du XIXe siècle. En 1914, il y avait une quarantaine d'entreprises et plus de 5000 salariés dans ce secteur économique. La crise de 1929 toucha durement le métier mais, au sortir de la dernière Guerre mondiale, on comptait plus d'une centaine de fabriques encore et vers 1950, environ 4000 employés travaillaient dans le domaine du haut de gamme. La crise de la chaussure sera rude et, en 1970, on ne comptait plus que dix-huit entreprises. Aujourd'hui ne subsistent que quelques marques haut de gamme dans ce secteur qui fait encore travailler, toutefois, environ 1500 personnes.

A la découverte de la ville

Il y a beaucoup à voir à Romans et, avant tout, la vieille ville dont les rues étroites descendent vers l'Isère et Saint-Barnard. Le Jacquemart se trouve vers le haut, c'est une tour construite au-dessus d'une ancienne porte de la première enceinte fortifiée de la ville, celle du XIe siècle. La tour devint par la suite un élément de la forteresse construite après 1280 par les chanoines. L'horloge publique fut terminée quant à elle en 1429, le **jacquemart** sonnant les heures depuis ce temps non sans avoir changé de vêtements selon la politique du moment, de la fleur de lis aux trois couleurs... Il a été remplacé en 1948 mais l'ancien bonhomme de bois automate se trouve au musée.

De nombreuses **maisons anciennes** sont à découvrir dans les vieilles rues de Romans, en particulier du XVIe siècle. On en découvrira avec plaisir les nombreux détails sur les façades ou dans les cours intérieures. Côte Jacquemart, **rue de l'Armellerie ❶**, **rue du Mouton ❷** avec, en particulier, une maison du XIIIe siècle remaniée à la Renaissance, **rue du Fuseau ❸** et une maison romane place Maurice-Faure au pied de la collégiale Saint-Barnard, rue Mathieu-de-la-Drôme. N'oublions pas l'**hôtel de Clérieux ❹** avec son escalier de style flamboyant et son imposante entrée vers la place aux Herbes...

La collégiale Saint-Barnard ❺

Malgré les destructions, elle reste un monument des plus intéressants. Sur la partie romane a été ajoutée au XIIIe siècle la partie gothique, à savoir le chœur et les transepts dont on peut admirer les fresques restaurées. Aux XIVe et XVe siècles furent ajoutées les chapelles latérales. L'édifice eut beaucoup à souffrir des hommes du baron des Adrets en 1562, qui détruisirent les statues et firent s'effondrer les voûtes. La reconstruction se fera plus d'un siècle plus tard, ne s'achevant qu'en 1720; les orgues furent installées en 1843. Saint-Barnard fut classée Monument historique en 1840, ce qui n'empêcha nullement la destruction du cloître vers 1860 pour cause d'aménagement des quais de l'Isère...

Il y a aussi beaucoup à voir dans cette ancienne abbatiale. Le portail est très abîmé mais garde un intérêt avec quatre grandes statues dont un beau Saint-Pierre. On en admirera aussi les chapiteaux. L'intérieur ne manque pas de hauteur et laisse une impression de sérénité; il faut remarquer là aussi les **chapiteaux de colonnes**. L'abside à cinq pans est typiquement gothique du midi avec des fenêtres de dimension très modeste. Les peintures que l'on découvre sont aussi du XIIIe siècle. On notera que le triforium fait le tour complet de l'église, y compris au-dessus des parties romanes de la nef. La sacristie gothique comporte des boiseries baroques et la **chapelle du Saint-Sacrement** reste le chef-d'œuvre de cet édifice (les visites sont guidées pour la chapelle).

Il y avait deux chapelles initialement : Saint-Etienne et Saint-Maurice, l'ensemble ne fait plus qu'un maintenant pour le plaisir des yeux. On y trouve une splendide fresque du XVe siècle, ainsi que des tentures brodées datées du XVIe siècle qui représentent la *Passion du Christ*.

Saint-Barnard est un monument attachant et sa belle masse très caractéristique de couleur ocre sous un toit de tuiles romaines aux douces nuances n'est pas pour rien dans le beau point de vue qu'offrent la ville de Romans et l'Isère aux promeneurs qui se trouvent, par exemple, sur les hauteurs du coteaux des Chapeliers.

Le musée international de la Chaussure

On découvrira le musée de la Chaussure ❻, également consacré à l'ethnographie régionale; les collections

Romans : la collégiale Saint-Barnard.

ont été installées depuis 1971 dans l'ancien couvent de la Visitation construit en 1667. Une salle entière est consacrée aux industries de la tannerie et de la chaussure : techniques, machines, documents d'époque, photographies... L'impressionnante collection de chaussures de toutes époques et de tous continents – environ 2000 pièces – est présentée dans les anciennes cellules des moniales avec beaucoup de goût.
L'aspect **ethnographique** est non moins intéressant avec diverses scènes reconstituées comme celle, très réussie, d'un marché du XIXe siècle avec costumes, ustensiles et outils d'époque. N'oublions pas non plus une très émouvante salle réservée à la Résistance et à la **bataille du Vercors**.

- *Musée international de la Chaussure*
  2, rue Sainte-Marie
  Tél. : 75.05.81.30.

Ouverture : du 1er juillet au 31 août, du lundi au samedi de 10 h à 18 h et le dimanche de 14 h 30 à 18 h.
Le reste de l'année, du mardi au samedi, de 9 h à 11 h 45 et de 14 h à 17 h 45.

Charles Jourdan
Marque célèbre et recherchée, la firme fut créée par Charles Jourdan, ancien contremaître de la coupe, en 1917. La réussite obligea vite à l'agrandissement, ce qui se réalisa de l'autre côté de l'Isère à Bourg-de-Péage. Charles Jourdan s'était spécialisé dès le départ dans la chaussure féminine. En 1939, on comptait environ 300 employés alors que sa marque s'appelait encore "Séducta". Après la dernière Guerre mondiale la maison commença à exporter. Il y aura bientôt 1200 employés. En 1957, elle ouvrit son célèbre magasin du boulevard de La Madeleine à Paris à l'enseigne "Charles Jourdan". La firme s'agrandit encore par des fusions avec d'autres entreprises. Dans les années 1970, on y dénombrait environ 2300 salariés pour une production de 5 à 6000 paires de chaussures par jour ! On y comptait aussi cinq marques différentes.
La maison entra dans un groupe américain en 1969; elle sera vendue ensuite à un groupe suisse en 1979 mais, pendant ce temps, les effectifs auront fondu, victimes de la concurrence des pays à main-d'œuvre bon marché et de la mécanisation de plus en plus poussée. Mais il reste un style "Charles Jourdan" qui s'est élargi aux parfums, aux bijoux... véritable griffe à l'instar des grands couturiers (magasin de démonstration : rue Sabaton).

ROMEYER

26150 • H-6 • 114 hab.

Mairie Tél. : 75.22.22.58.

C'est un ensemble de hameaux répartis dans une superbe combe à laquelle on accède par une étroite cluse creusée dans le calcaire tithonique par le petit torrent issu des hauts plateaux du Vercors et de la montagne de Beurre.

Plus on monte dans le vallon plus le caractère sauvage s'accentue. C'est là la grande voie de la **transhumance** vers les plateaux par le pas de Chabrinel. C'est aussi, bien sûr, un lieu de départ privilégié pour des randonnées qui offrent au marcheur l'occasion de retrouver l'ancienne voie romaine, visible à bien des endroits, ancien chemin muletier qui menait aux plateaux où l'on peut découvrir, spectacle étrange en pleine pelouse de montagne, une **carrière romaine** abandonnée avec des colonnes inachevées voici maintenant dix-huit siècles environ, les carrières de la Queyrie.

SAILLANS

26340 • I-5 • 872 hab.

Mairie Place Maurice-Faure
Tél. : 75.21.51.52.

Syndicat d'initiative
Place Soubeyranne
Tél. : 75.21.51.05.

Gare
Tél. : 75.21.51.23.

Ce joli bourg, chef-lieu de canton, est installé sur la rive droite de la Drôme, juste avant un premier resserrement très étroit de la vallée en direction de Die. De la sorte, dominé par les **rochers** altiers des Trois-Becs (1545 m), Saillans est comme une porte d'entrée en pays diois. La localité

Vers Romeyer.

existait très probablement déjà à l'époque gallo-romaine et on y trouve une borne de cette époque.
La rivière est particulièrement belle à cet endroit et le bourg a des allures méridionales prononcées : rues étroites, maisons de pierre, tuiles romaines, allées de platanes, fontaines et maints autres détails qui signent cette ambiance. L'**église** est en majeure partie du XVIe siècle mais son architecture reprend des maçonneries plus anciennes, notamment des sculptures d'époque carolingienne, tandis que le clocher est un produit du XIXe siècle.

La culture du ver à soie
Pour l'essentiel, Saillans vit de l'agriculture et notamment des vignes qui fournissent la production de clairette. Saillans fut aussi, autrefois, un centre d'élevage du ver à soie. La magnanerie de Saillans est un musée qui permet une approche pédagogique vivante : visite de l'élevage, présentation du mûrier, dévidage des cocons... toute la sériciculture du passé à nos jours (des articles sont bien sûr proposés aux amateurs).

- *La magnanerie*
  Tél. : 75.21.56.60.

Ouverture : du 1er mai au 30 septembre, tous les jours, de 10 h à 19 h.

A Saillans et dans les alentours immédiats se sont installés également quelques loueurs de canoë-kayaks. La Drôme et le Bès offrent selon les saisons des parcours de difficultés variables allant de 7 à 50 km en canoë-kayak ou en raft, sur une journée ou sur plusieurs jours.

Saillans.

SAINT-AGNAN-EN-VERCORS

26420 • F-6 • 366 hab.

Mairie Tél. : 75.48.20.67.
Office de tourisme
Col du Rousset
Tél. : 75.48.22.21.
Télésiège
Tél. : 75.48.25.39-75.48.24.64.
Station du Col-du-Rousset
Tél. : 75.48.22.21-75.48.25.39.
Manifestations
Concert sur la place (tous les samedis en juillet-août).
Journée des artisans (fin juillet).
Journée de la peinture (15 août).

C'est une succession de hameaux qui s'alignent dans le long pli synclinal central du Vercors qui va du col de Roméyère au col du Rousset, pli majeur où a trouvé place la Vernaison qui s'écoule tranquillement avant de se jeter dans les Grands-Goulets.
Sur une éminence s'est développé le bourg de Saint-Agnan avec sa massive **église** reconstruite au XVIIe siècle; le hameau de la Britière, en allant vers le col du Rousset, s'est bâti sur une des moraines glaciaires que l'on trouve au fond de cette vallée. Juste au-dessus du hameau de Rousset, s'élève, également sur un tertre rocheux haut d'une vingtaine de mètres, la **chapelle Saint-Alexis**, reconstruite en 1780 sur les fondations d'une plus ancienne, et parmi les ruines d'un château fort et d'un village qui fut lui-même entouré de remparts. L'endroit eut une importance stratégique dès le XIIIe siècle sur le chemin muletier qui franchissait le col du Rousset en direction du Diois permettant depuis l'Antiquité ce passage de Die à Grenoble parfois encore appelé "Route des vins".

Saint-Agnan peut être le point de départ de splendides randonnées vers les **hauts plateaux** ou vers la **montagne de Beurre** au-dessus du col du Rousset. Au col même, une station s'est ouverte dès les années '30. On y compte en saison une quinzaine de pistes de **ski alpin** et sept remontées mécaniques, alors qu'au-dessus s'ouvrent les immenses zones nordiques des hauts plateaux, vers le Glandasse ou vers le Grand-Veymont. La station est également au départ de la fameuse traversée du Vercors vers Corrençon-en-Vercors, qui est devenue le plus grand classique de ski de fond en France.

La grotte de la Luire
C'est encore à Saint-Agnan-en-Vercors que se trouve, au pied même de la grande forêt du Vercors, la grotte de la Luire, résurgence temporaire d'un énorme réseau souterrain qui, en cas de fortes pluies ou de fonte rapide des neiges, refoule vers le haut, provoquant ce que l'on appelle ici la "crevaison", phénomène qui peut atteindre des débits considérables de plusieurs dizaines de mètres-cubes à la seconde (la dernière eut lieu en 1994). On visite les grottes jusqu'au

Saint-Agnan-en-Vercors.

premier des gouffres qui donne accès à un réseau exploré sur 11 km et descend jusqu'à 540 m sous le niveau du porche d'entrée.
Le porche de cette grotte servit aussi d'hôpital aux maquisards lors de la bataille du Vercors de juillet-août 1944 et il fut le théâtre de terribles événements. En effet, découvert par les Allemands, cet hôpital de fortune fut investi. Les blessés les plus atteints furent achevés sur place, ceux qui pouvaient marcher furent abattus au hameau de Rousset alors qu'on emmenait médecins et aumônier vers Grenoble où ils furent fusillés, les infirmières étant dirigées vers Ravensbrück, en camp de concentration.

- *Grotte de la Luire*
  Tél. : 75.48.25.83.

Ouverture : du 1er avril au 30 septembre, tous les jours, de 9 h 30 à 12 h et de 13 h 30 à 18 h.

SAINT-ANDEOL

38650 • E-7 • 92 hab.

Mairie Tél. : 76.34.08.69.

Ce village du Trièves apparaît d'autant plus modeste qu'il se trouve sous les masses imposantes des **rochers du Playnet** à l'ouest et sous les crêtes des **rochers de la Balme** tandis que, plus loin au nord, s'élève la Grande-Moucherolle. Le territoire communal déborde d'ailleurs largement sur les hauts plateaux, reprenant en particulier la zone de lapiaz du Purgatoire où on trouve également un gouffre impressionnant, le Pot 2, qui présente la plus grande verticale de France, de plus de 300 m !
Saint-Andéol est un petit paradis pour l'**escalade** avec des centaines de voies possibles qui, toutefois, s'adressent à des amateurs de haut niveau. On peut aussi pratiquer la randonnée vers les plateaux par le pas Morta, la promenade et, l'hiver, le ski alpin, le ski de fond et les balades en raquettes.

SAINT-ANDRE-EN-ROYANS

38680 • D-6 • 273 hab.

Mairie Tél. : 76.36.02.50.

Le village s'est installé au pied du massif des Coulmes, lieu verdoyant où l'on cultive noyers et châtaigniers. De là la vue s'étend, magnifique, et très loin sur toute la vallée de l'Isère en direction du Rhône. Le **château**, aujourd'hui restauré date du XIIIe siècle et rappelle l'âpreté des luttes féodales que connut le Royans. Un autre château, près de la Roche Saint-André, fut détruit lors des guerres de Religion. L'**église** fut reconstruite au XVIIe siècle et elle abrite un bel autel provenant du monastère des carmes de Beauvoir.

SAINT-ANTOINE-L'ABBAYE

38160 • C-5 • 873 hab.

Mairie Tél. : 76.36.42.08.

Office de tourisme
Le Bourg
Tél. : 76.36.44.46.

A l'origine de cette localité, on trouve les reliques de saint Antoine, qui vécut en Egypte au IIIe siècle, reliques qu'avait ramenées de Byzance le seigneur de Châteauneuf-de-l'Albenc. Elles furent bientôt confiées à des Bénédictins venus de Montmajour; des pèlerinages s'organisèrent très rapidement, saint Antoine ayant la réputation de guérir les fièvres et la lèpre.

En 1297, le pape confia le pèlerinage et les reliques aux Antonins qui ouvrirent un hôpital distinct où l'on soignait notamment les gangrènes et le mal des Ardents. Les lépreux étaient soignés pour leur part dans une maladrerie située plus loin étant donné les risques de contagion. Un bourg s'éleva bientôt autour de l'abbaye qui devint puissante. Louis XI et François Ier y vinrent notamment en pèlerinage. Dépendant directement du pape, elle souffrit aussi gravement du schisme entre papes de Rome et d'Avignon. Les guerres de Religion la touchèrent très sévèrement au XVIe siècle puis l'ordre s'amenuisa peu à peu, les Antonins finissant par fusionner avec les Chevaliers de Malte.

L'abbatiale

C'est un monument surprenant et d'une incontestable grandeur. Il y eut d'abord une église romane. En 1292 fut construite l'abside que l'on connaît aujourd'hui, et commencèrent les travaux du transept et de son clocher. En 1337, les travaux reprirent sous la direction cette fois des Antonins qui

réalisèrent une nef avec doubles bas-côtés, l'ensemble étant aussi large que le transept initial. Les sculptures des portails furent détruites par les hommes du baron des Adrets en 1562, les toitures furent incendiées en 1567... Le clocher actuel fut reconstruit au XVIIe siècle dans la foulée de la restauration de l'édifice qui fut classé en 1840 Monument historique.
Au chevet, on remarque l'importance des **contreforts**; cela se justifie par le fait que les architectes avaient renoncé à utiliser à cet endroit les arcs boutants. Aux voussures des portails subsistent quelques sculptures ayant échappé aux fureurs iconoclastes des hommes du baron des Adrets.
L'abbatiale abrite également de **remarquables peintures** du XVe siècle : *Le Calvaire et la Résurrection du Christ*, un *Paysage de montagne*, des *Apôtres*... La **châsse des reliques** (XVIIe siècle) se trouve derrière le maître-autel. Elle est décorée de panneaux d'argent repoussé retraçant des épisodes de la vie de saint Antoine. On peut encore admirer des **statues** du XVIIe siècle.
Les deux **sacristies** sont de vrais musées avec, en particulier, un chef d'œuvre absolu : un Christ d'ivoire sculpté (XVIe siècle), des vitraux, des chapes et chasubles (XVe-XVIIIe siècle), des châsses (XVIe siècle), des tableaux, des instruments chirurgicaux, des ex-voto...
Les bâtiments abbatiaux, datés des XVIIe et XVIIIe siècles, ont échappé à la destruction lors de la Révolution française en étant revendus comme biens nationaux par lots. Certains d'entre eux ont retrouvé une destination religieuse ; depuis 1987, une communauté de l'Arche vit dans une partie. Dans d'autres bâtiments se sont installés des artisans et des antiquaires et dans une dernière partie a pris place la **collection de tableaux du peintre du Dauphiné Jean Vinay.** On peut y voir moult toiles et également des expositions temporaires. Saint-Antoine-l'Abbaye est devenu un lieu de culture important pour toute la région.

- *Musée départemental Jean-Vinay Tél. : 76.36.40.68.*

Ouverture : tous les jours, sauf le mardi, de 14 h à 19 h et du 1er juillet au 31 août, de 11 h à 20 h.

Le bourg a perdu ses remparts; il en subsiste quelques ruines ainsi que la **porte de Lyon** située près de l'abbaye; de là, on peut apprécier la curieuse porterie couverte de tuiles vernissées. Parmi les vieilles rues étroites du bourg on admire quelques belles façades anciennes, certaines à colombages, une autre de style Renaissance dans la rue Haute.

SAINT-BENOIT-EN-DIOIS

26340 • I-5 • 29 hab.

C'est un vieux village situé dans un site sauvage où l'on élève moutons et chèvres. Ruelles étroites, façades anciennes, terrasses de jardins, le charme de ce village est complété par la présence d'une remarquable église romane.
L'accès au village se fait en suivant à travers d'étroites gorges le **torrent de la Roanne.**

SAINTE-CROIX

26150 • H-5 • 102 hab.

Mairie Tél. : 75.21.22.46.

Ce village est bâti sur un éperon au-dessus de la Sure, belle rivière qui descend du pays de Quint. On distingue tout de suite un grand bâtiment daté du XIIe siècle : il s'agit d'un ancien monastère Antonin qui eut beaucoup d'influence durant tout le Moyen Age. Ce beau village aux maisons dioises traditionnelles est tourné essentiellement vers la vigne dont les grappes font la clairette.
Au-dessus du confluent de la Sure et de la Drôme subsistent les **ruines** de trois tours qui surveillaient autrefois la route de Die. Ce château existait dès le XIIe siècle (accès par un sentier assez difficile). Ce sont trois donjons de plans différents, pentagonal pour le sud et carré pour le nord, tandis que la tour dispose d'une porte avec arc en plein cintre.

Dans une vigne de Sainte-Croix ont également été retrouvées les fondations d'une **villa gallo-romaine**, et une mosaïque a été découverte lors de fouilles approfondies (musée de Die). De même, on a découvert en ces lieux une nécropole médiévale (XIe-XIIIe siècle). On verra aussi à Sainte-Croix une **église** des XIe et XIIIe siècles qui accueille à la fois les cultes réformés et catholiques. L'**ancienne abbaye** est devenue un centre d'accueil.

SAINTE-EULALIE-EN-ROYANS

26190 • D-6 • 402 hab.

Mairie Tél. : 75.48.68.87.

La paroisse existait déjà au XIe siècle et se situait un peu plus bas, sur l'ancien chemin menant à Pont-en-Royans. Les guerres de Religion détruisirent l'église et le village fut

Sainte-Croix : l'église.

Sainte-Eulalie-en-Royans.

reconstruit plus haut vers la montagne, alors même que les petits goulets n'étaient pas encore percés. Toutefois, Sainte-Eulalie se développa surtout après l'ouverture de la nouvelle route de Saint-Jean-en-Royans à Pont-en-Royans et de celle des Goulets, double ouverture qui en faisait un carrefour de premier plan entre plateaux du Vercors et Royans.
On remarque ici l'abondance des plantations de **noyers** qui fournissent le label "Noix de Grenoble". L'église actuelle date de 1859.

SAINT-GUILLAUME

38650 • F-8 • 235 hab.

Mairie RN 91
Tél. : 76.34.00.73.

Le village est situé un peu au-dessus de la vallée de la Gresse. Il a l'allure typique du Trièves avec les grands toits de tuiles plates en forme d'écaille sagement regroupés autour de l'**église** (reconstruite au XVIIIe siècle suite à l'incendie du château qui se trouvait tout à côté de l'édifice au début du même siècle).
Ici la verdure domine, randonnées et promenades s'offrent à l'amateur, en particulier vers les gorges creusées par **la Gresse** partant rejoindre le Drac en amont de Grenoble.

SAINT-JEAN-EN-ROYANS

26190 • E-5 • 2923 hab.

Mairie Place de l'Hôtel-de-Ville
Tél. : 75.47.75.99.

Office de tourisme
Place de l'Eglise
Tél. : 75.47.54.44.

Maison pour tous et du Royans
1, rue Pasteur
Tél. : 75.48.51.42.

Aéro-club du Royans
Tél. : 75.48.61.29.

ESF
Tél. : 75.48.28.14.

Ski de fond
Tél. : 75.48.26.55.

Manifestations
Fête des laboureurs (1er week-end d'avril).
Rencontres internationales de musique mécanique (1er week-end de juillet).
Journées portes ouvertes à l'aéro-club (début juillet et début août).
Marché (jeudi et samedi).

Saint-Jean est le centre économique et administratif du Royans et chef-lieu de canton. Il y eut ici un prieuré dès l'an 1000, fondé par des Bénédictins et dédié à saint Jean-Baptiste. Il se trouvait sensiblement à l'endroit de l'église actuelle qui fut reconstruite, elle, au XVIIe siècle. Cette place religieuse devait être respectée dans le Royans car jamais la ville ne disposa de remparts malgré des rivalités féodales souvent féroces. La ville devint malgré cela un carrefour pour le commerce des bois exploités dans les forêts voisines de Lente, du Musan ou de l'Echarasson, principalement à partir du XVIe siècle.

Le travail du bois
De ce passé, Saint-Jean-en-Royans a conservé la tradition du travail du bois après celui, au XVe siècle, du drap de laine. Il y eut aussi une papeterie puis, au XIXe siècle, un tissage de soie, l'élevage du ver à soie s'étant développé de façon considérable dans tout le Royans; cette activité disparut progressivement au début du XXe siècle.
Travail du bois, scieries, mobiliers... Saint-Jean connut une spécialisation dès le XVIe siècle avec les "pigniers" qui fabriquaient à partir de bois dur comme le buis, des pignes ou peignes utilisés pour "peigner" la laine ou le chanvre. Puis vint la fabrication de quantité d'objets usuels réalisés en bois : cuillères, louches, mortiers, etc. Des artisans venus du Jura dans les années 1850 complétèrent cette activité par la tournerie-tabletterie, l'énergie nécessaire aux machines et tours étant fournie par des moulins implantés le long de la Lyonne. Cette activité traditionnelle subsiste, tournée davantage aujourd'hui vers l'originalité voire le luxe, le plastique ayant entraîné la fin de la production de masse d'objets en bois. Mais l'activité "bois" reste de premier ordre à Saint-Jean-en-Royans avec des meubles, de la tournerie, des scieries. Le chef-lieu de canton est devenu également un marché agricole de poids pour tout le Royans.

Saint-Jean est aussi un agréable lieu de séjour pour les vacances avec piscine, tennis, camping, gîtes, etc. Ce peut être le point de départ de promenades vers tout le Vercors par les routes impressionnantes de Combe-Laval ou du Pionnier par exemple, ou encore vers les gorges de la Lyonne et Léoncel, la cascade du Cholet, le pont des Dames... C'est aussi un lieu de pêche intéressant.

L'église Saint-Jean
Dans la ville même, on ira volontiers jusqu'à l'église Saint-Jean datée de 1684 et son massif clocher de pierre de style montagnard. L'intérieur de l'édifice est superbement meublé grâce aux édiles de Saint-Jean qui, en 1791, rachetèrent comme biens nationaux les boiseries de la chartreuse du Val-Sainte-Marie de Bouvante. Ce chef-d'œuvre réalisé par des artistes italiens date de 1710. L'ensemble fut restauré en 1972. On en remarque les peintures encadrées dans les boiseries mais aussi l'*Ange de l'Annonciation*, sculpture remarquable d'esprit totalement baroque. Sur l'église même, on remarquera aussi des écussons : l'Aigle des seigneurs d'Arzac, et le Lion des seigneurs de Rochechinard.

Derrière l'église, sur une hauteur, se trouve une table d'orientation qui permet de se familiariser avec le Royans. On notera encore la présence d'une **chapelle orthodoxe** et de l'atelier d'iconographie Saint-Jean-Damascène (sortie sud vers Bouvante) fondé par un prêtre orthodoxe rattaché à l'église roumaine.

- *Chapelle orthodoxe-atelier d'icônes et de mosaïques*
  Tél. : 75.48.66.75.

Visite guidée sur rendez-vous.

Enfin, on ne peut quitter Saint-Jean-en-Royans sans rappeler que fut créée ici, à moins qu'il ne s'agisse de la sauvegarde d'une tradition plus ancienne encore, la **"raviole"**, cette pâte légère farcie de fromage frais de chèvre, d'œuf, de gruyère et de persil.

SAINT-JULIEN-EN-QUINT

26150 • G-5 • 162 hab.

Mairie Tél. : 75.21.21.44.

Le pays de Quint
Il s'agit d'une combe dominée par les falaises du Font-d'Urle et du plateau d'Ambel. "Quint" fait référence au bornage romain, autrement dit : situé à cinq milles romains de Die. Cette situation un peu en marge du Diois et dominée par de hautes murailles rocheuses explique un micro-climat plus rude ici que dans le reste du Diois, mais aussi la présence d'un pays plus vert et moins méditerranéen d'aspect.
La Sure est une très belle rivière qui coule sur un large lit de galets qui dit bien ses débordements possibles, et on la croisera au gré des routes qui mènent à Saint-Julien ou vers le col de la Croix. On cultive ici des céréales et on élève moutons, chèvres et bovins. Au centre du village, on remarque le **temple** et l'**église**, rigoureusement parallèles, face à la mairie.
Saint-Julien peut être le départ de belles promenades mais aussi de randonnées plus audacieuses vers le pas de l'Infernet ou le pas d'Ambel, vers la porte d'Urle.

Le centre de Saint-Jean-en-Royans.

Le pays de Quint aux abords de Saint-Julien.

SAINT-JULIEN-EN-VERCORS

26420 • D-7 • 186 hab.

Mairie Tél. : 75.45.52.23.

Office de tourisme
Tél. : 75.45.50.69.

Refuge-auberge de Loybon
Tél. : 75.45.54.03.

Ce village se trouve le long du pli synclinal nord-sud du Vercors central, au-dessus des gorges de la Bourne. C'était un site stratégique important dans la défense du Vercors central, comme en témoignent quelques ruines d'un château fort qui surveillait les mouvements et, à l'entrée du village lorsqu'on vient de la Balme de Rencurel, au lieudit Le Château.

Saint-Julien se trouve aussi sur l'ancienne voie qui reliait le Vercors central au Royans via Pont-en-Royans, Châtelus et le pas de l'Allier. Y passaient, dit-on, une centaine de mules par jour, transportant en particulier le charbon de bois si nécessaire aux XVIIe et XVIIIe siècles à l'industrie du fer et de l'acier. Il y avait même là des cabarets pour accueillir tout le petit monde des muletiers. Mais Saint-Julien donnait aussi accès, autrefois, à Villard-de-Lans par le plateau d'Herbouilly alors que les gorges de la Bourne étaient encore infranchissables. L'ouverture des routes de Pont-en-Royans à Villard et des gorges de la Bourne à La Chapelle modifièrent sensiblement l'économie de tout ce secteur du Vercors.

La vieille **église** de montagne (XIIIe siècle), présente devant sa façade un curieux **calvaire** réalisé il y a plus de cent ans maintenant, avec une grosse stalagmite extraite d'une grotte des environs. C'est aussi sur le territoire de la commune de Saint-Julien que se dresse le **rocher** dit "La Vierge du Vercors" et qui rappelle effectivement une forme humaine, sur les falaises du plateau d'Herbouilly, à l'est et en direction de Saint-Martin-en-Vercors (une flèche l'indique).

Saint-Julien peut être le point de départ de splendides randonnées, vers le pas de l'Allier, sur la route des "charbonniers", vers le pas de l'Echarasson ou vers le plateau d'Herbouilly que la neige transforme chaque hiver en une immense **zone de ski nordique**. Il existe ici un foyer de ski de fond (L'Eolienne. Tél. : 75.45.51.75).

SAINT-LAURENT-EN-ROYANS

26190 • E-5 • 1347 hab.

Mairie Tél. : 75.48.65.06.

Manifestations

Fête du reinage (3e dimanche suivant Pâques).

Foire au tilleul (dernier dimanche de juillet).

Marché (jeudi).

Au débouché de Combe-Laval, le village est devenu un vrai bourg industrieux, toutefois l'origine de cette localité paraît bien remonter à l'occupation romaine comme l'atteste la présence d'une tombe gallo-romaine trouvée dans le cimetière primitif et que l'on peut voir dans le cimetière actuel. Un château fut bâti ici au XIVe siècle par les seigneurs de Sassenage. Il n'en reste aujourd'hui que les fossés et quelques fondations. Mais Saint-Laurent devint vite industrielle avec l'installation par les Chartreux, au XVIIIe siècle, d'une fonderie alimentée en charbon de bois par la forêt de Lente et en minerai par le port de Saint-Nazaire-en-Royans. Saint-Laurent connut aussi une grande activité dans le domaine du bois que l'on descendait jusqu'au Cholet par une machine située au fond de Combe-Laval et qui a laissé son nom au col situé tout en haut et par où passe la célèbre route de Combe-Laval précisément. Ces activités disparurent pour laisser place au XIXe siècle à la tournerie-tabletterie et à la soie qui existent toujours mais très modernisées, car on y travaille désormais les matières synthétiques.

De Saint-Laurent, les promenades sont multiples dans la campagne avoisinante ou en direction de la forêt de Sapine-Côte-Belle par la route de la montagne de l'Arps, vers la cascade du Cholet ou Combe-Laval qui cache, juste avant le fond du cirque naturel, un monastère orthodoxe (ouvert tous les jours, de 13 h 30 à 16 h 30. Tél. : 75.47.72.02). C'est aussi un très intéressant lieu de pêche tant sur la Lyonne que sur le Cholet.

SAINT-MARCELLIN

38160 • C-5 • 6696 hab.

Mairie 21, place d'Armes
Tél. : 76.38.41.61.

Office de tourisme
2, avenue du Collège
Tél. : 76.38.53.85.

Gare
Tél. : 76.38.10.10.

Déjà citée au XIe siècle, la localité devint une ville de par la volonté d'Humbert II, le dauphin qui résidait

Saint-Julien-en-Vercors : le site des gorges de la Bourne.

Saint-Martin-en-Vercors.

alors au château de Beauvoir, aux portes du Royans. La cité nouvelle s'entoura de remparts mais resta toujours une cité relativement modeste, gênée dans son expansion par la présence de Romans à une vingtaine de kilomètres en aval. Saint-Marcellin eut également durant une seule nuit, du 11 au 12 juillet 1799, un très illustre prisonnier en la personne du pape Pie VI qu'avait arrêté sur ordre du Directoire le général Berthier, les Etats pontificaux étant occupés par les Français...
On remarquera le **château du Mollard** à la façade de style Renaissance et qui a déjà une allure très dauphinoise.

Le musée du Fromage
Mais Saint-Marcellin est aussi une capitale du fromage qui produit la "tomme de Saint-Marcellin" que Louis XI, dit-on, appréciait beaucoup. Cette spécialité est exportée dans le monde entier par plusieurs fromageries très modernes. On visitera volontiers le musée du Fromage situé dans le même immeuble que l'office de tourisme.

- *Musée du Fromage*
  2, avenue du Collège
  Tél. : 76.38.53.85.

Ouverture : tous les jours, sauf le lundi, de 9 h à 12 h et de 14 h à 18 h.

Non loin de Saint-Marcellin, à la **Sône** où l'on trouve aussi une belle tour médiévale, on pourra aller jusqu'à l'embarcadère pour prendre le bateau à roue à aubes *Royans-Vercors* qui offre une superbe **croisière** sur l'Isère jusqu'à Saint-Nazaire-en-Royans, une façon calme et originale de découvrir une bonne partie de la face ouest du massif du Vercors.

- *Bateau à roue Royans-Vercors*
  Tél. : 76.64.43.42.

Départs en juillet-août, tous les jours, à 10 h 30, 14 h, 15 h 30 et 17 h.

Le jardin ferroviaire
A Chatte, village proche de Saint-Marcellin, les amateurs de "petits trains", iront volontiers jusqu'au jardin ferroviaire; les 1300 m^2 du jardin sont constamment animés par un réseau de quelque 1000 m de développement à l'échelle 1/22,5^e sur lequel courent force convois et tramways.
C'est un rendez-vous que goûteront particulièrement les enfants, ainsi que certains adultes restés sensibles à cet univers de rêve et de poésie.

- *Jardin ferroviaire*
  Tél. : 76.38.54.55.

Ouverture : du 15 février au 15 novembre, tous les jours, de 9 h à 18 h 30.

SAINT-MARTIN-EN-VERCORS

26420 • E-7 • 292 hab.

Mairie Avenue de la Marne
Tél. : 75.45.51.68.
Syndicat d'initiative
Tél. : 75.45.50.69.

En voyant ce joli bourg rural de montagne et ses fermes éparpillées parmi les prairies, on aura peine à imaginer qu'il y eut ici autrefois de l'industrie. En effet, au hameau de Tourtre, dès le XVIe siècle, il y eut une fabrique de fer importante qui travaillait le minerai extrait de Darbounouse, les forêts alentours fournissant le précieux charbon de bois. Au XVIIIe siècle s'ajouta un martinet utilisant l'énergie du ruisseau, les minerais remontant à cette époque du Trièves ou du Royans au prix d'efforts considérables. Cette belle activité valut au XVIe siècle l'intérêt du bon ministre du roi Henri IV, Sully et on planta à cette occasion un **tilleul** que l'on peut encore voir sur la place du village. Cette activité disparut au XIXe siècle avec l'industrialisation massive et l'utilisation des charbons fossiles. Saint-Martin garda toutefois une vocation industrielle, à la fin du XIXe siècle, avec un moulinage de la soie, des scieries et un tissage de laine, le tout utilisant la force motrice des torrents.

Saint-Martin reste un agréable petit bourg d'où l'on peut partir pour de belles promenades en direction du bois de l'Allier ou encore du plateau d'Herbouilly. On y pratique la pêche. Signalons enfin qu'un petit **musée de l'Ours** existe depuis quelques années, rappelant que le dernier ours fut observé dans le Vercors dans les années '30.

Saint-Nazaire-en-Royans.

- *La caverne de l'Ours*
  Tél. : 75.45.53.96.

Ouverture : en juillet-août, tous les jours, de 10 h à 12 h et de 14 h à 19 h (hors saison, tous les jours, sauf le mardi, de 14 h à 19 h).

SAINT-MICHEL-LES-PORTES

38650 • G-8 • 96 hab.

Mairie Tél. : 76.34.01.58.

Ce village, incendié à deux reprises, en 1764 et en 1877, a été reconstruit dans le plus pur **style dauphinois** avec, en particulier, ces grands toits à quatre pentes couverts de tuiles plates en forme d'écaille. Son **unité architecturale** et la qualité de l'ensemble qu'explique l'incontestable richesse de l'époque, justifient son inscription à l'inventaire des sites classés; sa position à flanc de montagne constitue une véritable "porte" en direction du col de l'Allimas et de Gresse-en-Vercors, une porte qui domine tout le Trièves en direction du sud.

Au **hameau de Thoranne**, on ira voir une belle chapelle (XVIIe siècle), joliment restaurée. Il ne reste rien malheureusement en ces lieux du travail du fer qu'on y faisait avant la Révolution française. Il y eut en effet un haut-fourneau et un martinet utilisant l'énergie du torrent; ce furent ensuite des moulins et une scierie. Il y subsiste un four communal qui est encore utilisé à l'occasion des fêtes.

SAINT-NAZAIRE-EN-ROYANS

26190 • D-5 • 532 hab.

Mairie Tél. : 75.48.40.63.

La localité est très ancienne et correspond à un site stratégique majeur du Royans, juste au-dessus de la Bourne avant qu'elle ne rencontre l'Isère dans la grande courbe qu'elle décrit vers le sud. C'est une sorte de verrou qui ouvre sur le Royans lorsqu'on vient de la vallée de l'Isère.

Au Moyen Age, il y eut un château fort et un village fortifié, ce qui valut maints combats lors des fréquentes guerres féodales. Le bourg était la capitale administrative et militaire du Royans et le resta jusqu'à la Révolution. Les guerres de Religion n'épargnèrent pas Saint-Nazaire qui eut toutefois le bonheur de conserver son église (XIIIe siècle), alors que tous les villages du Royans voyaient détruire la leur. Les remparts furent démantelés en 1592.

L'aqueduc

Il domine le village et le rend reconnaissable sur toutes les cartes postales, il date de 1870 et sert à dévier une partie des eaux de la Bourne en direction de la plaine de Valence où elles irriguent les cultures.

Ce lieu fut aussi très anciennement peuplé comme l'attestent les découvertes faites dans la grotte de Thaïs qui s'ouvre en contrebas près des berges de la Bourne.

La grotte de Thaïs

Un musée préhistorique permet de voir des os gravés, des parures, des sagaies d'époque magdalénienne, datant d'environ 10 à 12 000 ans avant J.-C., des outils d'époque azilienne, soit environ 9000 ans avant J.-C. La grotte se visite également pour son intérêt géologique avec de belles salles et des concrétions intéressantes.

- *Grotte de Thaïs*
  Tél. : 75.48.45.76.

Ouverture : du 1er juin au 30 septembre, tous les jours, de 10 h à 12 h et de 14 h à 17 h (en avril, mai et octobre, les dimanches et jours fériés).

Saint-Nazaire est un lieu de villégiature qui offre de nombreuses activités, de la baignade à la randonnée ou à la pêche, et diverses activités nautiques...

Dans la vieille ville on montera par les rues étroites vers les ruines du château aussi appelé **tour poitevine**; on s'arrêtera à l'église (XIIIe siècle) dont le chœur a été reconstruit au XVe siècle dans le style flamboyant.

Dans les environs immédiats, le long des routes par exemple, on remarque la couleur rouge prise par certains sols. Il s'agit d'une couche de sable déposée ici il y a 50 millions d'années environ; le quartz de ce sable, chargé de sels de fer, a rougi en surface sous l'effet de l'oxydation.

SAINT-NIZIER-DU-MOUCHEROTTE

38250 • C-8 • 575 hab.

Mairie Tél. : 76.53.42.20.
Office de tourisme
Tél. : 76.53.40.60.
Panorama olympique-téléski
Tél. : 76.53.44.03.
Manifestation
La fête au village (juillet).

C'est la commune des plateaux la plus proche de Grenoble, et nombre de personnes y résident qui travaillent dans la métropole dauphinoise. Ce village ne prit son autonomie qu'en 1929; c'était auparavant un hameau dépendant de Seyssinet, au pied des Quatre-Montagnes. Il existait toutefois dès le XIe siècle et le vieux **clocher** montagnard est daté du XIIe siècle. Saint-Nizier fut aussi le théâtre de tragiques événements en juin 1944 qui préludaient à l'attaque générale menée par les Allemands contre le Vercors. Saint-Nizier tomba après trois jours de combats acharnés et fut incendié le 15 juin 1944.
La route qui permet d'atteindre le village à partir de Grenoble ne fut ouverte qu'en 1870; Saint-Nizier fut ensuite relié à Grenoble et à Villard-de-Lans à partir de 1920 par un tramway à crémaillère. Cette belle ligne fut malheureusement victime de la concurrence routière et disparut en 1949.

Près du site étonnant des **Trois-Pucelles**, rochers qui dominent Grenoble et son agglomération, Saint-Nizier propose randonnées pédestres, VTT, tir à l'arc, tennis, escalade, parapente... On peut également prendre à partir d'ici le sentier de découverte des **gorges du Bruyant**. En ski alpin, on compte deux remontées au village et 45 km de pistes tracées pour ski de fond. On y trouve de même une piste de luge équipée d'un fil-neige.

SUZE

26400 • H-4 • 164 hab.

Mairie Tél. : 75.76.42.68.

Le vieux village est situé sous la montagne Saint-Pancrace qui culmine à 735 m. Il y eut ici des habitants avant même l'occupation romaine. Au Moyen Age, un château fut édifié par la famille de Suze au Vieux-Suze, puis plus tard un autre par la famille de Poitiers avec un donjon carré dans un second village : Suze-le-Jeune. Les guerres de Religion détruisirent ici l'église Saint-Romain dont il ne reste que quelques traces.
On ira jusqu'au Vieux-Suze pour les ruines de l'**église Saint-Martin** et du **donjon**. La mairie se trouve au hameau du Jaux où une nouvelle église fut bâtie en 1842. On peut aller aussi jusqu'à Chosséon où subsistent quelques structures de l'ancien prieuré Saint-Jean-de-Chosséon. Pour les amateurs de randonnée, signalons une chapelle située sur les hauteurs de Saint-Pancrace.

TRESCHENU-CREYERS

26410 • H-7 • 96 hab.

Mairie Hameau des Nonières
Tél. : 75.21.14.21.

Cette commune est formée de villages et de hameaux situés sur l'axe routier du col de Menée dans un ensemble complexe de combes et de vallées : Menée, Mensac, Archiane, Bénevise, Les Nonières. Le village de Creyers fut abandonné suite à l'exode rural et fut rattaché à Treschenu en 1972.
Ce pays connut le passage dès l'ère gallo-romaine, puisque le col actuel suit de près ce qui était la voie romaine allant de Die au Trièves. On trouve trace aussi de la fondation d'un couvent de femmes au val de Combeau au VIIe siècle, couvent qui fut détruit par les Sarrasins lors de leur passage en 735. Il y eut de même un couvent de Templiers près de Menée mais qui fut détruit sur ordre du roi Philippe le Bel, et un autre encore à Archiane qui fut détruit lors des guerres de Religion.
A Menée, on remarquera avant d'arriver au village lorsqu'on vient de Châtillon-en-Diois, les ruines d'un **château fort**, notamment les restes d'une grande courtine des XIIe et XIIIe siècles. Le hameau de Treschenu faisait alors partie des vastes territoires de Percy et de Monestier-de-Percy dans le Trièves, mandement important devenu marquisat d'Esparron sous le règne de Louis XIV.
L'ensemble de la commune est drainé par quatre torrents : le ruisseau de Sarreymond descendant du col de Menée, le ruisseau descendant du val de Combeau et celui descendant du

Saint-Nizier-en-Moucherotte : le rocher des Trois-Pucelles.

Treschenu-Creyers : le site d'Archiane.

cirque d'Archiane, qui vont ensuite, après leur rencontre à Menée, rejoindre le ruisseau des Gâts à Mensac.

Vers les hauts plateaux

Les possibilités de promenades et de randonnées sont ici multiples vers les hauts plateaux via le vallon de Combeau, par le cirque d'Archiane (site classé), vers les gorges des Gâts (site classé), vers le col de Menée, vers les cascades d'Archiane et du Sapet, vers les grottes préhistoriques de Pellebit. On peut pratiquer ici l'escalade, le canyoning, la spéléologie et, bien sûr et surtout, la randonnée, discipline reine dans d'aussi fastueux décors.

VACHERES-EN-QUINT

26150 • H-5 • 26 hab.

Mairie Tél. : 75.21.20.87.

Ce vieux village perché s'est installé en un point stratégique, à l'endroit même où la Sure creuse son passage dans la roche en direction de Sainte-Croix et de la Drôme : le passage des Tourettes.

On cultive ici **lavande**, **vigne** et **noyers** et on y élève **moutons** et **chèvres**.
Ce peut être le point de départ de belles balades et on ira volontiers découvrir le village et quelques belles fermes disséminées sur le territoire communal.

VASSIEUX-EN-VERCORS

26420 • F-6 • 283 hab.

Mairie Avenue du Mémorial
Tél. : 75.48.28.11.

Office de tourisme
Avenue du Mémorial
Tél. : 75.48.27.40.

Manifestation
Fête de la forêt (mi-juin).

Le village s'élève au centre d'une sorte de plaine d'allure sévère entre les crêtes des Gagères à l'ouest la montagne de Nève à l'est. On y accède par le col de Saint-Alexis à partir du hameau de Rousset à l'est, par le col de La Chau en venant de l'ouest et de la forêt de Lente, ou en remontant de La Chapelle. Au sud, le plateau s'interrompt brutalement au dessus du Diois... Des amas de pierres, des roches dénudées, des dolines... cette plaine est dépourvue de cours d'eau et toute pluie s'y enfonce très rapidement, c'est ce qui explique en partie la sévérité des lieux.

Aux origines de la présence humaine

L'homme préhistorique vint toutefois ici très tôt, probablement de façon saisonnière, pour exploiter les gisements de silex qui lui permettaient d'obtenir ces fines lames de pierre taillée qui font encore notre admiration. Plus tard, Vassieux-en-Vercors devint le refuge des bergers et le village fut, dit-on, fondé par des Provençaux dès avant le Moyen Age. Ce n'est que plus tard qu'ils se mirent à cultiver cette plaine qui était alors plutôt en contact avec le Diois qu'avec le Vercors central de par sa position un peu en marge. Et cela dura jusqu'à la dernière Guerre mondiale. Autrefois, l'essentiel des relations se faisait avec le Diois et le Pays de Quint par les cols de Vassieux à 1333 m d'altitude et de Font-Payanne à 1412 m.

Le maquis du Vercors

Vassieux reste toutefois pour nous le village-martyr de la bataille du Vercors. La plaine avait été préparée pour accueillir les Alliés qui venaient parachuter ici armes et vivres pour les maquisards mais, après un parachutage plus important, Vassieux fut bombardé une première fois le 13 juillet 1944, puis le lendemain, avec violence. Le 21 juillet, au lieu des Alliés tant attendus, descendaient sur la plaine de Vassieux quelques dizaines de planeurs allemands chargés de SS qui, après un bref combat inégal, tuaient tous les habitants et résistants présents. Le village fut incendié; 139 résistants et 58 civils de tous âges furent tués ici.

Reconstruit après guerre, le village a reçu la Croix de guerre avec palme. Le cimetière national se trouve au carrefour de la route du col de La Chau et abrite 187 victimes. A Vassieux, dans l'église reconstruite, on trouve un très émouvant Christ provenant de l'église incendiée et tout à côté, dans le cimetière primitif, a été installé le **jardin de la Mémoire**. Non loin de là, on trouve un **musée de la Résistance** où sont reprises en détail toutes les opérations et qui expose uniformes, armes et matériels qui servirent à la bataille. Le **mémorial du Vercors** se cache quant à lui depuis 1994 dans un creux de rocher sur la route du col de Lachau, dominant toute la plaine de Vassieux. Une grande statue-mémorial aux martyrs du Vercors domine également la plaine.

- *Site national historique de la Résistance*
  Col de Lachau
  Tél. : 75.48.26.00.

Ouverture : du 1er avril au 30 septembre, tous les jours de 10 h à 18 h (jusqu'à 17 h le reste de l'année).

- *Musée de la Résistance*
  Tél. : 75.48.28.46.

Ouverture : du 1er avril au 30 octobre, tous les jours, de 9 h à 12 h et de 14 h à 18 h et sur rendez-vous le reste de l'année.

- *Salle du Souvenir*
  Cimetière
  Tél. : 75.48.26.00.

Ouverture : du 1er mai au 30 septembre, tous les jours, de 10 h à 12 h et de 14 h à 18 h.

Le musée de la Préhistoire

Mais on ne peut aller à Vassieux sans se rendre au remarquable musée de la Préhistoire (classé musée de France), qui est construit directement au-dessus d'un gisement de silex taillés retrouvé intact, ce qui est absolument exceptionnel. Sur les 80 m² aujourd'hui à l'abri se poursuivent patiemment les recherches sur cette civilisation dite "pressignienne" qui date de 4000 ans environ. Les guides du musée font également des démonstrations passionnantes de taille de silex et c'est une façon très simple et efficace de comprendre la technique mais aussi d'approcher le merveilleux métier de nos ancêtres et d'apprécier la beauté des lames et outils fabriqués en ces lieux il y a tant d'années.

- *Musée de la Préhistoire du Vercors*
  Tél. : 75.48.27.81.

Ouverture : du 1er avril au 30 septembre, tous les jours de 10 h à 18 h (jusqu'à 17 h le reste de l'année).

Vassieux peut être le point de départ de nombreuses randonnées sur les plateaux, à pied, à cheval, à VTT, à bicyclette. L'hiver, la plaine devient un magnifique **domaine skiable** et on y trouve un foyer de ski de fond.

VERCHENY

26340 • I-5 • 424 hab.

Mairie La Plaine
Tél. : 75.21.73.47.

La partie basse de la localité est, en bordure de la Drôme et de la départementale 93, la partie haute sur les pentes qui montent vers la pointe de Gaudichart à 1112 m d'altitude. C'est un vieux village perché, mais les amateurs pourront aller plus haut encore jusqu'aux ruines du château de Barry, véritable nid d'aigle à 969 m d'altitude qui fut pourtant très menacé en 1278 par les troupes de l'évêque Amédée de Roussillon, lors des interminables conflits féodaux qui touchèrent largement tout le Diois.

La clairette

Vercheny est tourné essentiellement vers la production de clairette. On y trouve un petit **musée** consacré à ce breuvage traditionnel (caves Carod-Frères) (avec visite commentée des caves et du **musée**), également un sentier viticole bien aménagé à Vercheny-le-Haut et qui permet la découverte du vignoble et du travail du vigneron. Le parcours dure 20 à 30 mn environ et présente des panneaux d'initiation répondant aux questions que l'on se pose s'agissant de l'art d'élever la vigne, du cep à la grappe, de la terre au climat... De plus, ce sentier se déploie dans l'admirable paysage de la vallée de la Drôme dominée ici, rive gauche, par les Trois-Becs.

- *Musée de la Clairette*
  Tél. : 75.21.73.77.

Ouverture : tous les jours, de 9 h à 12 h et de 14 h à 18 h 30 et sur rendez-vous.

Vassieux-en-Vercors : l'église.

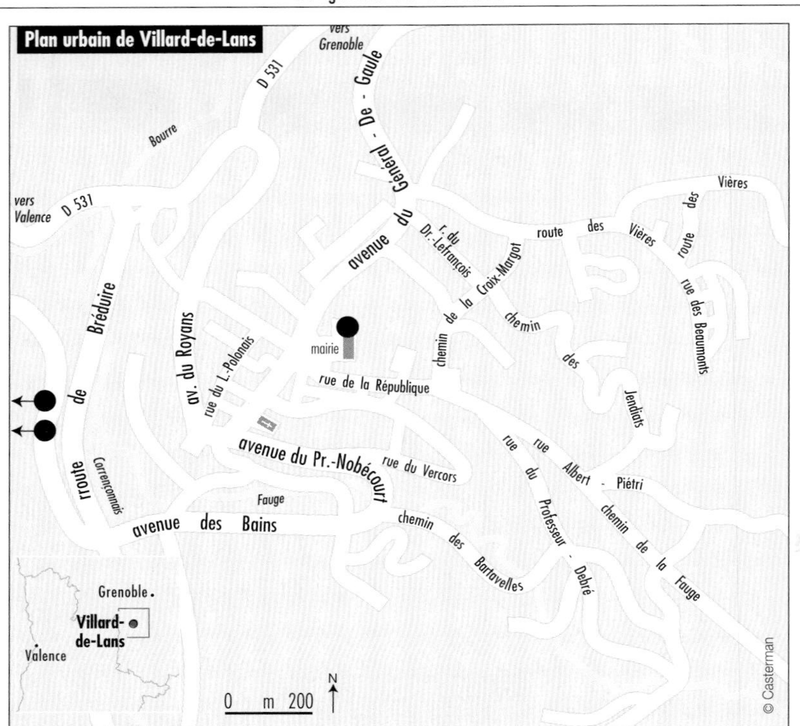

VILLARD-DE-LANS

38250 • D-7 • 3346 hab.

Mairie 62, place Pierre-Chabert
Tél. : 76.94.50.00.

Office de tourisme
Place Mure-Ravaud
Tél. : 76.95.10.38.

Association de développement touristique des Quatre-Montagnes (ADT)
Place Mure-Ravaud
Tél. : 76.95.15.99.

Centre de loisirs
Tél. : 76.95.17.13-76.95.02.22.

Télécabine de la Côte-2000
Tél. : 76.95.15.43.

Manifestations
Fête des rhodos (juin).
TransVercors VTT (septembre).
Pèlerinage à la chapelle de Valchevrières (1er dimanche de septembre).
Festival de café-théâtre (d'octobre à décembre).

La petite ville s'est construite sur une légère éminence dominant le val de Lans et la Bourne. En arrière, côté est, se dresse la prestigieuse chaîne des crêtes, du **Moucherotte** à la **Grande-Moucherolle**. La ville naquit assez tardivement et le lieu était autrefois une dépendance de Lans-en-Vercors, le nom de Villard venant peut-être du latin "villa" qui veut dire ferme. De village, Villard est devenu ville à la faveur du tourisme qui se développa fortement dans les années '20; d'abord station climatique, Villard devint station de sports d'été et d'hiver.

A quelques kilomètres de la ville, on pourra aller en une sorte de pèlerinage à la **chapelle de Valchevrière** ❶, petit village qui fut détruit lors de la bataille de juillet 1944; le site était en effet comme un verrou permettant de contrôler la route du plateau vers Saint-Martin-en-Vercors. Le village n'a pas été reconstruit et la chapelle, qui échappa par miracle à la destruction, a été restaurée. Sur la route qui y mène on trouve un **chemin de croix** ; les douze stations portent les noms de ceux qui sont tombés en ces lieux dans un combat inégal. On y accède en prenant la route de Saint-Martin-en-Vercors via Bois-Barbu ❷ et Herbouilly.

Un centre touristique

La ville de Villard-de-Lans ne connaît que peu de répit d'un bout à l'autre de l'année. Beaucoup d'activités lui sont communes avec Corrençon-en-Vercors et on trouve dans ce secteur quelque 25 hôtels (du trois étoiles au non classé), nombre de gîtes et d'appartements, des campings, des centres de vacances, etc.

Le randonneur bénéficie de centaines de kilomètres de sentiers balisés, le sportif de deux piscines, un centre aquatique avec toboggan et vagues, une patinoire couverte, un espace de mise en forme, trois clubs hippiques, un golf... de très nombreux sports classiques auxquels on ajoutera la spéléologie, l'escalade, le parapente, la montgolfière...

L'hiver, la station offre 130 km de pistes de **ski alpin** avec 36 remontées mécaniques dont deux télécabines et six télésièges, une centaine de canons à neige (le dénivelé maximum étant de 1120 m !). On trouve encore deux écoles de ski et deux clubs d'enfants bien encadrés... En ski de fond, on relève 160 km de pistes balisées avec 21 itinéraires allant de 1,5 à 41 km, en particulier dans le domaine nordique du **plateau d'Herbouilly** qui est commun aux communes de Corrençon-en-Vercors et Villard-de-Lans dans l'Isère, Saint-Martin et Saint-Julien-en-

*Villard-de-Lans : la place avec l'ancienne mairie (Maison du patrimoine) et la statue de l'*Ours.

Vercors dans la Drôme. N'oublions pas non plus les promenades en raquettes... La station dispose bien entendu de tous les équipements utiles en commerces ou en loisirs, à commencer par des garderies et jardins de neige pour les enfants.

La Maison du patrimoine

Elle a trouvé refuge dans l'ancienne mairie ❸, tout comme la bibliothèque. On y trouve de multiples souvenirs et documents qui ouvrent la voie à une véritable ethnologie locale, le tout étant soigneusement présenté. C'est une somme de vie qui est exposée là.

Au dernier étage, sous les toits, est présentée une **collection de jougs d'attelage** tout à fait exceptionnelle. Ailleurs photos, documents, outils objets usuels retracent avec émotion ce qu'était la vie si rude des montagnards autrefois. On appréciera les documents présentant la race bovine locale dite villarde, race aussi bien adaptée au terrain et au climat qu'au travail que lui demandait le paysan. On découvrira avec surprise, de la même façon, une salle entière consacrée à l'**ours** dont la statue, sur la place de Villard, rappelle le souvenir pas si lointain dans le Vercors.

- *Musée du Villard*
  Maison de la Mémoire des Quatre-Montagnes
  Ancien hôtel de ville.
  Tél. : 76.95.17.31.

Ouverture : tous les jours, sauf le dimanche et le lundi, de 14 h à 19 h.

Villard-de-Lans, musée du Villard : la salle des Jougs.

PARC DU
VERCORS

Carnet d'adresses

Toutes les adresses utiles (hôtels, golfs, centres équestres...), les accès, les moyens de transport et les lieux d'information pour orienter votre séjour.

Archiane : le refuge du Parc.

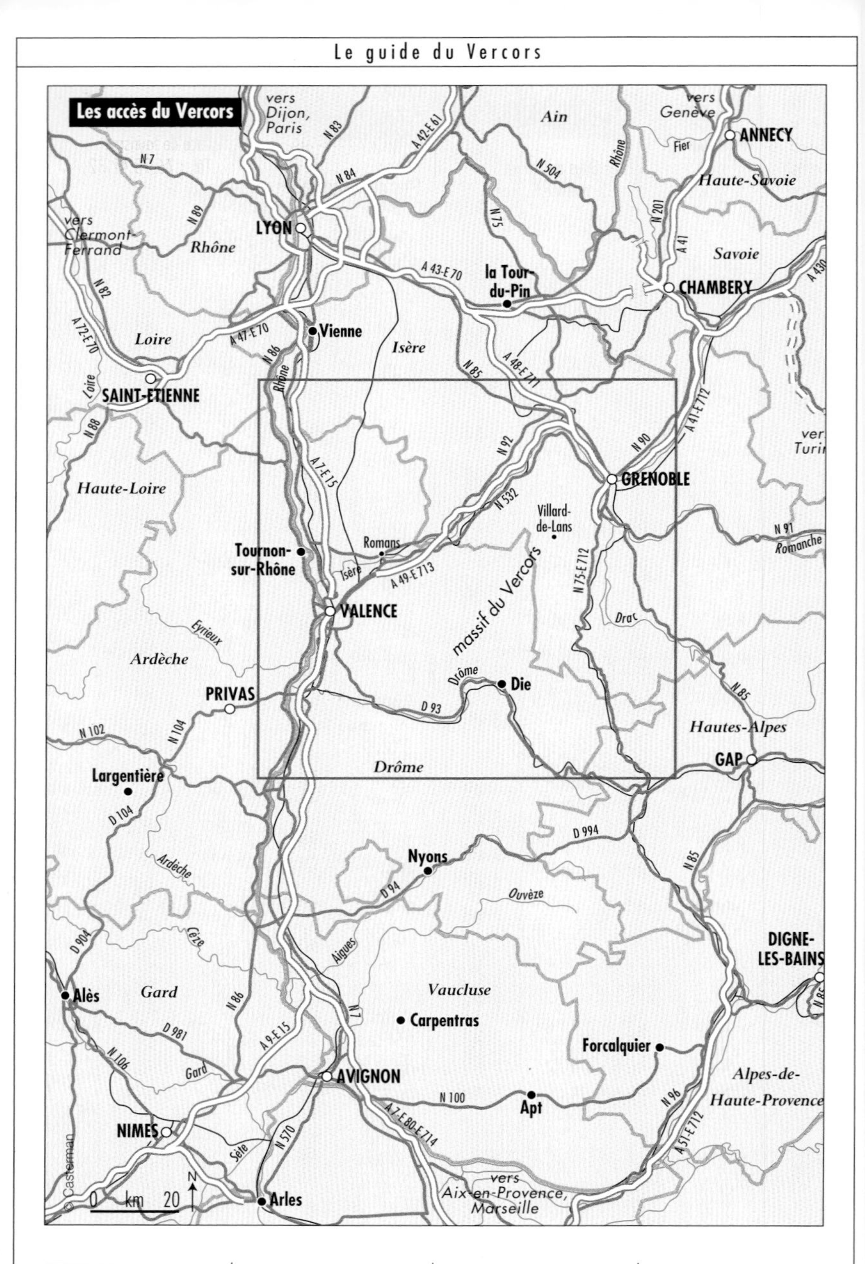

LES ACCES DU VERCORS

En voiture

• Depuis Paris : autoroute A 6 (Paris-Lyon-Grenoble) et A 43, sortie Veurey, direction Sassenage, Villard-de-Lans ou par la route panoramique Seyssinet, Saint-Nizier-du-Moucherotte. Possibilité également de sortir à Romans (Paris-Lyon-Valence), puis prendre la direction de Saint-Nazaire-en-Royans et la routedu site classé des Grands-Goulets

• Depuis Marseille : autoroute A 7 (Marseille-Valence), puis Valence-Grenoble, sortie à la Baume-d'Hostun, direction de Villard-de-Lans.

• Depuis Lille : autoroute A 1, direction Paris, jusqu'à l'échangeur A 26-A 1 vers Reims et Troyes, ensuite l'A 5 vers Langres et A 31 Dijon, A 6 Lyon. Prendre l'échangeur A 46 et A 43 vers Chambéry et enfin l'A 48 en direction de Grenoble.

• Depuis Strasbourg : prendre l'A 35 en direction de Bâle et la N 1 vers Lausanne et Genève (sortie 13), ensuite la N 201 et l'A 41 vers Grenoble.

Principales cartes routières
Michelin : 77-244.
IGN : 51-52-112-115.
Météorologie :
36.68.02.38.

Centre régional d'informations routières :
78.54.33.33.

En train

Au départ de Paris-Gare de Lyon , TGV Paris-Lyon-Grenoble.
- Paris-Gare de Lyon : 45.82.50.50.
- Gare de Grenoble : 76.28.53.00.
- Gare de Valence
Tél. : 75.40.16.60.

Liaisons ferroviaires avec Bordeaux, Lille, Strasbourg, Nantes, Montpellier, Genève.
Toutes les stations de sports d'hiver du Vercors sont reliées par navettes en autocar quotidiennes :
- Gare routière de Grenoble : 76.47.77.77.
- Régie Voyage-Drôme : 75.40.16.60.

En avion

- Aéroport de Grenoble-Saint-Geoirs (à 50 km de Villard-de-Lans). Liaisons quotidiennes avec Paris-Orly-Ouest (3 allers-retours en été et 5 en hiver) et Nice (1 aller-retour quotidien).
Tél. : 76.65.41.07.
- Aéroport de Lyon-Satolas
Liaisons quotidiennes avec Bruxelles, Lille, Marseille, Montpellier, Nantes, Strasbourg, Nice...
Tél. : 72.22.72.21.
- Aéroport de Valence-Chabeuil
Liaisons quotidiennes (sauf le week-end) avec Paris.
Tél. : 75.85.26.26.

ADRESSES UTILES

Drôme

Préfecture
Boulevard Vauban
26000 Valence.
Tél. : 75.79.26.00.

Conseil général de la Drôme
26, avenue Pdt-Herriot
26026 Valence cedex.
Tél. : 75.79.26.00.

Comité départemental du Tourisme de la Drôme
31, avenue Président-Herriot
26000 Valence.
Tél. : 75.82.19.26.

Les Gîtes de France
95, avenue Georges-Brassens
26500 Bourg-les-Valence.
Tél. : 75.83.01.70.

Centrale de réservation
Tél. : 75.83.01.70.

Direction des stations de la Drôme
Place de l'Evêché
26150 Die.
Tél. : 75.22.40.18.

Office de tourisme du Vercors-Sud
26420 La Chapelle-en-Vercors.
Tél. : 75.48.22.54.

Maison de l'aventure
26420 La Chapelle-en-Vercors.
Tél. : 75.48.22.38.

Isère

Préfecture
12, place de Verdun
38000 Grenoble.
Tél : 76.60.34.00.

Conseil général de l'Isère
Rue Fantin-Latour
38000 Grenoble.
Tél. : 76.60.38.38.

Comité départemental du tourisme de l'Isère
14, rue de la République
BP 227
38019 Grenoble cedex.
Tél. : 76.54.34.36.

Vercors-Accueil
38250 Villard-de-Lans.
Tél. : 76.94.11.11.

ADT-Quatre-Montagnes
Association de développement touristique du Vercors
Place Mure-Ravaud
38250 Villard-de-Lans.
Tél. : 76.95.15.99.

Parc naturel régional du Vercors
Centre permanent d'initiation à l'environnement
38250 Lans-en-Vercors.
Tél. : 76.95.40.33.

Gîtes de France-Maison des agriculteurs
40, avenue Marcellin-Berthelot
38100 Grenoble.
Tél. : 76.40.79.40.

Centrale de réservation-Isère
Tél. : 76.34.34.34.

A l'extérieur de la région du Vercors

Maison Alpes-Dauphiné
2, place André-Malraux
75001 Paris.
Tél. : 42.96.08.43-42.96.08.56.
Minitel : code 3615, Vercors ou 3615 Gestel Cap Rhône-Alpes.

Maison de la France
21, avenue de la Toison-d'Or
1060 Bruxelles.
Tél. : 02/513.73.89-513.07.62.

CENTRES DE SKI (ALPIN ET FOND)

ISERE

Autrans (38880)
(1250-1650 m)
Office de tourisme
Tél. : 76.95.30.70.
ESF-Le Claret
Tél. : 76.95.33.19.
Foyer de ski de fond
Tél. : 76.95.31.76.

Corrençon-en-Vercors (38250)
Office de tourisme
Tél. : 76.95.81.75.
ESF-Clos-de-la-Balme/Rambins
Tél. : 76.95.83.46.
Centre d'accueil de fond
Tél. : 76.95.80.41.

Gresse-en-Vercors (38650) (1020-1983 m)
Office de tourisme
Tél. : 76.34.32.33.
ESF
Tél. : 76.34.32.33.
Foyer de ski de fond
Tél. : 76.34.31.27-76.34.30.04.

Lans-en-Vercors (38250)
(1020-1983 m)
Office de tourisme
Tél. : 76.95.42.62.
Stade de neige
Tél. : 76.95.43.19.

Malleval (38470)
Foyer de ski de fond
Tél. : 76.64.01.89.

Méaudre (38112)
Syndicat d'initiative
Tél. : 76.95.20.68.
ESF
Tél. : 76.95.24.79.
Foyer de ski de fond
Tél. : 76.95.21.89.

Presles (38680)
Foyer de ski de fond
Tél. : 76.36.06.06.

Rencurel (38680)
Office de tourisme
Tél. : 76.38.97.48.
ESF
Col de Romeyer
Tél. : 76.38.97.43.
Foyer de ski de fond
Tél. : 76.38.96.61.

Villard-de-Lans (38250)
(1150-2170 m)
Office de tourisme
Tél. : 76.95.10.38.
ESF-Balcon-de-Villard
Tél. : 76.95.10.94-76.95.17.23.
ESF-Bois-de-Barbu
Tél. : 76.95.19.00.

DROME

La Chapelle-en-Vercors (26420) (1050-1450 m)
Office de tourisme
Tél. : 75.48.22.54.
Ski de fond
Col de Carri
Tél. : 75.48.22.75.

Col du Rousset/Saint-Agnan-en-Vercors (26420) (1255-1700 m)
Office de tourisme (La Chapelle-en-Vercors)
Tél. : 75.48.22.54.
Antenne Col du Rousset
Tél. : 75.48.22.21.
Ecole de ski
Tél. : 75.48.25.50 (hiver).

Font-d'Urle/Chaud Clapier (26190) (1250-1700 m)
Office de tourisme (Saint-Jean-en-Royans)
Tél. : 75.47.54.44.
Informations à la station
Tél. : 75.48.27.67
(9 h-17 h).
Ecole de ski
Tél. : 75.48.28.14.
Foyers de ski de fond (2)
Tél. : 75.48.27.62-75.48.26.15-75.48.28.38.

Grand-Echaillon/Léoncel (26190) (1100-1300 m)
Office de tourisme (Saint-Jean-en-Royans)
Tél. : 75.47.54.44.
Foyer de ski de fond du Grand-Echaillon
Tél. : 75.40.10.44.

Lente/Bouvante (26190) (1070 m)
Office de tourisme
Tél. : 75.47.54.44.
Foyer de ski de fond
Tél. : 75.48.26.55.

Lus-la-Croix-Haute (26)
Syndicat d'initiative
Tél. : 92.58.51.85
(station : 92.58.51.86).
Ecole de ski
Tél. : 92.58.51.86-92.58.53.96.
Ski de fond
Tél. : 92.58.54.96.
Ski de randonnée
Tél. : 92.58.53.65-92.58.55.00.

Saint-Julien-en-Vercors/Saint-Martin-en-Vercors (26420) (900-1400 m)
Syndicat d'initiative
Tél. : 75.45.52.94.

Valdrôme (26310) (1300-1730 m)
Syndicat d'initiative
Tél. : 75.21.40.06
(vacances scolaires)-75.90.09.36.
Syndicat d'initiative (Luc-en-Diois)
Tél. : 75.21.34.14.
Station
Tél. : 75.21.47.24.

Vassieux-en-Vercors (26420) (1050-1450 m)
Office de tourisme (La Chapelle-en-Vercors)
Tél. : 75.48.22.54.
Antenne de Vassieux
Tél. : 75.48.27.40.
Foyer de ski de fond et de randonnée
Tél. : 75.48.22.75.

CENTRES EQUESTRES

La Chapelle-en-Vercors (26420)
Le Vercors à cheval
Tél. : 75.48.20.47.

Corrençon-en-Vercors (38250)
Hôtel Le Caribou
Tél. : 76.95.82.82.

Gigors et Lozeron (26400)
Le Domaine de Jagnol
Tél. : 75.40.98.00.

Glandage (26410)
L'Escavale
Tél. : 75.21.17.09.
Le Ranch du Château
Tél. : 75.21.17.01.

Gresse-en-Vercors (38650)
Marc Letot
Tél. : 76.34.33.09.
Poney-club Les Choucas
Tél. : 76.34.32.79.

Lans-en-Vercors (38250)
Les Bruyères
Tél. : 76.95.05.60.
Les Prés Verts
Tél. : 76.95.40.60.
Tous à Cheval
Tél. : 76.95.44.85.

Lente (26190)
Au Diamant Gris
Tél. : 75.48.27.99-75.48.27.12.

Méaudre (38112)
Le Val Joyeux
Tél. : 76.95.21.45.

Montvendre (26120)
Ferme équestre Les Pialoux
Tél. : 75.60.31.06.

Ponet-Saint-Auban (26150)
Dominique Durand
Tél. : 75.22.19.81.

Rencurel (38680)
Hôtel Perazzi
Tél. : 76.38.97.68.

Villard-de-Lans (38250)
La Renardière
Tél. : 76.95.13.10.

GOLFS

La Chapelle-en-Vercors (26420)
Vercors-Golf (9 trous)
Tél. : 75.48.11.62.

Corrençon-en-Vercors (38250)
Golf (18 trous)
Tél. : 76.95.80.42.

HOTELS CLASSES

Alixan (26300)
Alpes-Provence**
Aire de Bayanne
RN 532
Tél. : 75.47.02.84.

Autrans (38880)
Au Feu de Bois**
Tél. : 76.95.30.12.
Ma Chaumière**
Tél. : 76.95.30.12.
Le Montbrand
Tél. : 76.95.34.58.
Le Vernay**
Tél. : 76.95.31.24.
La Poste**
Tél. : 76.95.31.03.
Le Kalliste**
Tél. : 76.95.31.39.
La Buffe**
Tél. : 76.95.14.85
La Tapia**
Tél. : 76.95.33.00.
Les Tilleuls**
Tél. : 76.95.32.34.
Le Chalet Suisse*
Tél. : 76.95.30.32.

Baume-d'Hostun (La) (26730)
La Baumière**
Le Village
Tél. : 75.48.47.66.

Bourg-de-Péage (26300)
Le Don Angélo***
Avenue Alpes-Provence
Tél. : 75.72.44.11.
Traget**
Avenue Alpes-Provence
Tél. : 75.05.10.60.

Bouvante (26190)
Auberge du Pionnier*
Tél. : 75.48.57.12.

La Chapelle-en-Vercors (26420)
Bellier**
Tél. : 75.48.20.03.
Nouvel Hôtel*
Tél. : 75.48.20.09.
des Sports*
Tél. : 75.48.20.39.

Château-Bernard (38650)
Deux-Sœurs**
Tél. : 76.72.37.68.

Chichilianne (38930)
Château des Passières***
Tél. : 76.34.45.08.
Au Gai Soleil du mont Aiguille**
La Richardière
Tél. : 76.34.41.71.

Clelles (38930)
Ferrat**
Tél. : 76.34.42.70.

Corrençon-en-Vercors (38250)
du Golf***
Tél. : 76.95.84.84.
Les Clarines**
Tél. : 76.95.81.81.
Le Lièvre Blanc**
Tél. : 76.95.82.93.

Crest (26400)
Grand-Hôtel**
60, rue de l'Hôtel-de-Ville
Tél. : 75.25.08.17.
Le Square*
Rue du 8 mai-1945
Tél. : 75.40.65.75.
La Porte Montségur**
Route de Die
Tél. : 75.25.41.48.
Giffon**
Grane
Tél. : 75.62.60.64.

Die (26150)
Saint-Dominique**
44, rue Camille-Buffardel
Tél. : 75.22.03.08.
des Alpes**
87, rue Camille-Buffardel
Tél. : 75.22.15.83.
Le Relais de Chamarges**
Route de Valence
Tél. : 75.22.00.95.

Echevis (26190)

Le Refuge**
Route des Grands-Goulets
Tél. : 75.48.68.32.

Génissieux (26750)
La Chaumière**
Tél. : 75.02.77.97.

Granges-les-Beaumont (26600)
Les Vieilles Granges**
Tél. : 75.71.50.43.
Lanaz**
Tél. : 75.71.50.56.

Gresse-en-Vercors (38650)
Le Chalet***
Tél. : 76.34.32.08.
Rochas**
Tél. : 76.34.31.20.

Lans-en-Vercors (38250)
Au Bon Accueil**
Tél. : 76.95.42.02.
Le Col de l'Arc**
Tél. : 76.95.40.08.
La Source**
Tél. : 76.95.42.52.
Le Val Fleuri**
Tél. : 76.95.41.09.

Luc-en-Diois (26310)
du Levant**
Tél. : 75.21.33.30.

Margès (26260)
Le Pont-du-Chalon**
Tél. : 75.45.62.13.

Méaudre (38112)
Le Pertuzon**
Tél. : 76.95.21.17.
La Prairie**
Tél. : 76.95.22.55.
Le Parc**
Tél. : 76.95.20.02.
Auberge du Furon**
Tél. : 76.95.21.47.

Rencurel (38680)
Perazzi**
Tél. : 76.38.97.68.

Romans-sur-Isère (26100)
Les Balmes**
Tél. : 75.02.29.52.
Comfort Inn-Primevère**
Le Clos des Tanneurs
Tél. : 75.05.10.20.
Cendrillon**
9, place Carnot
Tél. : 75.02.83.77.
Magdeleine**
31, avenue Pierre-Sémard
Tél. : 75.02.33.53.
Terminus**
48, avenue Pierre-Sémard
Tél. : 75.02.46.88.
des Ors**
4, rue Salvadore-Allende
Tél. : 75.02.26.24.

Saint-Agnan-en-Vercors (26420)
Le Veymont*
Tél. : 75.48.20.19.

Saint-Hilaire-du-Rosier (38840)
Bouvarel**
La Gare
Tél. : 76.64.50.87.

Saint-Jean-en-Royans (26190)
Le Castel Fleuri**
Tél. : 75.47.58.01.
Le Col de la Machine**
Tél. : 75.48.26.36.

Saint-Lattier (38840)
Brun**
Les Fauries
Tél. : 76.64.54.76.

Saint-Marcellin (38160)
Savoyet-Serve**
16, boulevard Gambetta
Tél. : 76.38.04.17.

Saint-Martin-en-Vercors (26420)
Les Grands-Goulets**
Les Barraques
Tél. : 75.48.22.45.

Saint-Nazaire-en-Royans (26190)
Camille Rome**
Tél. : 75.48.40.69.

Saint-Nizier-du-Moucherotte (38250)
Le Concorde**
Tél. : 76.53.42.61.
Les Alpes**
Tél. : 76.53.41.92.

Saint-Paul-les-Romans (26750)
Karène-Hôtel**
RN 92
Quartier Saint-Vérand
Tél. : 75.05.12.50.

Vassieux-en-Vercors (26420)
Allard**
Tél. : 75.48.28.04.

Villard-de-Lans (38250)
L'Eterlou***
Tél. : 76.95.17.65.
Le Christiana***
Tél. : 76.95.12.51.
Le Dauphin***
Tél. : 76.95.95.25.
Grand Hôtel de Paris***
Tél. : 76.95.10.06.
Le Galaxie***
Tél. : 76.95.98.61.
A la ferme du Bois-Barbu**
Tél. : 76.95.13.09.
Arc-en-Ciel**
Tél. : 76.95.18.01.
Roche du Colombier**
Tél. : 76.95.10.26.
Georges**
Tél. : 76.95.11.75.
Les Playes**
Tél. : 76.95.14.42.
Les Bruyères**
Tél. : 76.95.11.83.
Pré Fleuri**
Tél. : 76.95.10.96.
Villa Primerose**
Tél. : 76.95.13.17.
La Fleur du Roy**
Tél. : 76.95.11.91.
Le Gerbier**
Tél. : 76.95.10.50.
La Roseraie**
Tél. : 76.95.11.99.
La Taïga**
Tél. : 76.95.15.40.
Le Centre*
Tél. : 76.95.14.12.
Le Loup Blanc*
Tél. : 76.95.91.02.

INDEX DES NOMS DE LIEUX ET DES PERSONNALITÉS

Imprimé en Belgique par Casterman à Tournai.
Dépôt légal : avril 1996; D.1996/0053/185.